# 煤矿测量学

石秀伟　主编



山西出版传媒集团
山西人民出版社
山西科学技术出版社

图书在版编目（CIP）数据

煤矿测量学 / 石秀伟主编. -- 太原 ：山西人民出版社，山西科学技术出版社 2014. 6

山西省煤炭中等职业教育系列教材

ISBN 978-7-203-08511-9

Ⅰ. ①煤… Ⅱ. ①石… Ⅲ. ①矿山测量-岗位培训-教材 Ⅳ. ①TD17

中国版本图书馆CIP数据核字(2014)第081515号

煤矿测量学

主　　编：石秀伟
责任编辑：武　静

出 版 者：山西出版传媒集团·山西人民出版社·山西科学技术出版社
地　　址：太原市建设南路21号
邮　　编：030012
发行营销：0351-4922220　4955996　4956039
0351-4922127　（传真）　4956038（邮购）
E-mail：sxskcb@163.com　发行部
sxskcb@126.com　总编室
网　　址：www.sxskcb.com

经 销 者：山西出版传媒集团·山西人民出版社
承 印 厂：山西惠民印务有限公司

开　　本：787mm×1092mm　1/16
印　　张：15
字　　数：350千字
印　　数：1—3000册
版　　次：2014年6月 第1版
印　　次：2014年6月 第1次印刷
书　　号：ISBN 978-7-203-08511-9
定　　价：42.00元

# 《山西省煤炭中等职业教育系列教材》编委会

# 前　言

为认真落实山西省政府、山西省煤炭厅对煤炭行业从业人员素质提升的指示精神，适应山西省煤炭资源整合、企业兼并重组后现代化矿井建设对技术技能型人才的迫切需求，推进全省煤矿从业人员“人本安全、培训教育、素质提升”工程实施，促进煤矿企业人才队伍“变招工为招生”素质专业化目标实现，按照课程改革、课堂教学改革方案的要求，加快中等职业教育“送教下矿”培养模式的教材改革，使之适应煤炭工业机械化、信息化、现代化建设的人才需求，按照煤矿生产、建设、安全管理实际和对从业人员的具体要求，在认真调研、广泛征求意见的基础上，我们组织骨干教师对2010版山西省煤矿关键岗位从业人员中等职业教材进行了重新修订。

本系列教材在编写修订过程中着重突出以下特点：1.参照教学计划和教学大纲执行两个课改方案要求；2.新技术、新装备、新工艺单独成章，提高学生对现代化矿井的综合认知；3.将“山西省煤矿六个标准”按各专业要求编入其中，并融入“人人都是通风员”的思想理念；4.编入了企业现场实用的系统知识、技能、工艺；5.教材每章均按系统理论、核心知识点、专业技能训练三部分编写，突出技能训练内容，同时编有复习题，新增了讨论题，力求实现理论联系实际的教学目的；6.本系列教材力求简洁、实用、通俗易懂。

本书主编：石秀伟

编写人员在教材修订过程中，得到了有关领导和专家的支持、帮助，并参考了大量的文献资料和煤矿企业技术资料。在此，向提供帮助的有关专家、领导及企业表示诚挚的感谢！

希望各位教师、企业工程技术人员、专家能够结合煤矿企业发展现状，将更为先进的、适用的专业技术内容提供给我们。

由于时间仓促，编者水平有限，书中难免有不妥之处，恳请广大师生、企业工程技术人员批评指正。

# 目 录

## 第一章 煤矿测量学的基本知识



## 第二章 距离测量与直线定向



## 第三章 经纬仪及角度测量

## 第四章　高程水准测量



## 第五章　小区域平面控制测量



## 第六章　大比例尺地形图测绘

## 第七章 测设的基本工作



## 第八章 矿井联系测量



## 第九章 巷道测量



## 第十章 巷道施工测量

## 第十一章　贯通测量



## 第十二章　山西省煤矿“六个标准”涉及内容

# 第一章　煤矿测量学的基本知识

## 第一部分　系统理论知识

### 第一节　测量学概述

#### 1.1.1 测量学定义

测量学是研究地球的形状、大小以及确定地球表面各点间相对位置的一门科学。简言之,测量学是告诉我们怎样利用一些测量工具、方法来测定地球表面上一些点与点之间的距离、角度和高差,从而确定整个地球或地球表面局部地区的形状、大小。

我国测量工作开始得很早,据《史记》记载,早在夏禹治水时,就使用了"准、绳、规、矩"等测量工具;春秋战国时代发明的指南针,直到现在还被全世界广泛地应用着。可见,测量学是人类在生产实践中不断发展而形成的一门技术科学和应用科学。

#### 1.1.2 测量学的任务

测量学的主要任务可以简单概括为测定和测设两部分。测定就是使用测量仪器和工具,将测区内的地物和地貌按比例缩小测绘成地形图,供规划设计、工程建设和国防建设使用。测设(也称放样、标定)是将图纸上设计好的建筑物和构筑物的位置标定于实地,作为施工的依据。

从本质上讲,测量学的任务就是确定地面目标在三维空间的位置以及随时间的变化。这一般是通过测量角度、距离和高差等要素来实现的。

#### 1.1.3 测量学的分类

随着国民经济的发展和科学技术的进步,测量科学技术的内容日益丰富,作用也更加广泛。根据研究范围和对象的不同,产生了许多分支学科,一般包括普通测量学、大地测量学、摄影测量学、矿山测量学和地图制图学5个分支。

地形测量学(普通测量学)是测绘科学的一个基础部分,是研究测绘地形图的基本理论、技术和方法的学科。把地球表面的各种自然形态(如水系、地貌、土壤和植被的分布)以及人类社会活动所产生的各种人工形态(如境界线、居民地、交通干线)和各种建筑物的位置采用正射投影的理论,使用一定符号,按一定比例,相似地缩绘到平面图上,这种图叫做地形图。地形图的测绘和应用是地形测量学的核心内容,在国民经济和国防建设中有着广泛的应用。

大地测量学是以地球表面大区域为研究对象，研究和测定地球形状、大小和地球重力场，以及测定地面点几何位置的学科。现代大地测量学包括几何大地测量学、物理大地测量学和卫星大地测量学3个主要部分。

摄影测量学是利用摄影或遥感的手段获取被测物体的信息(影像的或数字式的)，经过对图像的处理、量测、判释和研究来确定被测物体的形状、大小和位置，并判断其性质的一门学科。按获取相片的方法不同，分为地面立体摄影测量学和航空摄影测量学两种。

矿山测量学是综合运用测量、地质及采矿等多种学科的知识来研究和处理矿山地质勘探、建设和采矿过程中由矿体到围岩、从井下到地面在静态和动态条件下的工作空间几何问题，以确保矿产资源合理开发、安全生产和矿区生态环境整治的一门学科。

地图制图学是以地图信息传输为中心，探讨地图及其制作的理论、工艺技术和使用方法的一门综合性学科，它主要研究用地图图形反映自然界和人类社会各种现象的空间分布、相互联系及其动态变化，具有区域性学科和技术性学科的两重性，所以亦称地图学。

上述几门分支学科，既自成系统，各有专务，又密切联系，相互配合。

#### 1.1.4 测量学的作用

测量是国家经济建设和国防建设的一项重要的基础性、先行性的工作，从规划设计到每项具体工程中的建设，都需要有准确的测量成果作依据。随着社会和科学技术的发展，测量的重要性日益增强，应用的领域不断扩大，本教材重点介绍其在煤矿建设中的作用。

煤炭企业是由工业建(构)筑物、地下井巷和采掘工作面所组成的一个复杂而又紧密联系的有机整体。为了确定和反映井下巷道之间、采区之间、相邻矿井之间以及井下开采场所与地面建筑物之间的相互位置关系，确保矿井安全合理地生产，从矿区勘探、设计、兴建起，直至矿井报废止，在整个开发过程中，都必须经常不断地进行测量工作。

一个矿区或井田范围内的测量工作主要包括地面测量、井上下联系测量和井下测量。它们的相互关系如图1–1所示。由图可看出，地面测量是基础，联系测量是纽带，井下测量是反映采掘平衡关系的主要依据，以其测量成果绘制各种矿图，及时反映煤矿生产建设面貌及其位置关系。由此可见，测量工作在大力开发煤炭资源中与地质工作紧密配合起先导性的作用；在均衡生产方面起保证性作用；在工程质量及合理利用资源方面起监督性作用；在安全生产方面起指导性作用。因此，测量工作是煤炭生产和建设中不可或缺的一项技术基础工作，对正确指导煤炭资源的合理开采和保证安全生产具有重要意义，人们形象地把它称为矿山的眼睛和尖兵。

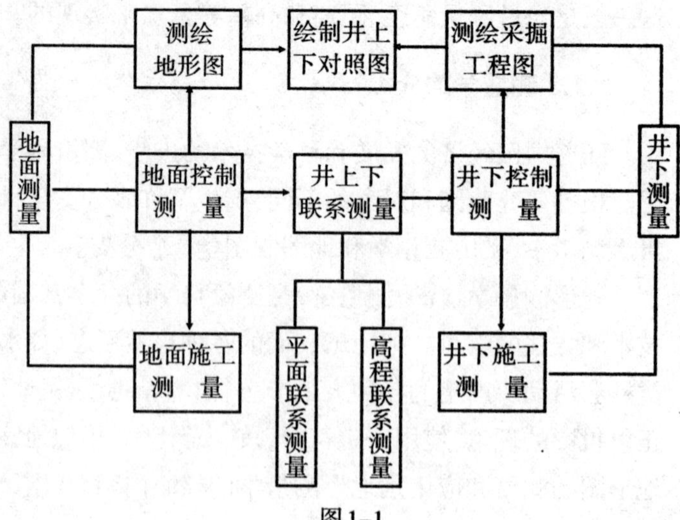

图1–1

所以，地质、采矿技术人员都必须具备测量的基本知识，学会使用各种常用测量仪器和工具，掌握识图、用图和利用测量资料来解决生产建设中的各种实际问题的能力。

## 第二节　地面点位置的确定

地球表面的形状错综复杂，起伏不平，但实质上都是由一系列的点构成的。只要能准确测定地面上某一个点及其他地面点与该点的相对位置，则可确定地面的形状。

在测量工作中，地面点位的确定，一般用三个量来表示，即某点在基准面上的投影位置($X$,$Y$)和该点离基准面的高度($H$)。

### 1.2.1 大地水准面

测量工作是在地球表面进行的，而地球表面比较复杂，有高山、深谷、丘陵、平原、河流、湖泊及海洋等。地球上最高的珠穆朗玛峰，高出海水面8846.27m，最低的马里亚纳海沟，低于海水面11022m。这些高低起伏与巨大的地球半径（平均为6371km）相比是微不足道的，可以忽略不计。又由于地球上陆地面积仅占整个地球表面的29%，而海洋面积占了71%，因此人们可以认为地球是被静止的海水面所包围的球体。

假想静止的海水面，在没有潮汐和风浪的影响下无限延伸，穿过大陆和岛屿，形成了一个封闭的曲面，我们称之为水准面。而实际上，海水面受到波浪和潮汐的影响，并不能完全静止，所以水准面有无数多个，其中通过平均位置的一个水准面称为大地水准面。测量上规定，以大地水准面作为高程的起算面。

### 1.2.2 高程

1.绝对高程

地面点到大地水准面的铅垂距离，称为绝对高程，又称海拔或标高，常用$H$表示。如图1-2中的$H_A$和$H_B$，分别代表点A和点B的高程。在高程起算面上，高程的绝对值为零，之上为正值，反之为负值。

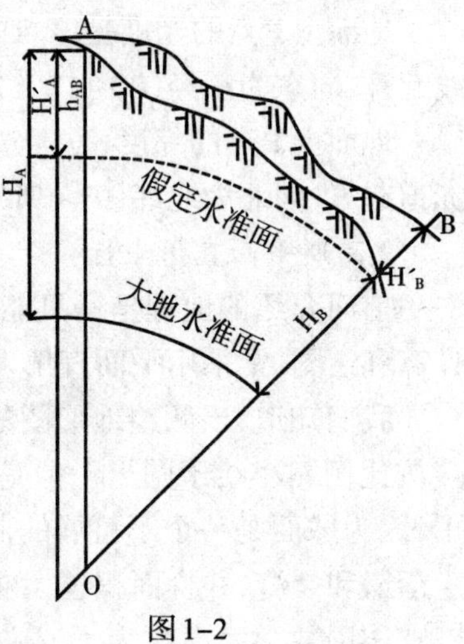

图1-2

新中国成立前，我国采用的高程基准面十分混乱，新中国成立后国家在青岛设立了验潮站，根据1950～1956年的验潮资料推算的黄海平均海水面作为我国高程的起算面，水准原点的高程为72.289m，这一系统称为“1956年黄海高程系”。20世纪80年代初，国家又根据1952~1979年的验潮资料，推算出新的平均海水面，水准原点的高程为72.260m，这一系统称为“1985年国家高程基准”。

2.相对高程

根据实际需要，如果在某一地区引用绝对高程有困难，或者为了施工方便，也可以选择一个假定的水准面作为高程的起算面。地面某点到假定水准面的铅垂距离称为假定高程或相对高程，常用$H'$表示，如图1–2中的$H'_A$。采用假定高程时，应先在测区内选定一个高程基准点并确定其假定高程值，再以它为基准推算其他各点的假定高程。但应注意，在一个特定的区域内，只能选择一个假定水准面，否则会发生混乱。

3.高差

地面上两个点位的高程之差称为两点的高差，常用h表示。如

$$h_{AB}=H_A-H_B=H'_A-H'_B \tag{1–1}$$

高差有正负之分，如图1–2中的A点高于B点，则A点对于B点的高差为正，反之为负。

### 1.2.3 地面点的坐标

前面已经介绍，确定地面点的空间位置需要三个量，即平面坐标和高程。根据不同的需要可以采用不同的坐标系统，下面就坐标系统进行简要介绍。

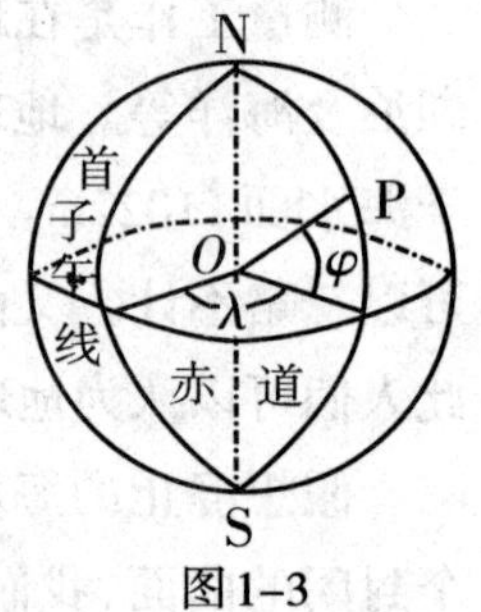

图1–3

1.地理坐标

在球面上，地面点的位置通常用经纬度表示，这种用经度和纬度来确定地面点位的坐标，称为地理坐标。

如图1–3所示，N和S分别为北极和南极，NS为地球自转轴。通过地轴和地球上任意一点P的平面与地球表面的交线称为P点的真子午线或经线。通过英国格林尼治天文台的子午面，称为首子午面。它与地球表面的交线，称为首子午线。垂直于地轴的各平面与地球表面的交线，称为纬线。过地心且与地轴垂直的平面称为赤道面，赤道面与地球表面的交线称为赤道。赤道面是确定地面点纬度的基准面。

地面上P点的经度是该点的子午面与首子午面的夹角，常用符号λ表示。经度从首子午线起算，向东为东经（0°～180°），向西为西经（0°～180°）；

地面上P点的纬度，是经过该点的法线与赤道面之间的夹角，常用符号φ表示。纬度从赤道起算，向北为北纬（0°～90°），向南为南纬（0°～90°）。

2.高斯平面直角坐标

前面介绍的地理坐标只能确定地面点在球面上的坐标，不能直接用于测图。为了便于计算和绘图，常采用平面直角坐标系统。

我们知道，当测绘地形图的范围较小时，可以把球面当作平面，可将所测的地面图形直接按比例缩小绘于图上。但是，如果测图范围较大时（大于10km），就不能把球面看成平面了，因为球面是一个不可展的曲面。它像桔子皮一样，如果展开压成平面，不可避免地要产生褶皱和裂缝，并且面积越大变形越大，面积越小变形越小。

德国数学家高斯为了解决这一问题，首先提出了横圆柱正形投影理论，如图1–4所示。后来由德国大地测量学家克吕格补充研究完成，人们把这种投影称为高斯—克吕格投影。

为使这种投影变形误差不影响图纸的使用，通常采用高斯投影分带法，下面做简要说明。

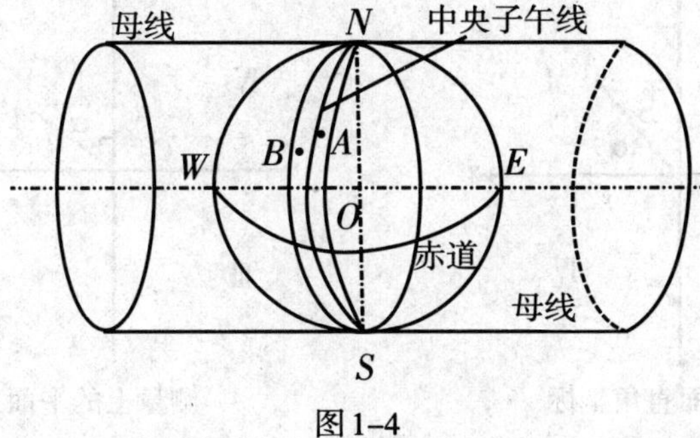


图1-4

在中、小比例尺测图中，大都采用6°分带法。即从首子午线开始，依次向东每隔6°划分为一带，将地球分成60个投影带，编号用阿拉伯数字1~60表示。每一个带的中央子午线的经度($L_0$)与6°带的带号($N$)有如下关系：

$$L_0=6°N-3° \tag{1-2}$$

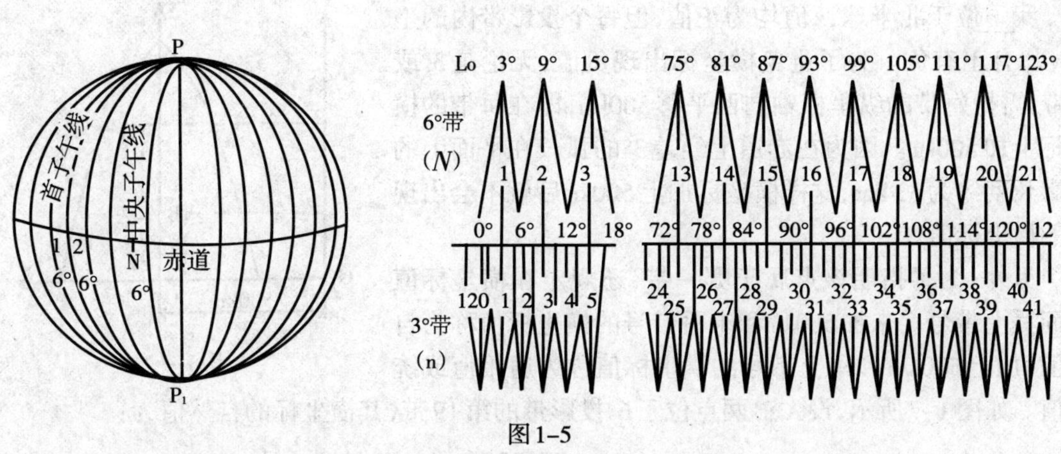


图1-5

在1:10000及大比例尺测图中，因采用6°分带法不能满足测图的精度要求，故又采用3°投影分带法。它是从东经1°30′起，每隔经度3°划分为一个投影带，全球共分120带。其中央子午线的经度($L_0$)与3°带的带号(N)有如下关系：

$$L_0=3°N \tag{1-3}$$

分带投影后，在每个投影带里，各带的中央子午线都和赤道垂直。以中央子午线为纵轴(即X轴)，向北为正，赤道为横轴(即Y轴)，向东为正，其交点为原点(O)，这样便构成了高斯直角坐标系统，称为高斯-克吕格坐标系，如图1-6所示：

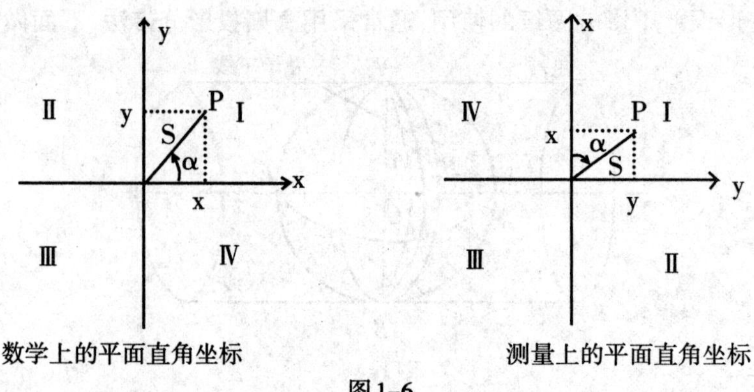


数学上的平面直角坐标　　测量上的平面直角坐标

图1-6

在高斯平面直角坐标系中，两个坐标轴将整个平面分为四个部分，每一部分称为象限，象限按顺时针编号。此种规定与数学上的直角坐标系有所不同，与数学上的象限顺序相反。测量工作中规定所有直线的方向都从纵轴北端顺时针方向度量，这样变换，既不改变数学公式，又便于测量上的方向和坐标计算。

我国位于北半球，$x$值均为正值，但每个投影带内的坐标$y$却有正有负。为了避免横坐标出现负值，无论是3°或6°带，需把每带的纵坐标轴向西平移500km，即在每带的横坐标上加500km。因为在赤道上经差3°的弧长在平面上的投影长度约为334km，这样横坐标加上500km后就不会出现负的横坐标值。

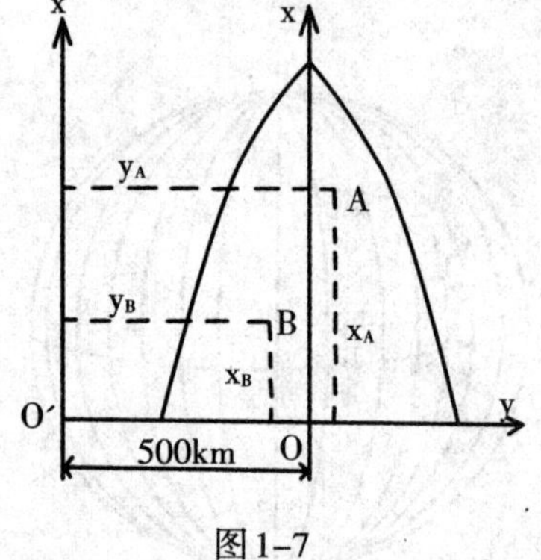


图1-7

另外，为了指明该点属于哪一带，还规定在横坐标值前面写上带号。未加500km和未写带号的横坐标值称为自然值，加上500km和写上带号的横坐标值称为通用值或统一值。如图1-7所示，设A、B两点位于6°投影带的第19带，其横坐标的自然值为：

$$y_A = 37680\text{m}$$

$$y_B = -73280\text{m}$$

将其横坐标的自然值加上500km并加上带号后，便得其通用值，即

$$y_A = 19537680\text{ m}$$

$$y_B = 19426720\text{ m}$$

由通用值可以看出，以km为单位的话，小数点前三位数字若小于500，表示该点位于中央子午线西侧，其横坐标自然值取负；反之，位于东侧，自然值取正。由于我国领域内，6°带号在13～23带之间，而3°带号在25～45带之间(我国6°带和3°带的中央子午线经度均由东经75°起，东经135°止)，没有重叠带号。因此，根据横坐标通用值就可判定投影带是6°带还是3°带。

3.假定平面直角坐标(独立平面直角坐标系)

对于小区域的测量工作，若没有国家控制点时，可以采用独立平面直角坐标系。地形测量规范规定：独立控制网测区面积小于50km²，无发展远景时，可直接在平面上计算，这时，

可以用测区中心的切平面P来代替大地水准面，如图1–8所示。为避免出现负值，将坐标原点选在测区西南角，以该地的磁子午线为X轴，向北为正。这样就构成了测区独立平面直角坐标系统，也就可以确定地面点的平面位置了。

对于煤矿测量来说，如矿区面积不大，矿区附近没有国家控制点，也可采用假定平面直角坐标系统。

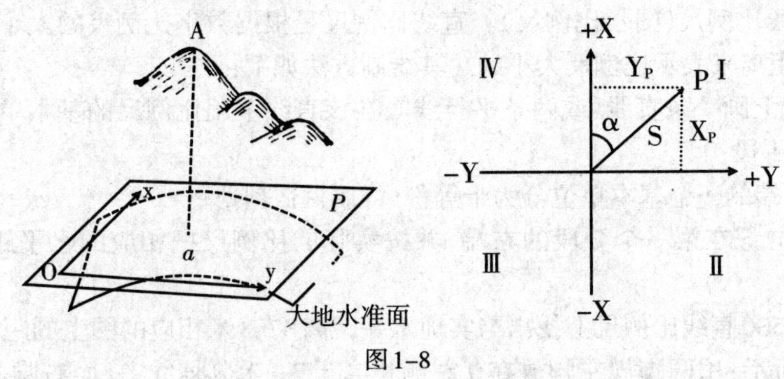


图1–8

# 第三节　比例尺

## 1.3.1 比例尺概念

为了将地球表面上某一区域的形状、大小及地面要素测绘在图纸上，不可能按真实的大小来描绘，通常按一定比例缩小后表示在图纸上。图上某直线的长度与该直线的实际水平长度之比，称为比例尺。比例尺通常分为数字比例尺和图式比例尺两种。

1.数字比例尺

用数字或分数形式表示的比例尺，称为数字比例尺。为计算方便，数字比例尺通常以分子为1的分数来表示。

设图上某直线的长度为$l$，地面上相应线段水平投影长度为$L$，$M$为比例尺分母（即绘图时缩小的倍数），则该图的比例尺为

$$\frac{1}{M}=\frac{l}{L} \tag{1–4}$$

比例尺的大小依分数值的大小而定，分数值越大，则比例尺越大；分数值越小，则比例尺越小。在实际应用中，一般把1:5000（也可写成1/5000）、1:2000、1:1000、1:500及更大的比例尺称为大比例尺；1:1万、1:2.5万、1:5万、1:10万的比例尺称为中比例尺；小于1:10万的比例尺称为小比例尺。

地形图常用比例尺有 1/500、1/1000、1/2000、1/5000等。煤矿工作中，常用的图纸比例尺有1:200、1:500、1:1000、1:2000、1:5000等。

由式1–4可看出，已知实地水平长度，可根据给定比例尺求出图上应绘的长度，还可以根据图上量得的尺寸，由已知比例尺求出其实际水平长度。

例如，量得地面上A、B两点间的水平长度为124.50m，在比例尺为1:2000的地形图上，

其图上长度为多少？

$$l=\frac{L}{M}=\frac{124.40}{2000}=6.22\text{厘米}$$

2.图示比例尺

用数字比例尺需要经常计算，很不方便。在实际工作中，为了简化计算和量图，常在图的下方绘一直线比例尺(图示比例尺)。直线比例尺是根据数字比例尺的大小，用图上线段长度代表实际距离来表示比例尺大小的。其绘制方法如下：

(1)在图纸上画一条直线(或两条平行线)，在该直线上用比例尺的基本单位(1厘米或2厘米)截取若干段；

(2)将最左端的一个基本单位分为十等份，可用目估刻划；

(3)将零(0)记在第一个分段的右端，并按实际的比例尺把相应的水平距离记在各分段上。

例如，在1/500直线比例尺上找出与实地水平距离37.3米相应的图上的距离。

如图1-9所示：用两脚规左脚放在0左侧相当于7.3米分划线上，而右脚放在0点右边的30米分划线上，此时两脚规尖间的距离，就是所求图上的距离。

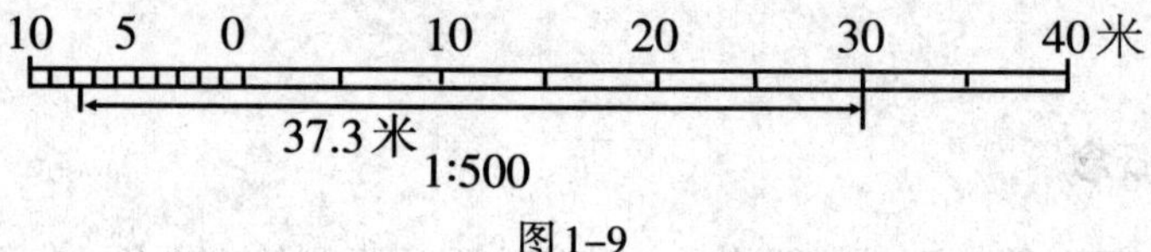


图1-9

### 1.3.2 比例尺精度

人们用肉眼能分辨出图上的最小距离是0.1mm，就是说，小于0.1mm的线段，实际上已不能绘到图上。因此，地形图上0.1mm所代表的实际长度，称为比例尺精度。

若以ε表示比例尺精度，M表示地形图比例尺，则

$$\varepsilon=0.1\text{mm}\times M \tag{1-5}$$

几种常用地形图的比例尺精度如表1-1所示。

表1-1 几种常用地形图的比例尺精度

| 比例尺 | 1:5 000 | 1:2 000 | 1:1 000 | 1:500 |
|---|---|---|---|---|
| 比例尺精度/m | 0.50 | 0.20 | 0.10 | 0.05 |

比例尺精度的意义在于：

1.根据比例尺的精度，可确定测绘地形图时测量距离的精度；

2.如果规定了地形图上要表示的最短长度，根据比例尺的精度，可确定测图的比例尺。

例：如果规定在地形图上应表示出的最短距离为0.2m，则测图比例尺最小为多大？

$$\frac{1}{M}=\frac{0.1}{\varepsilon}=\frac{0.1}{200}=\frac{1}{2000}$$

# 第四节　测量工作概述

### 1.4.1 测量的基本内容

第二节已经介绍了地面点位置的确定方法，但在实际测量工作中，并不是直接测出它们的坐标和高程，而是通过外业观测得到水平角、平距以及点之间的高差，再根据已知点的坐标、方向、高程推算出待求点的坐标、高程，来确定它们的点位。

由此可知，地面点间的位置关系是以距离、水平角和高差来确定的。因此，水平角、距离、高差是确定地面点位的三个基本要素；角度测量、距离测量及高程测量是测量的三项基本内容。

### 1.4.2 测量工作的原则

地球表面的外形复杂多样，但总体可以分为地物和地貌两大类。地面上的自然物体和人工建筑物，如房屋、道路、桥梁等称为地物，而各种高低起伏的形态，如平原、盆地、丘陵、山地等称为地貌，地物和地貌总称为地形。能够反映地物轮廓和描述地貌特征的点统称为碎部点（特征点）。测量时就是要测定这些特征点的平面位置和高程。

如图1-10(*a*)为一幢房屋，其平面位置由房屋轮廓线所组成，如果确定了1、2、3、4各点的位置，则这幢房屋的位置就确定了。图1-10(b)所示为一池塘的示意图，只要能确定5～16各点的平面位置，则这个池塘的位置也就确定了。至于地貌，虽然其地势起伏变化较复杂，但可看成是由许多不同坡度、不同方向的面交会而成，相邻两个面的交线是方向变化线和坡度变化线，只要确定这些方向变化线和坡度变化线的交点的平面位置和高程，地貌的基本情况也就反映出来了。

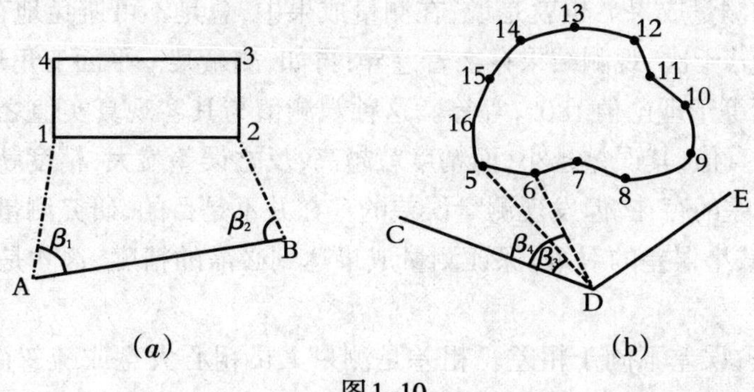


图1-10

做任何工作都必须遵循一定的原则，按照一定的步骤进行，这样才能做到有条不紊、保质保量。测量工作也不例外，在测定特征点的位置时，也应按照一定的方法和程序进行。

如图1-10(b)所示，测量时，若从点5开始，由点5测定点6，再由点6测定点7，如此继续下去，一直测到点16，然后根据测得的数据计算各点位置，描绘成图。这样一点接着一点地测量，测量误差必然越积越大，就是用很高的精度去测量，也很难保证不超过误差允许的限度,这种方法显然不可取。

而如果事先已用较精确的方法测定了A、B、C、D、E各点的坐标,测图时,在A点架设仪器,测出1点与AB边的夹角和1点到A的距离,则可根据A、B两点的坐标,求出1点的坐标。同理,可求出2~16等各点的坐标。这样虽然多了用较高精度测定A、B…E各点的工作,但点数不多,测量工作量不会很大,在一定的测量方法下能够保证测量精度的要求,显然这种方法是合理的。用该方法测得了各点坐标,就可以在图纸上绘制地形图了。

在测量工作中,把A、B…E各点称为控制点,由控制测量方法得到。而测定碎部点1、2等的工作,称为碎部测量。因此,测定碎部点的位置通常分两步进行:先进行控制测量,再进行碎部测量,这种"从整体到局部、先控制后碎部"的方法就是测量工作应遵循的原则。只有这样,才能保证全国统一的坐标系统和高程系统,使地形图可以分幅测绘,加快制图速度,减少误差的累积,保证测量成果的精度。

此外,测量工作应遵循的另一个原则就是"步步要检核"。就是说,测量工作的每项成果必须要有检核,检查无误后方能进行下一步工作,中间环节只要有一步出错,以后的工作就会徒劳无益。只有坚持"步步有检核"的原则,才能保证测量成果合乎技术规范的要求。

综上所述,无论是控制测量、碎部测量还是施工放样,其实质都是确定地面点的位置,也就是要测定地面点位三要素。所以说,观测、计算和绘图是测量工作的基本技能。

## 第五节 测量误差概念

### 1.5.1 测量误差的概念

任何测量工作都是由观测者使用仪器和工具,依照一定的测量方法,在客观环境下进行的。但在测量工作中,无论使用的仪器多么精良,无论观测者如何仔细地操作,最后仍不可能得到绝对正确的测量成果。也就是说,在测量成果中,总是不可避免地存在误差。例如,往返丈量某段距离若干次,观测结果存在着差异;再如,测量某一平面三角形的三个内角,其观测值之和常常不等于理论值180°;等等。这种观测值与其客观真实值之间的差异就是误差。观测值越接近真值,其误差越小,而精度就越高;反之误差就大,精度就低。用重复观测的方法可以发现误差的存在,但发现测量误差的存在并不是目的,研究测量误差产生的原因和变化规律、找出减小误差的对策、保证测量成果达到必需的精度,这才是研究测量误差的根本目的。

值得注意的是,误差不同于粗差。粗差是测量人员粗心大意或疏忽而造成的测错、记错、算错等差错。只要我们认真细致地工作,并注意校核和检查,粗差是可以避免的。

### 1.5.2 测量误差产生的原因

如上所述,由于观测条件(通常把测量仪器、观测者的技术水平和外界环境三方面综合起来称为观测条件)不可能处于理想状态,因而观测误差也是不可避免的。概括起来,产生观测误差的因素有以下三个方面:

1.观测者的因素

观测者受其感觉器官辨别能力的局限，在观测过程的仪器对中、整平、照准、读数等各个环节都会产生误差，并且由于观测者技术水平、工作态度的差异，也会对观测成果造成不同程度的误差。

2.仪器本身的因素

测量仪器在加工和装配等工艺过程中，不能保证仪器的结构能满足各种几何关系，必然会给测量带来误差。

3.外界环境的因素

外界环境主要是指观测过程中空气的温度、湿度、风力、透明度、地球弯曲和大气折光等因素的不断变化，给观测结果带来的误差。

由于上述三种因素的影响不可能消除，所以误差不可能避免。而在矿井建设和煤炭生产中则要求测量成果必须要有一定的精度。因此，凡从事测量工作的人员，都应了解一些误差产生、累积的规律，以便在工作中采取措施，减少误差的影响，把它限制在一定的范围内。

### 1.5.3 测量误差的种类

测量误差按性质可分为两类，一类为系统误差，一类为偶然误差（也称随机误差）。

1.系统误差

在相同的观测条件下对某量进行多次观测，若其观测误差的符号和大小相同，或按一定的规律变化，这种误差称为系统误差。

例如，名义长度50m的钢尺，经检定后，实际长度为49.994m，每量一个尺段，就较实际长度多算了6mm，若丈量五个尺段，其结果就比实际长度大6×5=30mm，也就是说丈量的尺段越多，误差积累就越大，这是仪器本身不完善产生的误差。另外外界条件的变化，如气温的变化、大气折光等，也是产生系统误差的重要因素。

通常情况下，系统误差在相同观测条件下具有成倍积累的性质，对观测成果影响较大。因此，测量时必须采取一定的措施消除或减弱其影响。

2.偶然误差

在相同观测条件下，对某量进行多次观测，其误差的符号和大小均不相同，从表面上看没有任何规律性，这种误差称为偶然误差，也叫随机误差。例如，用经纬仪测角时，用望远镜瞄准目标时产生的照准误差；水准测量时，瞄准水准尺估读毫米的读数误差等，都属于偶然误差。偶然误差是由观测人员分辨能力局限、设备精确性、不良的观测条件等诸多因素共同作用引起的。

偶然误差的符号和大小虽然在表面上没有规律性，但实践和研究表明，如观测次数相当多时，偶然误差具有统计学的规律。

如表1-2，在相同的观测条件下，对219个三角形的三个内角进行了观测。由于观测存在误差，使得三角形的内角和不等于180°（三角形内角和真值），其差值Δ称为真误差（真误差等于观测值与真值之差）。

表1-2

| 误差区间(") | 正三角形个数 | 负三角形个数 | 总和 |
|---|---|---|---|
| 0~3 | 31 | 30 | 61 |
| 3~6 | 21 | 20 | 41 |
| 6~9 | 15 | 18 | 33 |
| 9~12 | 16 | 16 | 32 |
| 12~15 | 10 | 11 | 21 |
| 15~18 | 8 | 7 | 15 |
| 18~21 | 5 | 6 | 11 |
| 21~24 | 2 | 2 | 4 |
| 24~27 | 1 | 0 | 1 |
| 27以上 | 0 | 0 | 0 |
|  | 109 | 110 | 219 |

由表1-2可以看出，误差分布具有这样的规律：绝对值小的误差比绝对值大的误差三角形个数多；绝对值相等的正、负误差，其三角形个数相近；最大误差不超过一定的限度(如27")；等等。上述规律具有普遍性，归纳起来具有下列特性：

(1) 在一定的观测条件下，偶然误差的绝对值不会超出一定的限度；

(2) 与绝对值大的误差比较，绝对值小的误差出现的机会较大；

(3) 绝对值相等的正、负误差出现的机会相等；

(4) 偶然误差的算术平均值，随着观测次数的无限增加而趋向于零，即：

$$\lim_{n\to\infty}\frac{[\Delta]}{n}=0$$

式中　$[\Delta]=\Delta_1+\Delta_2+\Delta_1\cdots\Delta_n$。

总之，在观测过程中，系统误差和偶然误差总是同时产生的。如前所述，偶然误差不可避免，而系统误差由于具有明显的规律性，可以采取一定的措施消除或减小。因而偶然误差就成为影响测量精度的主要因素，必须要采取得力措施，减小其影响，从而提高观测成果的质量。

### 1.5.4 算术平均值

在相同的观测条件下，对某量进行多次重复观测，根据偶然误差特性，可取其算术平均值作为最终观测结果。

设对某量进行了$n$次等精度观测，观测值分别为$l_1,l_2,\cdots,l_n$，其算术平均值为：

$$L=\frac{l_1+l_2+\cdots+l_n}{n}=\frac{[l]}{n} \tag{1-6}$$

设观测量的真值为$X$，观测值为$l_i$，则观测值的真误差为：

$$\left.\begin{aligned}\Delta_1&=l_1-X\\ \Delta_2&=l_2-X\\ &\cdots\\ \Delta_n&=l_n-X\end{aligned}\right\} \tag{1-7}$$

将式(1-7)内各式两边相加,并除以$n$,得

$$\frac{[\triangle]}{n}=\frac{[l]}{n}-X$$

将式(1-6)代入上式,并移项,得

$$L=X+\frac{[\triangle]}{n}$$

根据偶然误差的特性,当观测次数$n$无限增大时,则有

$$\lim_{n\to\infty}\frac{[\triangle]}{n}=0$$

那么同时可得

$$\lim_{n\to\infty}L=X \tag{1-8}$$

由式(1-8)可知,当观测次数n无限增大时,算术平均值趋近于真值。但在实际测量工作中,观测次数总是有限的。因此,算术平均值较观测值更接近于真值,我们将最接近于真值的算术平均值称为最或然值或最可靠值。

### 1.5.5 评定测量精度的标准

从前面的分析可知,测量成果中不可避免地存在误差。测量成果只有符合测量规范规定的限差要求时,才算合格,否则应重新观测。为此,必须制定一种标准来衡量测量成果的好坏。

在测量中,使用“精度”一词来判断观测成果质量的好坏。所谓精度,就是指误差分布的密集或离散程度,误差分布密集,误差就小,精度就高;反之,误差分布离散,误差就大,精度就低。测量上常采用中误差、允许误差和相对误差作为衡量观测结果精度的标准。

1.中误差

设对某一个$X$进行多次观测的结果是$l_1,l_2,\cdots,l_n$,每个观测结果相应的真误差(真误差等于真值与观测值的差值)为$\triangle_1,\triangle_2,\cdots\triangle_n$。我们已经知道,当观测次数$n$无限多时,平均值就等于某量的真值,而在实际工作中,观测次数不可能无限多,因此平均值与各观测值比较来说最接近于真值。设在相同条件下,一次观测值的中误差为$m$,它的平方等于各个真误差平方和的平均数,所以又称均方误差。即

$$m=\pm\sqrt{\frac{\triangle_1^2+\triangle_2^2+\cdots+\triangle_n^2}{n}}=\pm\sqrt{\frac{[\triangle^2]}{n}} \tag{1-9}$$

值得注意的是,在实际测量中,通常不知道每次观测值的真误差△,而仅知道平均值L与每次观测值$l$之差(即改正数)$v$,$v=L-l$,则观测值的中误差$m$,可用下式计算:

$$m=\pm\sqrt{\frac{[vv]}{n-1}} \tag{1-10}$$

在求得观测值的中误差$m$之后,可用下式计算平均值$L$的中误差$M$:

$$M=\pm\sqrt{\frac{[vv]}{n(n-1)}}=\pm\frac{m}{\sqrt{n}} \tag{1-11}$$

例如，对某直线丈量四次，其结果为264.535m，264.548m，264.520m，264.545m，试计算其算术平均值、算术平均值中误差。

解：平均值 $L=\frac{264.535+264.548+264.520+264.545}{4}=264.537$

平均值的中误差 $M=\pm\sqrt{\frac{[vv]}{n(n-1)}}$

$[vv]=v_1^2+v_2^2+v_3^2+v_4^2$

$v_1=L-L_1=264.537-264.535=0.002$

$v_2=L-L_2=264.537-264.548=-0.011$

$v_3=L-L_3=264.537-264.520=0.017$

$v_4=L-L_4=264.537-264.545=-0.008$

则 $[vv]=0.000478$

$M=\pm\sqrt{\frac{0.000478}{4\times3}}=\pm0.0063$米

由公式1-11可知，平均值的中误差$M$除了与观测值中误差$m$直接成正比外，还与$\sqrt{n}$成反比。所以，增加观测次数$n$可以减小$M$值。但增加观测次数，就要增加工作量，然而当观测次数增加到一定程度时，再增加次数，对提高精度的作用很小，因此过多的增加次数也是没有必要的。

2.相对误差

衡量测量成果的精度，有时仅仅用中误差，不能完全表达观测结果的好坏。例如分别丈量了200米和100米的两段距离，其观测的中误差均为0.025米，显然，我们不能说这两段距离丈量的精度是相同的，因为丈量距离的精度与距离本身长短有关。

因此需要引进另一个衡量精度的标准，就是相对误差。它是中误差的绝对值与其相应观测值之比，用$K$表示。通常以分子为1的分数形式表示，分母越大，表示相对误差越小，精度越高，否则相反。

$$K=\frac{|m|}{l}=\frac{1}{\frac{l}{|m|}} \tag{1-12}$$

上述两段距离的相对误差分别为：

$K_1=\frac{|m|}{l_1}=\frac{0.025}{200}=\frac{1}{8000}$

$K_2=\frac{|m|}{l_2}=\frac{0.025}{100}=\frac{1}{4000}$

显然，用相对误差来衡量后，后者的精度低于前者的精度。

3.允许误差

根据偶然误差第一个特性，在一定的观测条件下，偶然误差的绝对值，不会超过一定的限度。如果在测量的过程中某项误差超过了这个限度，就认定这次观测质量不好，该观测结果应当舍去不用。那么应该怎样确定这个限度呢？根据误差理论和多次实验统计证明：偶然误差的绝对值大于中误差的出现机会为32%；大于二倍中误差的偶然误差出现的机会只有4.5%，大于三倍中误差的出现机会为0.27%。在实际工作中，测量的次数不多，可以认为超过三倍中误差的偶然误差是不可能出现的，因此采用二倍中误差作为允许误差，即

$$\Delta_{允}=2m \tag{1-13}$$

允许误差又称极限误差或最大误差，测量规范中以允许误差作为限差。

# 第六节　测量常用计量单位

测量工作常采用一定的度量单位为标准，常用的度量单位有长度、面积及角度三种。

## 1.6.1 长度单位

国际通用的长度单位为米制单位，我国规定在测量上采用米制。

1m（米）=10dm（分米）=100cm（厘米）=1000mm（毫米）

1km（公里）=1000m（米）

## 1.6.2 面积、体积单位

测量上的面积单位是平方米（$m^2$），大面积用平方公里（$km^2$）或公顷表示。我国农业上常用亩作为面积单位。

1ha（公顷）=10000$m^2$=15市亩

1$km^2$=100ha=1500市亩

1市亩=666.67$m^2$

体积单位是立方米（$m^3$），在工程上简称为“立方”或“方”。

## 1.6.3 角度单位

测量中常用的角度单位是度和弧度（rad）两种。

1.度：把一圆周分成360等份，每等份所对的圆心角值称为1度，即$1°=60'$；$1'=60''$。

2.弧度：圆周上等于半径的弧长所对圆心角值称为一弧度，以符号ρ来表示。从平面几何中的数学公式可得出弧度与角度的关系。

由于圆周长是$2\pi R$，故一个圆周的弧度值为$2\pi R/R=2\pi$弧度，显然$180°=\pi$弧度，而

$$1°=\frac{\pi}{180}\text{弧度}\approx 0.0174533\text{弧度}$$

1弧度用角度(度、分、秒)表示,则

弧度度 $\rho^{\circ}=\frac{180^{\circ}}{\pi}=57.29577951^{\circ}\approx57.3^{\circ}$

弧度分 $\rho'=\rho^{\circ}\times60=\frac{180^{\circ}}{\pi}\times60=3437.74677'\approx3438'$

弧度秒 $\rho''=\rho'\times60=\frac{180^{\circ}}{\pi}\times60\times60=206264.806''\approx206265''$ (1-14)

# 第二部分　专业核心知识点

1. 测量常用坐标系统、地面点的表示方法及比例尺的换算；
2. 测量上平面直角坐标与数学上平面直角坐标的异同；
3. 测量工作的内容和组织原则；
4. 测量误差的种类及评定测量精度的标准。

**复习题**

1.什么叫水准面？大地水准面？绝对高程？相对高程？高差？

2.地球上某点的经度为112°21′,则它所在高斯投影6°和3°带的中央子午线的经度分别为多少？

3.地面上两点的水平距离为123.56米,问在1:1000和1:2000比例尺地形图上各长多少厘米？

4.如图1-11所示直线比例尺,图中AB的实际长度为多少米？

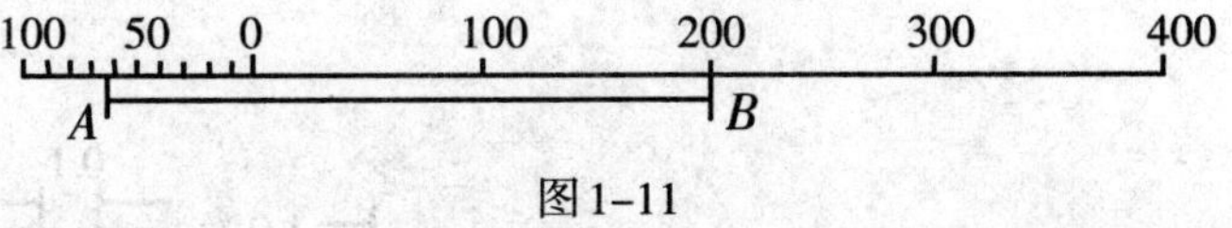


图1-11

5.试作1:5000的直线比例尺,并在图上标出2.83厘米代表相应实地水平距离是多少？

6.对某直线丈量了6次,其结果为264.535,264.548,264.520,264.529,264.500,264.537米,试计算其算术平均值、算术平均值的中误差及相对误差。

**讨论题**

1.测量工作的基本内容是什么？测量工作应遵循的原则是什么？

2.什么是大地水准面？我国的大地水准面是怎样定义的？它在测量工作中的作用是什么？

3.怎样区分测量工作中的误差和粗差？

4.为什么说观测值的算术平均值是最可靠值？

5.测绘和测设的区别是什么？

6.偶然误差和系统误差有什么不同？偶然误差有哪些特性？

**思考题**

什么叫比例尺精度？1:2000的比例尺精度是多少？在实际测量工作中有何意义？

# 第二章　距离测量与直线定向

## 第一部分　系统理论知识

## 第一节　概述

### 2.1.1 地面点的标志

测量工作主要是确定点的位置。这样，为了测定地面上两点间的距离和方向，在测量工作开始之前，首先应在欲测定的点上设立标志，然后再进行观测。标志一般可分为永久性和临时性两种。永久性标志需用混凝土桩或石桩，在桩顶嵌入上端刻有“十”字或圆圈的钢筋表示点位。永久性桩的尺寸在有关规范中，均有说明。而临时性的标志可用20～30厘米长，顶面4～6厘米见方的木桩打入地下，并在桩顶钉一钉子或画一“十”字表示点位。如图2-1所示：

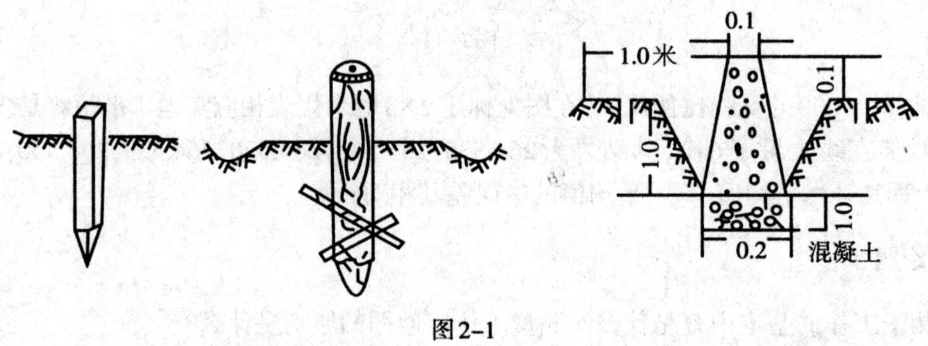


图2-1

为了便于寻找测点，往往在点位的标志上方竖立有花杆和觇标等，如图2-2所示：

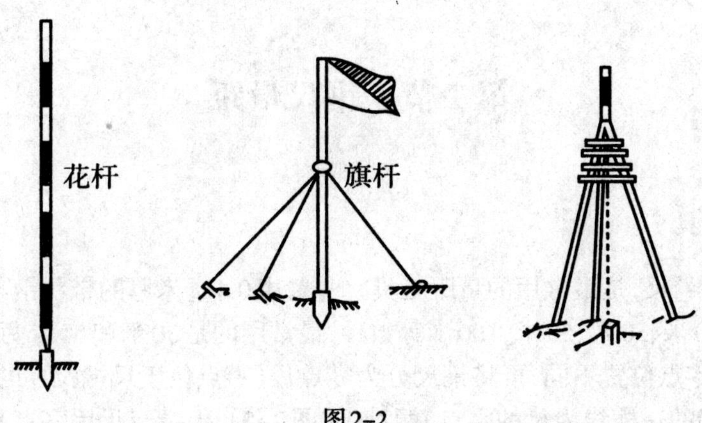


图2-2

### 2.1.2 直线定线

当地面上两点之间距离超过钢尺的全长时，用钢尺一次不能量完，量距前就需要在直线方向上标定若干个分段点，并竖立标杆或测钎以标明方向，这项工作称为直线定线。直线定线通常可分为目估定线和经纬仪定线两种方法。

1.目估定线

如图2-3所示，当要测定A、B两点间距离时，可先在A、B两点分别竖立标杆，一人站在A点标杆后1~2米处，由A瞄向B，同时指挥另一持标杆的人左右移动，使所持标杆与A、B标杆完全重合为止，此时立标杆的点就在A、B两点间的直线上，在此位置上竖立标杆或插上测钎，作为定点标志。同法可定出直线上的其他点。定线时相邻点之间要小于或等于一个整尺段，可以从B向A走来，也可以由A向B走去。前者叫走近法定线，后者叫走远法定线，两者比较，前者较好，精度较高，一般采用由远而近进行。

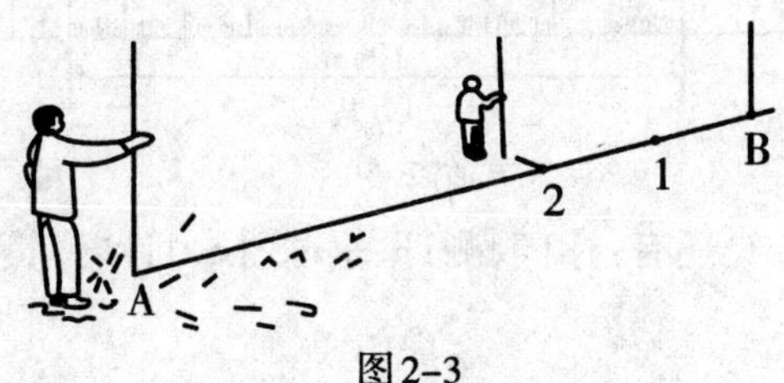


图2-3

2.经纬仪定线

经纬仪定线是在直线的一个端点安置经纬仪后，对中、整平，用望远镜十字丝竖丝瞄准另一个端点目标，固定照准部。观测员指挥另一测量员持测钎由远及近，将测钎按十字丝纵丝位置垂直插入地下，即得到各分段点。

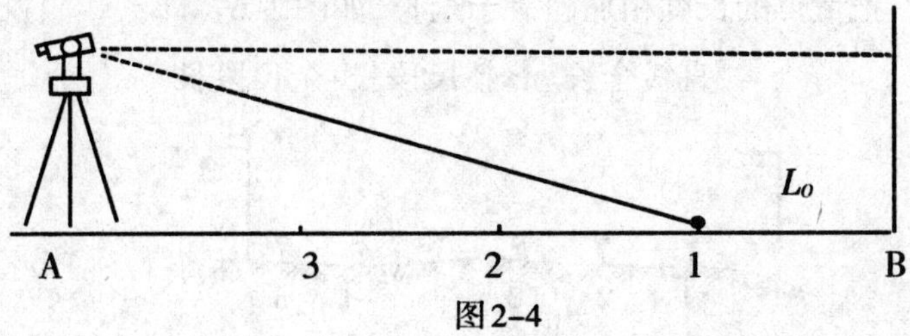


图2-4

# 第二节　钢尺量距

### 2.2.1 量距工具

钢尺，也叫钢卷尺，是最常用的量距工具。一般由0.4毫米厚的带状钢条制成，宽约6～15毫米，长度有20米、30米、50米、100米等数种，最常用的是30米和50米两种。

由于钢尺的零点位置不同，可将钢尺分为零点尺（零点位于尺端拉环的外缘）和刻线尺（以刻在钢尺前端的一横线为尺的零点）两种（如图2-5），但端点尺因零点易受磨损而不如刻线尺好。

另外，钢尺的分划也有几种，有的以厘米为基本分划，适用于一般量距；有的以厘米为基本分划，但尺端第一分米内有毫米分划；有的以毫米为基本分划。后两种适用于较精确的量距。较精密的钢尺在制定时有规定的温度和压力，如在尺端刻有“30米，20℃，10kg”字样，其含义是标明该钢尺检定温度为摄氏20度，检定拉力为10kg，在这两个条件下其长度为30米。

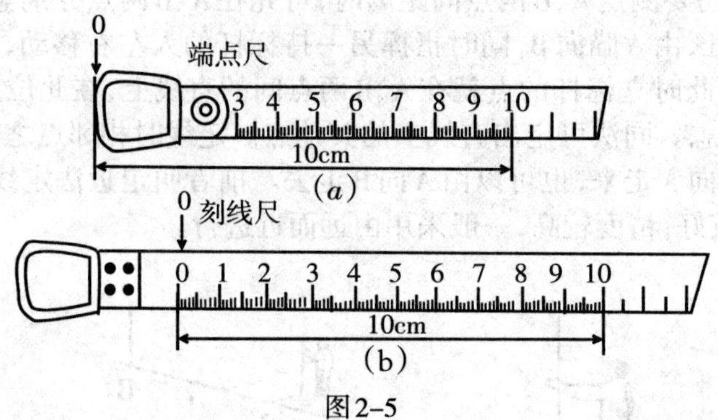


图2-5

钢尺量距的其他辅助工具还有：标杆、测钎、垂球、拉力计（弹簧秤）和温度计等。

### 2.2.2 钢尺量距的方法

一般量距方法

（1）平坦地面的直线丈量

直线丈量是在定线的基础上进行的，定线完毕后，开始丈量。先把几个整尺量出，再量出不足一整尺的长度，把量得的长度相加即等于全长，如图2-6。即：

直线全长=n×整尺段长+余尺段长　　（2-1）

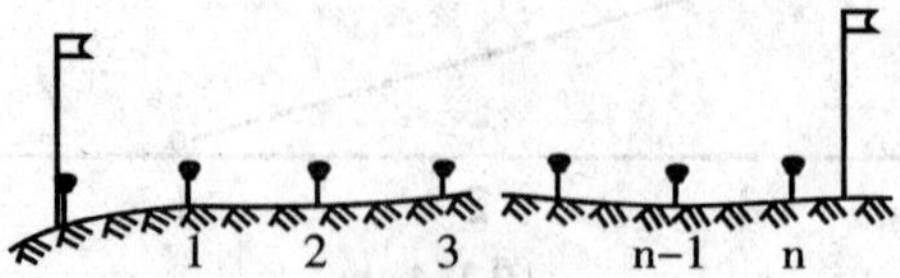

1　2　3　n-1　n

图2-6

丈量时，一般至少要往测、返测各量一次，以检查有无错误并提高精度。往返丈量距离之差与距离平均值之比，并化为分子为1的分数，称为相对误差，用来衡量距离丈量的精度。一般情况下，平坦地区一般丈量的相对误差不应大于1/2000；量距困难地区，其相对误差也不应该大于1/1000，否则要返工重量。如满足精度，则取往返距离的平均值作为丈量最后结果。

(2)倾斜地面的直线丈量

在倾斜地面丈量距离时，根据地面的倾斜情况，事先定好线，将直线分成若干段，用木桩作好标志。此时丈量方法有两种：

①平量法。地面呈倾斜状，但各尺段两端点之高差较小时，如图2-7所示，可将钢尺一端抬高使尺子拉平逐段进行丈量，最后求出总长度。

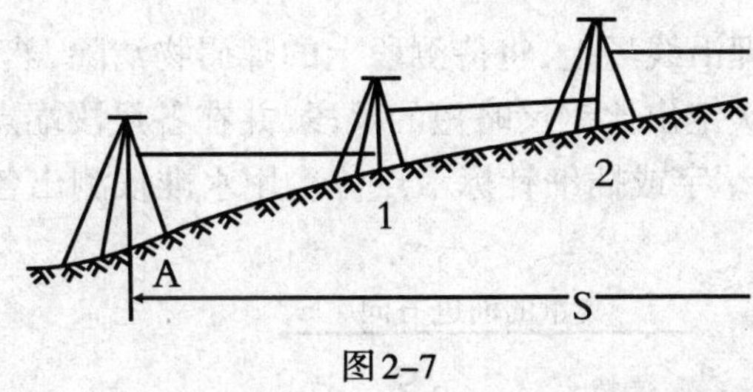


图2-7

②斜量法。如果地面起伏、坡度较大，但比较均匀时，则将钢尺贴于地面沿斜坡丈量出两端点的倾斜距离$D'$，测出地面倾斜角$\alpha$，然后计算水平距离$D$，如图2-8。

$$D=D'\cos\alpha \qquad (2-2)$$

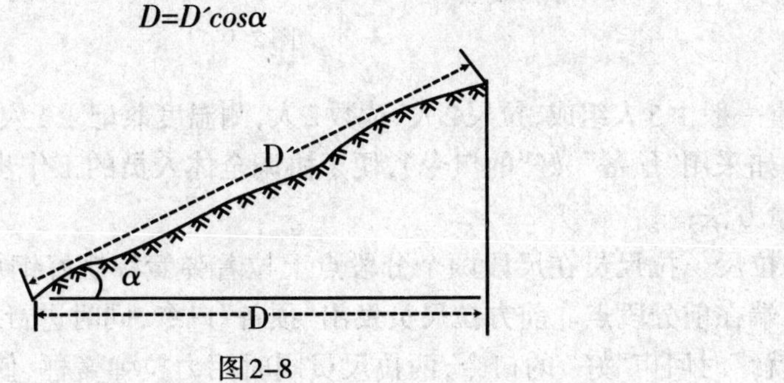


图2-8

### 2.2.3 精密量距方法

前面介绍了精度要求较低的一般量距的方法，但若量距精度要求较高，读数要求到毫米，则需要用精密量距的方法。这就要求钢尺要有毫米刻画，至少尺的零端点处要有毫米刻画，且钢尺须检定，得出以检定时拉力与温度的条件下应有的尺长方程式。

1.尺长方程式

钢尺由于其材料质量和制造误差以及使用等方面的影响，其实际长度往往不等于名义长度(尺面上刻注的长度)；此外，钢尺所承受的拉力不同，所处的环境温度不同，其长度也会不同。因此，用于精密量距的钢尺出厂时须经检定，其长度可用尺长方程式表示：

$$l_t=l+\Delta l+\alpha l(t-t_0) \tag{2-3}$$

式中 $l_t$——钢尺在温度t时的实际长度

$l$——钢尺面上所注的长度，即名义长度

$\Delta l$——尺长改正数

$\alpha$——钢尺的膨胀系数

$t_0$——钢尺检定时的温度

$t$——钢尺使用时的温度

每根钢尺都应有尺长方程式，根据量距时测得的温度，才能得出其实际长度。根据钢尺的实际长度就可求出所量距离的实际长度。

2.量距方法

丈量之前，必须先清理沿线场地，将待测段上的障碍物清除，然后用经纬仪定线。用钢尺进行概量，在视线上依次定出比钢尺略短的尺段，并在各尺段端点打下木桩，木桩顶高出地面2～3厘米，桩顶用“十”字或插细针标示点位。用水准仪测出各桩顶高差，以便进行倾斜改正。

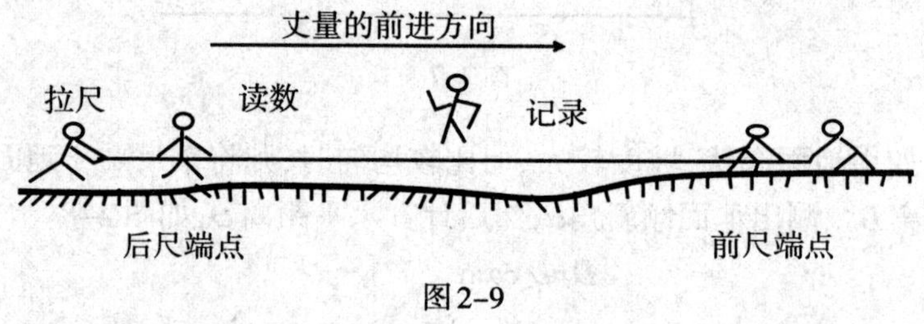


图2-9

丈量一般由5人组成，拉尺2人，读数2人，测温度兼记录1人。在丈量时，必须要有统一的口令（如采用“预备”“好”的口令），便于协调全体人员的工作步调。现以一尺段丈量为例介绍丈量方法：

（1）拉尺。拉尺员在尺段两个分段点上拉着弹簧秤摆好钢尺，其中钢尺零端在后分段点，整尺端在前分段点。前方拉尺员发出“预备”口令，同时进行拉尺准备，后方拉尺员在拉尺准备就绪时回声“好” 的口令，两拉尺员同时用力拉弹簧秤，使弹簧秤拉力指示为检定时拉力（如10千克力），钢尺面刻画与分段点标志横线对齐。

（2）读数。两位读数员两手轻扶钢尺，在钢尺刻画与分段点标志相对稳定时，前方读数员使钢尺厘米刻画与分段点标志横线对齐，同时发出“预备”口令。后方读数员预备就绪（即照准钢尺刻画面与分段点标志横线对齐的读数）发出“好”的口令。就在“好”的口令之后的瞬间，两位读数员依次读取分段点标志横线所对的钢尺刻画值，前端读数员读前端读数$l_{前}$，后端读数员读后端读数$l_{后}$。

（3）记录。记录$l_{前}$、$l_{后}$，计算尺段丈量值$l'=l_{前}-l_{后}$。

（4）重复丈量。按步骤（1）、（2）、（3）重复丈量和记录，计算获得$l''$、$l'''$。

（5）检核。比较$l'$、$l''$、$l'''$，观察各尺段丈量值之差$\Delta l$，如果$\Delta l\leqslant\Delta l_{允}$，则检核合格，计算尺段丈量平均值$l_i$，即

$$l_i=\frac{l'+l''+l'''}{3}$$

把计算的尺段丈量平均值$l_i$填写到表格中。

(6)记录温度,抄录尺段高差$h_i$。

3.成果计算

(1)尺段长度改正,尺段长度改正数按下式计算:

$$\triangle l_d=\frac{\triangle l}{l_o}l \tag{2-4}$$

式中　$\triangle l_d$——尺段长度改正数

$l$——尺段的倾斜距离

$\triangle l$——钢尺的尺长改正数

$l_o$——钢尺的名义长度

(2)尺段温度改正,其改正数计算公式如下:

$$\triangle l_t=\alpha(t-t_o)l \tag{2-5}$$

式中　$\triangle l_t$——尺段温度改正数

$\alpha$——钢尺的膨胀系数

$t_o$——钢尺检定时的温度

$t$——钢尺量距时的温度

(3)尺段倾斜改正,其改正数永远为负值,公式为:

$$\triangle l_h=-\frac{h^2}{2l} \tag{2-6}$$

式中　$\triangle l_h$——倾斜改正数

$h$——尺段两端点的高差

(4)计算全长。将改正后的各个尺段的水平距离相加即得总长。计算结果如表2-1所示。

表2-1

| 线段 | 尺段 |  | 读数(m) |  |  | 中数(m) | 高差(m) | 温度(℃) | 尺长(mm) | 温度(mm) | 倾斜改正(mm) | 改正后尺段(m) | 备注 |
|---|---|---|---|---|---|---|---|---|---|---|---|---|---|
|  |  |  | 第一次 | 第二次 | 第三次 |  |  |  |  |  |  |  |  |
|  | A | 前 | 45.267 | 45.380 | 45.517 |  |  |  |  |  |  |  |  |
|  |  | 后 | 0.000 | 0.112 | 0.247 | 45.268 | +0.82 | 27 | −7.2 | +4 | −7.4 | 45.257 |  |
|  | 1 | 前−后 | 45.267 | 45.268 | 45.270 |  |  |  |  |  |  |  |  |
|  | 1 | 前 | 31.526 | 31.394 | 31.851 |  |  |  |  |  |  |  |  |
|  |  | 后 | 0.0000 | 0.411 | 0.324 | 31.525 | +1.30 | 26 | −5.0 | +2.4 | −26.8 | 31.496 |  |
|  | 2 | 前−后 | 31.526 | 31.523 | 31.527 |  |  |  |  |  |  |  | 以上为往测 |
|  | 2 | 前 | 44.929 | 45.231 | 45.452 |  |  |  |  |  |  |  |  |
|  |  | 后 | 0.0000 | 0.300 | 0.524 | 44.929 | −0.24 | 26 | −7.1 | +3.4 | −0.6 | 44.925 |  |
|  | 3 | 前−后 | 44.929 | 44.931 | 44.928 |  |  |  |  |  |  |  |  |
|  | 3 | 前 | 23.489 | 23.504 | 23.913 |  |  |  |  |  |  |  |  |
|  |  | 后 | 0.0000 | 0.018 | 0.423 | 23.490 | −1.02 | 26 | −3.7 | +1.6 | −22.1 | 23.464 |  |
|  | B | 前−后 | 23.489 | 23.486 | 23.490 |  |  |  |  |  |  |  |  |
|  |  |  |  |  |  |  |  |  |  |  |  | Σ 145.142 |  |

尺长方程式为$l_t=50-0.0079+0.000125\times50(t-20)$

# 第三节　视距测量

视距测量是一种根据几何光学原理，利用望远镜内的视距丝和视距尺，同时测定两点间的水平距离和高差的一种方法。这种方法具有操作简便、速度快、不受地形起伏的限制等优点，但其测距精度较低，因此被广泛应用于地形测量及其他较低精度的距离测量中。

## 2.3.1 视距测量原理

1.视准轴水平时的视距测量

欲测定A、B两点间的水平距离$l$和高差$h$，如图2-10所示，可在A点安置经纬仪，在B点立视距尺，当望远镜视线水平时，瞄准B点视距尺，此时视线与视距尺垂直。视距尺上M、N成像在十字丝平面上的视距丝$m'$、$n'$处。则尺上MN的长度可由上、下视距丝尺上读数之差(尺间隔)求得。则A、B两点间的距离为：

$$l=l'+\delta+f \tag{2-7}$$

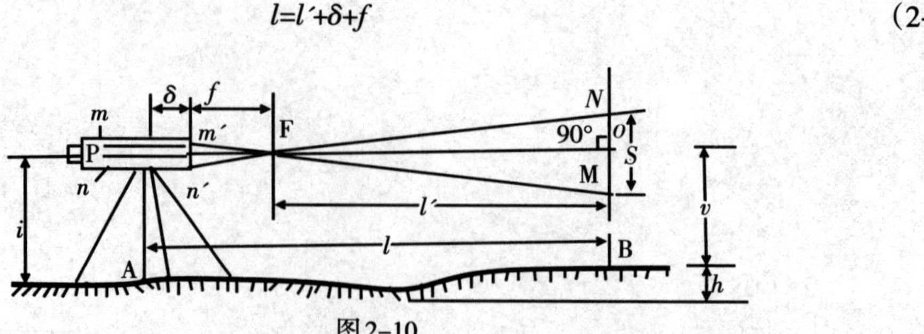


图2-10

由图可知，$S$为尺间隔，$P$为视距丝间距，$f$为物镜焦距，δ为物镜至仪器中心的距离。则由相似三角形$m'Fn$和$MFN$

得 $$\frac{l'}{S}=\frac{f}{p}$$

即 $$l'=\frac{f}{p}S$$

则 $$l=\frac{f}{p}S+\delta+f$$

令 $$\frac{f}{p}=K,\delta+f=C,$$

则A、B两点间的距离为 $$l=KS+C \tag{2-8}$$

式中　$K$——视距乘常数

$C$——视距加常数

目前测量常用的望远镜，在设计制造时，已使K=100，而对于常用的内对光望远镜来说，若适当地选择透镜的半径、透镜间的距离以及物镜到十字丝平面的距离，便可以使加常数C趋近于零。又因目前常用的测量仪器上的望远镜都是内对光的，故在以后的视距测量中，都是以C=0为前提的。所以上式可写成：

$$l=KS=100S \tag{2-9}$$

同时，若设望远镜中丝在视距尺上的读数为$v$、仪器高为$i$，则由图2-10还可求出A、B两点间的高差，其计算公式与水准测量相同，即：

$$h=i-v \tag{2-10}$$

2.视准轴倾斜时的视距测量

在山地或丘陵地区进行视距测量时，如果仍然把视准轴放在水平位置，那就会出现看不到标尺的情况。因此，要把望远镜视准轴倾斜。此时，视线与视距尺不垂直，就不能再用水平时的推导的公式计算了。但如果把B点的标尺的尺间隔MN换算为垂直于视准轴的尺间隔M′N′，就可以应用上式计算出倾斜距离$l'$，有了$l'$，就可以根据竖直角δ，求出水平距离$l$。

即$l'=KS'$

则A、B两点间的水平距离为$l=l'\cos\delta=KS'\cos\delta$

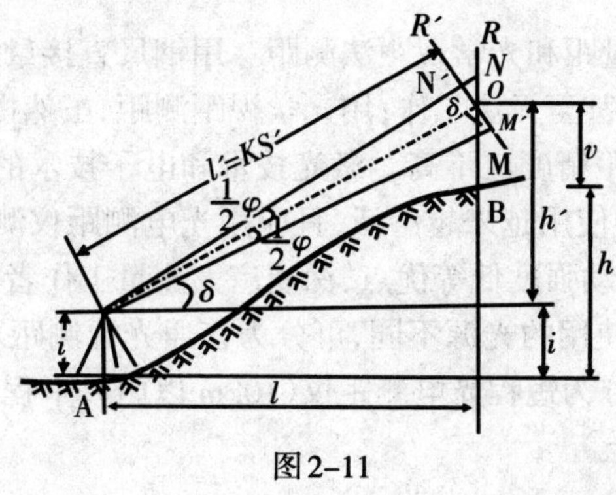


图2-11

但是,$S'$不是实际的尺间隔,实际测得的尺间隔是$R$尺上的$MN$(即$S$),因此需要找出$S$与$S'$的关系。

在图2-11中,$\angle NON'=\angle MOM'=\delta$,$\angle NN'O=90°+\frac{1}{2}\varphi$,$\angle MM'O=90°-\frac{1}{2}\varphi$,因$\frac{1}{2}\varphi$很小(约为17′),故可将$\angle NN'O$和$\angle MM'O$视为直角。于是,$\angle ONN'$和$\angle OMM'$均为直角三角形。在两直角三角形中,$N'O=NO\cos\delta$,$M'O=MO\cos\delta$,则$N'M'=N'O+M'O=(NO+MO)\cos\delta=NM\cos\delta=S\cos\delta$

$$即\ S'=S\cos\delta$$

$$则\ l=KS\cos^2\delta \tag{2-11}$$

将该式代入三角高差公式(第四章第六节详细介绍),则可用视距表示的三角高差计算公式为:

$$\begin{aligned}h&=l\tan\delta+i-v\\&=(KS\cos^2\delta)\tan\delta+i-v\\&=KS\cos\delta\sin\delta+i-v\\&=\frac{1}{2}KS\sin2\delta+i-v\end{aligned} \tag{2-12}$$

在实际工作中,应尽量使$i=v$,以简化高差$h$的计算。

### 2.3.2 视距测量的作业方法

1.将经纬仪安置在测站上,对中、整平。

2.量取仪器高$i$(量至厘米)。

3.将视距尺直立于待测点上,用望远镜瞄准视距尺,分别读出上、下视距丝和中丝读数(此时要注意检查三丝读数是否正确,一般上丝读数加下丝读数除以2应等于中丝读数,如不等,不得大于6mm),然后再读取竖盘读数,并将所读得的数据记入视距测量手簿中。

4.根据上、下视距丝读数算出尺间隔,把竖盘读数化算为竖直角,再用电子计算器计算测点到测站的水平距离和高程。

## 第四节　光电测距简介

前面已经讨论过钢尺量距和光学视距法测距。用钢尺直接量距,外业工作繁重,工作效率低,在复杂的地形条件下甚至无法工作;用光学视距测距,虽然操作简单,可以克服某些地形的限制,但测程较短,测距精度也不高。激光技术和电子技术的发展,使量距工作发生了根本性变革,光电测距仪的使用越来越广泛,且应用光电测距仪测距,具有测程远、精度高、操作简便、作业速度快和劳动强度低等优点,深受广大测量工作者的欢迎。

光电测距仪根据它们使用的光源不同,可分为普通光源测距、红外线测距、激光光源测距;根据仪器测程不同,可分为短程光电测距仪(10km以内)、中程光电测距仪(10~25km)、远程光电测距仪(25km以上)。

### 2.4.1 光电测距原理

光电测距仪的工作原理比较简单，它通过测定光波在两点间传播的时间来计算距离，如图2-12所示。欲测定A、B两点间的水平距离$l$，可将光电测距仪置于A点，反光镜置于B点。由A点测距仪发射光波，通过B点反光镜反射回测距仪，这样通过测定光波在被测距离$l$上往返所需的时间和光波在空气中的传播速度$c$，就可求得距离$l$。

$$l=\frac{1}{2}ct \tag{2-13}$$

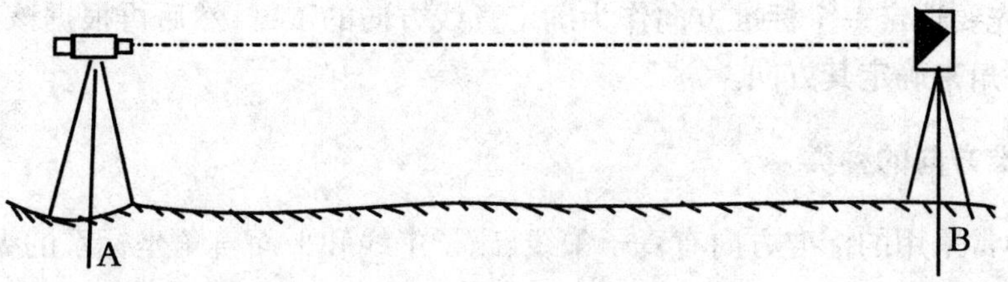

A

B

图2-12

由上式可知，测定距离$l$的精度，主要取决于两点间传播时间$t$的测量精度。根据测定时间$t$的方法不同，测距仪又可分为脉冲式测距仪和相位式测距仪两种。

### 2.4.2 测距步骤

1.安置仪器

(1)将待测距离的一端安置经纬仪和测距仪，其中经纬仪的安置包括对中和整平两部分。

(2)将测距仪取出，安置在经纬仪的上方。值得注意的是，不同类型的测距仪器连接方法不一致，应按照说明书进行。

(3)打开测距仪开关，检查是否正常工作。

(4)将反光镜安在待测距离的另一端，进行对中、整平，并将棱镜对准测距仪方向。

2.距离测量

(1)用经纬仪瞄准目标棱镜下方测站点中心，并测定视线方向的竖直角。

(2)由于测距仪的光轴与经纬仪的视线不一定完全平行，因此还须调节测距仪的调解螺旋，使测距仪瞄准反光棱镜中心。

(3)按测距仪上的测量键，就可以进行距离测量，并显示测量结果。

(4)测距结果整理。

### 2.4.3 注意事项

1.使用主机时要轻拿轻放，运输时应将主机箱装入防震箱内，避免摔伤和跌落。

2.切不可将照准头对准太阳，以免损坏光学接收系统。

3.测量时，测线上和镜站附近不应有障碍物，且应避免在同一条直线上有两个反射物体及其他明亮物体，以免测错距离。

4.测线应避开强电磁波的干扰，如高压线、发射塔等。

5.避免电池过度放电,以免缩短寿命。

6.要经常进行加常数、乘常数及周期误差的检测,以便于消减这些误差对测量结果的影响。

# 第五节 直线定向

在测量工作中,要确定地面点间的相对位置关系,不仅要知道两点间的距离,还要确定两点间连线的方向。这种确定直线与标准方向间的角度关系称为直线定向。因此,要确定直线的方向,先要选定一个标准方向作为确定直线方向的依据,然后再根据该直线与标准方向线之间的夹角来确定其方向。

## 2.5.1 标准方向的种类

在测量中常采用的标准方向有真子午线、磁子午线和平面直角坐标系的纵坐标轴三种。

1.真子午线方向

地球表面某点指向地球北极的方向即为真北方向,或称为该点的真子午线方向。真子午线方向可以用天文观测方法来确定,也可用陀螺经纬仪来测定。由于它在长时期内变化微小,故作为标准方向较为理想。

2.磁北方向

地球表面某点上磁针所指的方向为该点的磁子午线方向。磁针北端所指的方向为磁北方向,可用罗盘仪测定。

3.坐标纵线(中央子午线)方向

在高斯平面直角坐标系中,每6°带或3°带内都是以该带的中央子午线作为坐标纵轴的。因此,该带内的直线定向,就用该带的坐标纵轴方向作为标准方向,也称坐标北方向。

上述三个方向通常称为“三北方向”。一般情况下,它们并不一致,如图2-13所示。通过地面上某点的磁子午线方向和真子午线方向之间的夹角称为磁偏角。磁子午线位于真子午线以东为东偏,以西为西偏,东偏为正,西偏为负。磁偏角用δ表示。通过地面上某点的真子午线与该点坐标纵轴方向之间的夹角,称为子午线收敛角。坐标纵轴偏于真子午线以东为正,反之为负,子午线收敛角用γ表示。

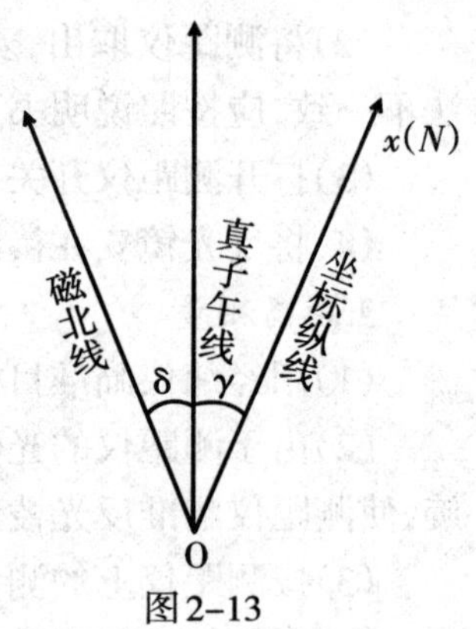

图2-13

## 2.5.2 表示直线方向的方法

在煤矿测量中,一般用方位角或象限角来表示直线的方向。

1.方位角

从标准方向的北端起,顺时针转到某条直线的水平夹角,称为该直线的方位角,其大小为0°~360°。根据选择的标准方向不同,方位角分为三种。

真方位角:以真子午线方向为标准方向的,称为真方位角,用$A$表示。

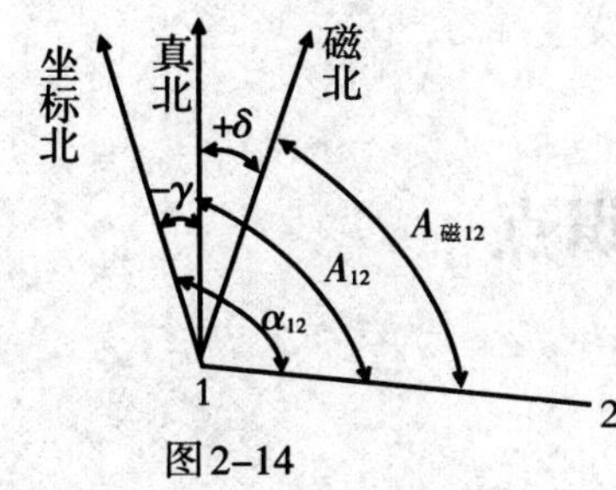

图2-14

磁方位角：以磁子午线方向为标准方向的，称为磁方位角，用$A_{磁}$表示。

坐标方位角：以坐标纵线方向为标准方向的，称为坐标方位角，简称方位角，用$\alpha$表示。

以上三种方位角之间的关系如图2-14所示，由图可知：

$$A=A_{磁}+\delta \quad A=\alpha+\gamma \tag{2-14}$$

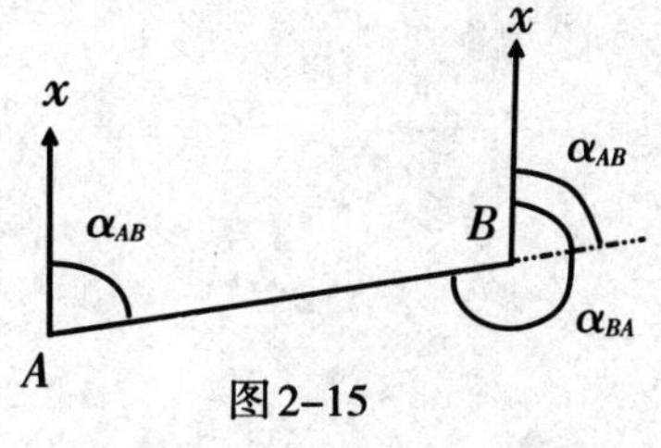

图2-15

式中，δ、γ东偏时取正号，西偏时取负号。

应该注意的是，在测量中，直线都是有方向的，有起点和终点。一般认为直线前进方向的坐标方位角为正坐标方位角或正方位角；其相反方向为反方位角。由于任何地点的坐标纵线都是平行的。因此，任何直线的正坐标方位角$\alpha_{AB}$与其反方位角$\alpha_{BA}$相差180°，如图2-15所示，即

$$\alpha_{正}=\alpha_{反}\pm180° \tag{2-15}$$

若$\alpha_{正}>180°$，公式右端符号取"-"号，反之，取"+"号。由于真子午线之间或磁子午线之间相互并不平行，所以真方位角和磁方位角不存在上述关系。

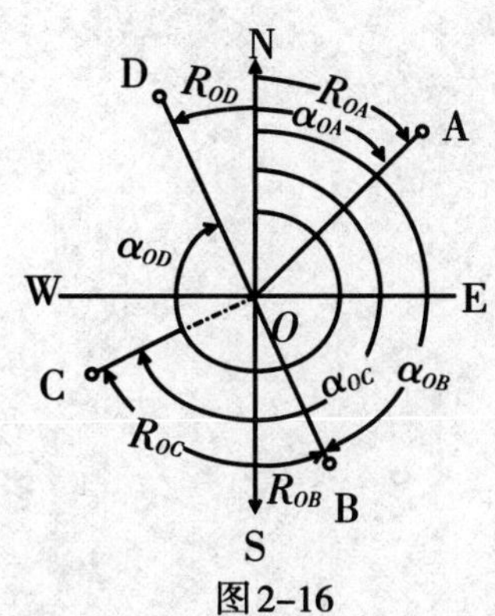

图2-16

在实际测量工作中，只有起始边的方位角需要直接测定，而与起始边相连接的其余各边的方位角，就可根据起始边的方位角和各相邻边间的水平夹角推算出来，该方法在第五章进行详细介绍。

2.象限角

从坐标纵线的北端或南端起，顺时针或逆时针量至某一直线的锐角，称为该直线的象限角，角值在0°～90°之间，用符号R表示。当用象限角表示直线的方向时，不仅要知道它的角值大小，还应知道该直线所在象限。如图2-16所示，直线OA、OB、OC、OD分别位于四个象限中，其名称分别为北东（NE）、南东（SE）、南西（SW）、北西（NW）。则直线的坐标方位角和象限角间的转化关系如表2-2所示：

**表2-2**

| 象限 | | 由坐标方位角求象限角 | 由象限角求坐标方位角 |
|---|---|---|---|
| 编号 | 名称 | | |
| Ⅰ | 北东 | $R=\alpha$ | $\alpha=R$ |
| Ⅱ | 南东 | $R=180°-\alpha$ | $\alpha=180°-R$ |
| Ⅲ | 南西 | $R=\alpha-180°$ | $\alpha=180°+R$ |
| Ⅳ | 北西 | $R=360°-\alpha$ | $\alpha=360°-R$ |

# 第二部分　专业核心知识点

1. 煤矿测量中常用的直线定向方法；
2. 磁偏角和子午线收敛角的含义；
3. 方位角和象限角的转化；
4. 钢尺普通量距、精密量距方法；
5. 视距测量原理。

# 第三部分　专业技能训练

**技能一　平坦地面钢尺量距**

1. 选点

在地面上选定相距80m的A、B两点，插测钎作为标志，测钎后几厘米处插标杆；一人持标杆至A、B的大致中点M，一人在A点标杆后根据A、B两点标杆目估定线，指挥中点M处的标杆竖立于AB直线上。

2. 往测

后尺手执钢尺零点端对准A点，前尺手持尺盒且携带测钎向AB方向前进，至一尺段钢尺全部拉出时停下，由后尺手根据M点的标杆指挥前尺手将钢尺定向，前后尺手拉紧钢尺，由前尺手喊“预备”，后尺手对准零点喊“好”，前尺手在整30m处插测钎，完成一尺段的丈量，依次向前丈量各整尺段，到最后不足一尺段时为余长，后尺手对准零点后，前尺手在尺上根据B点测钎读数（读到mm）；记录者在丈量过程中在“钢尺量距记录表”上记下整尺段数及余长，得到往测总长。

3. 返测

由B点向A点用同样方法丈量。

4. 计算

根据往测和返测的总长计算往返差数，相对精度达到要求后，取往、返测总长的平均数作为最终值。

钢尺量距记录表：

| 测量起止点 | 测量方向 | 整尺长/m | 整尺数 | 余长/m | 水平距离/m | 往返较差/m | 平均距离/m | 精度 |
|---|---|---|---|---|---|---|---|---|
| | | | | | | | | |
| | | | | | | | | |
| | | | | | | | | |
| | | | | | | | | |
| | | | | | | | | |
| | | | | | | | | |
| | | | | | | | | |
| | | | | | | | | |
| | | | | | | | | |
| | | | | | | | | |
| | | | | | | | | |
| | | | | | | | | |

### 技能二　倾斜地面钢尺量距

1. 选点

在相距80m的倾斜地段选定相互通视的A、B两点，插测钎作为标志。在A、B两点后插标杆，进行直线定线，定线方法与平地直线定线相同。

2. 斜量距法

如图2-17所示，首先，用钢尺沿地面丈量倾斜距离$L$，其量测方法与平地量距方法相同。然后在A点安置经纬仪，量出仪器高$i$，并在B点立尺或竖觇标，用经纬仪在尺上卡觇标高$v$，使$i=v$，测出倾角$\delta$。根据数学公式$D=L\cos\delta$，即可求得水平距离$D$。

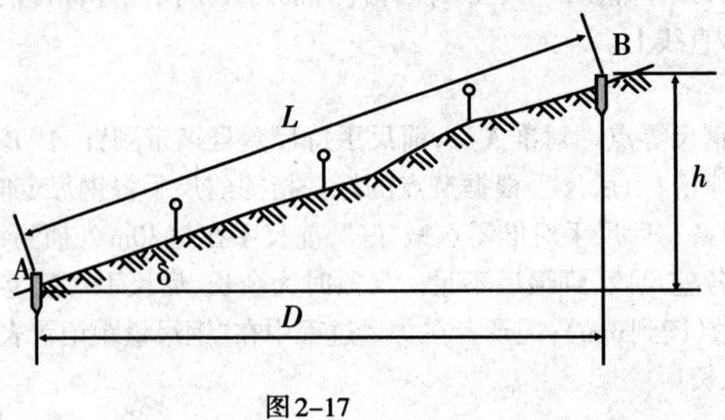


图2-17

3. 平量距法

如图2-18所示，首先在1点架设三角支架，挂上锤球线进行对中。然后将钢尺一端紧贴A点，另一端抬高，用目估钢尺水平从A点中心量至1点上锤球线的距离$l_1'$，用同样方法分别量取$l_2'$、$l_3'$和$l_4'$，然后再从B点返测至A点，得到各段平距分别为$l_1''$、$l_2''$、$l_3''$、$l_4''$，取各段往返测量的平均值：

$$l_1=\frac{1}{2}(l_1'+l_1'')$$

$$l_2=\frac{1}{2}(l_2'+l_2'')$$

$$l_3=\frac{1}{2}(l_3'+l_3'')$$

$$l_4=\frac{1}{2}(l_4'+l_4'')$$

则A、B两点间的平距为：

$$D=l_1+l_2+l_3+l_4$$

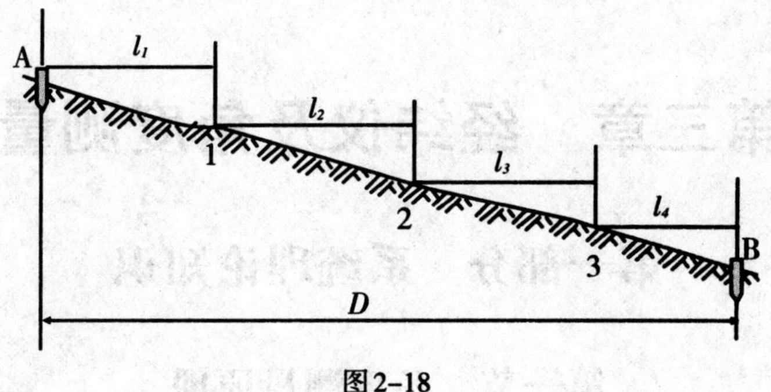


图2-18

**复习题**

1.什么是直线定向、磁子午线、方位角、磁偏角？

2.今用同一钢尺丈量甲、乙两段距离，甲段距离的往、返测值分别为126.782m、126.682m；乙段往、返测值分别为356.231m和357.331m。两段距离、往返测量值的差数均为0.100m，问甲乙两段距离丈量的精度是否相等？若不等，哪段距离丈量的精度高？为什么？

3.一钢尺名义长度为30m，经检定，实际长度为30.006m，用此钢尺量两点间距离为186.434m，求改正后的水平距离？

4.一钢尺长20m，检定时温度为20℃，用钢尺丈量两点间距离为126.354m，丈量时钢尺表面温度12℃，求改正后的水平距离（$\alpha=1.25\times10^{-5}/℃$）？

5.某直线的磁方位角为120°17′，而该处的磁偏角为东偏3°13′，问该直线的真方位角是多少？

6.已知$\alpha_{AB}=50°10'$，$R_{CD}=SE30°15'$，试求$R_{AB}$，$\alpha_{CD}$？

7.已知某直线AB的坐标方位角$\alpha_{AB}=30°10'$，则直线BA的坐标方位角$\alpha_{BA}$是多少？若有另一直线CD的坐标方位角$\alpha_{CD}=200°20'$，则直线DC的坐标方位角$\alpha_{DC}$是多少？

**讨论题**

1.尺长方程式$L=l+\triangle l+\alpha l(t-t_o)$的含义？

2.标准方向线的种类有哪些？它们是如何定义的？

3.什么叫象限角？象限角和方位角有何关系？

4.直线定向的目的是什么？它和直线定线的区别是什么？

5.结合三、四章内容讨论水准仪、经纬仪在测量距离的方法上有何区别？

6.直线定线有哪些误差来源？

**思考题**

在一个测站上，视距测量应读取哪些读数？请写出视距测量的计算公式。

# 第三章　经纬仪及角度测量

## 第一部分　系统理论知识

### 第一节　角度测量原理

角度测量是在确定地面点位时需要进行的基本测量工作之一，通常包括水平角和竖直角两类，分别用于求算点的坐标和高程。

**3.1.1 水平角测角原理**

水平角是地面上从一点出发到两目标的方向线在水平面上的投影之间的夹角。如图3-1所示，A、B、C是地面上三个不同高程的点，∠CAB为直线AB与AC之间的夹角，测量中所要观测的水平角∠CAB在水平面上的投影为$\beta$，即∠$cab$。

由图可知，地面上A、B、C三点在水平面上的投影$a$、$b$、$c$是通过作它们的铅垂线得到的。设想在竖线$aA$上的O点水平地放置一个按顺时针注记的水平度盘，注记由0°到360°，通过AC的方向线沿竖直面投影在水平度盘上的读数为n，通过AB的方向线沿竖直面投影在水平度盘上的读数为$m$，则$m$减$n$就是圆心角$\beta$，即

$$\beta=m-n \tag{3-1}$$

$\beta$就是我们要测的水平角。

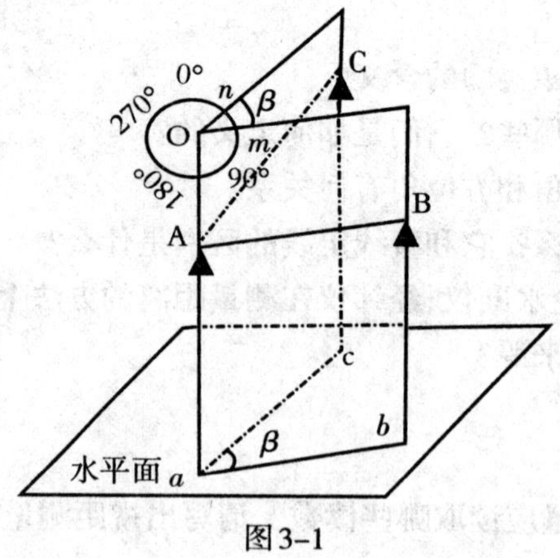


图3-1

### 3.1.2 竖直角测角原理

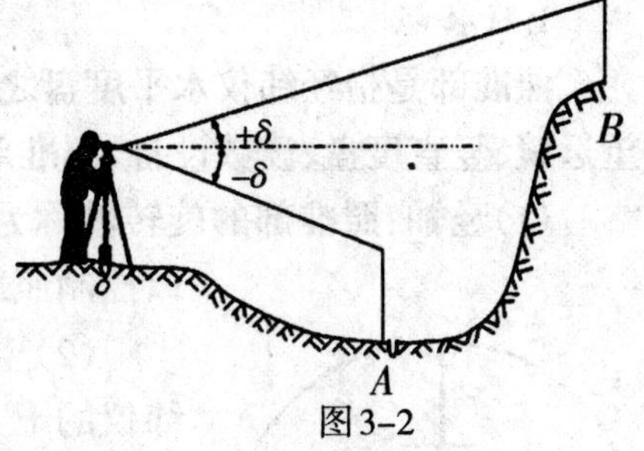

图3-2

在同一竖直面内，倾斜视线与水平视线的夹角称为竖直角（垂直角），通常用δ表示，其角值范围为0°～±90°。视线在水平视线方向以上称为仰角，角值为正，在水平视线以下为俯角，角值为负。如图3-2所示。

竖直角测量与水平角一样，其角值也是度盘上两个方向读数之差，不同的是竖直角的两个方向中，必有一个是水平方向。因此，在观测竖直角时，只观测目标点的一个方向并读数就可计算该目标点的竖直角。

## 第二节 光学经纬仪

经纬仪分为光学经纬仪和电子经纬仪两类。两类仪器的基本构造是一致的，唯有读数系统和读数方式不同，这里主要介绍光学经纬仪及其使用方法。

按精度划分，我国生产的经纬仪有$DJ_1$、$DJ_2$、$DJ_6$等几个等级，D、J分别为"大地"和"经纬仪"的汉字拼音首字母，1、2、6分别为该经纬仪的精度指标，单位为秒，表示该经纬仪一测回方向观测中误差的大小。

### 3.2.1 光学经纬仪的构造

如图3-3所示，是南京华东光学仪器厂的分微尺装置的$DJ_6$型光学经纬仪，各部件名称如图所示。一般将光学经纬仪分解为照准部、水平度盘和基座三部分。

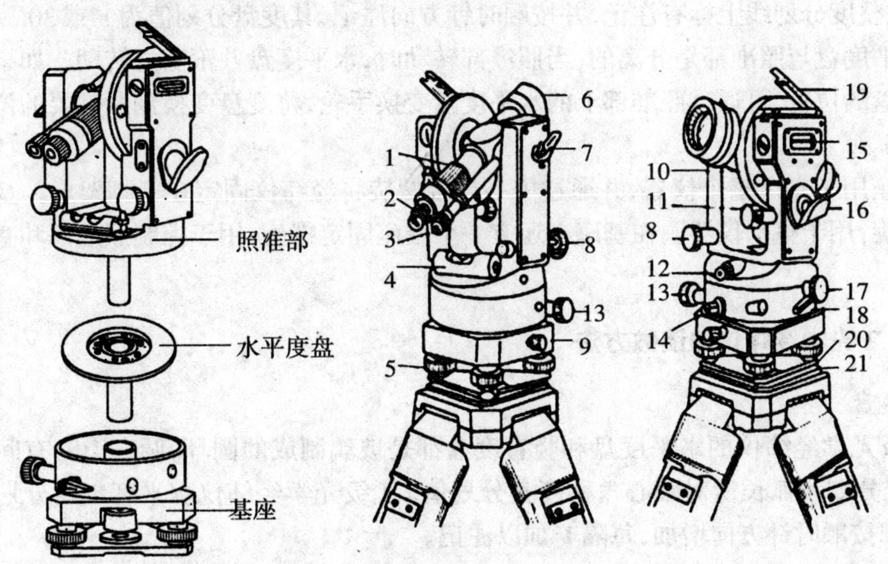

图3-3

1——对光螺旋；2——目镜；3——读数显微镜；4——照准部水准管；5——脚螺旋；6——望远镜物镜；7——望远镜制动螺旋；8——望远镜微动螺旋；9——中心锁紧螺旋；10——竖直读盘；11——竖盘指标水准管微动螺旋；12——光学对中器目镜；13——水平微动螺旋；14——水平制动螺旋；15——竖盘指标水准管；16——反光镜；17——度盘变换手轮；18——保险手柄；19——竖盘指标水准管反光镜；20——托板；21——底板

1.照准部

照准部是指经纬仪水平度盘之上,能绕其旋转轴旋转部分的总称。照准部主要由竖轴、望远镜、竖直度盘、读数设备、照准部水准管和光学对中器等组成。

(1)竖轴:照准部的旋转轴称为仪器的竖轴。通过调节照准部制动螺旋和微动螺旋,可以控制照准部在水平方向上的转动。

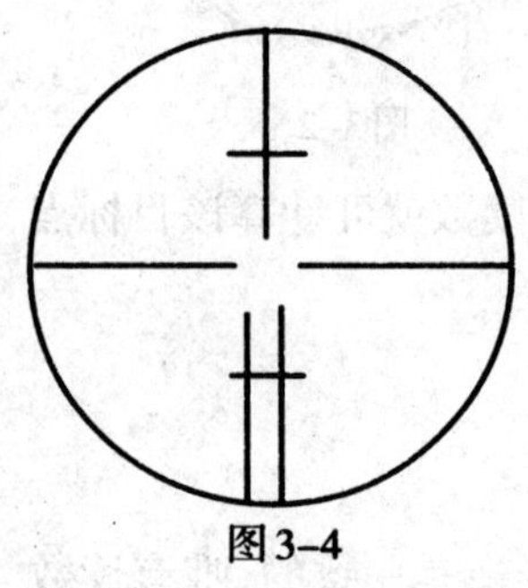
图3-4

(2)望远镜:用于瞄准目标。另外,为了便于精确瞄准目标,经纬仪的十字丝分划板与水准仪的稍有不同,如图3-4所示。

望远镜的旋转轴称为横轴。通过调节望远镜制动螺旋和微动螺旋,可以控制望远镜的上下转动。

望远镜的视准轴垂直于横轴,横轴垂直于仪器竖轴。因此,在仪器竖轴铅直时,望远镜绕横轴转动扫出一个铅垂面。

(3)竖直度盘:竖直度盘用于测量垂直角,竖直度盘固定在横轴的一端,随望远镜一起转动。

(4)读数设备:读数设备用于读取水平度盘和竖直度盘的读数。

(5)照准部水准管:照准部水准管用于精确整平仪器。

水准管轴垂直于仪器竖轴,当照准部水准管气泡居中时,经纬仪的竖轴铅直,水平度盘处于水平位置。

(6)光学对中器:光学对中器用于使水平度盘中心位于测站点的铅垂线上。

2.水平度盘

水平度盘是用于测量水平角的。它是由光学玻璃制成的圆环,环上刻有0°~360°的分划线,在整度分划线上标有注记,并按顺时针方向注记,其度盘分划值为1°或30′。

水平度盘与照准部是分离的,当照准部转动时,水平度盘并不随之转动。如果需要改变水平度盘的位置,可通过照准部上的水平度盘变换手轮,将度盘变换到所需要的位置。

3.基座

基座用于支撑整个仪器,并通过中心连接螺旋将经纬仪固定在三脚架上。基座上有三个脚螺旋,用于整平仪器。在基座上还有一个轴座固定螺旋,用于控制照准部和基座之间的衔接。

### 3.2.2 光学经纬仪的读数方法

1.度盘

$J_6$级光学经纬仪的水平度盘和竖直度盘都是玻璃制成的圆环,圆环上刻有间隔相等的分划线,分划线弧长所对圆心角称度盘分划值。$J_6$级光学经纬仪水平度盘的分划值为1°或30′,并都按顺时针方向增加,每隔1°加以注记。

2.读数设备

读数设备主要由度盘和指标线组成。为了读取度盘上不足一格的角值,读数设备装有测微器。为了提高读数精度,还采用了读数显微镜。$J_6$级光学经纬仪因测微器装置的不同,其读数方法也不同。

(1)分微尺测微器及其读数方法

上海光学仪器厂生产的CGM–2型经纬仪和西北光学仪器厂生产的经Ⅱ型经纬仪,都采用分微尺测微器,其度盘格值为1°。当外部光线通过这些仪器的反光镜反射后,光线进入度盘,再经过一系列光学装置,最后将水平度盘和竖盘的分划线象折射到读数显微镜内。观测者在瞄准目标后,可以在望远镜旁的读数显微镜内看到放大了的度盘和测微尺分划线象。如图3–5所示,图中上半部分注有大号数字的长线是水平度盘分划线象,所注记数字的单位为度;注有小号数字的短线是分微尺,分微尺的全长与度盘上一格的长度相等,故分微尺全长为1°;然后把它分成6大格,并注记数字,每一大格为10′;每一大格又分成10小格,每一小格为1′,能估读到0.1′。分微尺的0分划线就是指标线,利用分微尺可读取不足1°的读数。读数时,先读出落在分微尺上的度盘分划线的度数,然后,读出这根分划线与分微尺指标线间的分秒数,两数相加即得全读数。图3–5中,水平度盘读数为73°04′06″,竖直度盘读数为87°06′56″。

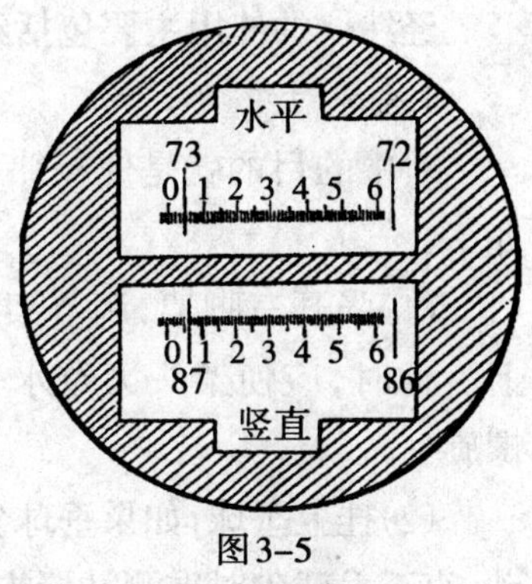


图3–5

(2)单平板玻璃测微器读数方法

这种读数设备是把单平板玻璃与测微尺连在一起,由竖盘支架上的测微轮来操纵它。转动测微轮,平板玻璃和测微尺均绕同一轴转动。由于平板玻璃的转动,在读数显微镜视场中,可看到度盘分划线的影像也在移动。测微尺由0转动到30,度盘影像恰好移动一格为30′。测微尺分为30个大格,每格1′,每隔5′注记数字;每大格又分为3小格,每格代表20″。

如图3–6所示,上面为测微尺影像,中间是竖盘分划影像,下面是水平度盘分划影像。测微尺影像中央的单线和度盘分划影像中央的双线为读数指标线。当望远镜瞄准目标时,双指标线不会恰好夹住度盘的某一分划,此时转动测微轮,使度盘某一分划线准确地夹在双指标线中间,则度盘影像移过的不足一个分划的数值可在测微尺上读出。因此,读数时,必须先转动测微轮,使度盘分划线准确地移动到双指标线中间,然后根据双指标线所夹的分划读取度盘读数,再根据单指标线读取测微尺上的读数,两读数相加即为应有读数。

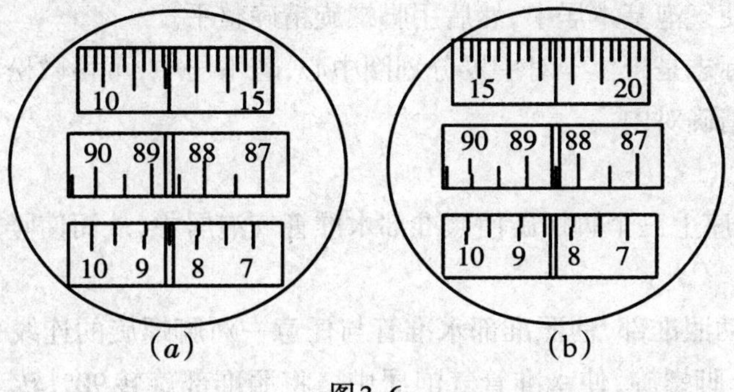


图3–6

图3–6(b)中,竖直度盘读数为88°30′+17′27″=88°47′27″。

# 第三节　水平角测量

## 3.3.1 经纬仪的使用

经纬仪的使用主要包括经纬仪的对中、整平、瞄准和读数等操作步骤。

1.垂球对中

对中的目的就是使经纬仪水平度盘的中心和测站的标志中心在同一铅垂线上，其步骤如下：

(1)张开三脚架，调节架腿，使其高度与观测者身高相适应，然后将三脚架放在测站点上。此时，应使架头大致水平，并使架头中心尽量对准测站标志，再装上仪器，旋紧中心螺旋。

(2)挂上垂球，如果垂球尖偏离标志中心很少，可稍微松开中心螺旋，使仪器在架头上移动，直至垂球尖对准测站标志中心为止，再旋紧中心螺旋。

(3)若垂球尖偏离测站标志中心较远，无法用上述方法对中，此时，可平移三脚架的三条腿或固定一条腿，移动另外两条腿，使垂球尖基本对准标志中心，再将三脚架的脚尖踩入土中，然后按第(2)步进行操作。最后要检查一下，看架头是否大致水平，垂球尖与标志中心之差是否小于2mm。

2.光学对点器对中

由于垂球对中精度较低，且使用不便，工程测量中一般采用光学对点器对中。其步骤如下：

(1)打开三脚架，调节脚架高度使适中，目估三脚架头大致水平，且三脚架中心大致对准地面标志中心。

(2)将仪器放在三脚架上，并拧紧连接仪器和三脚架的中心连接螺旋，双手分别握住另两条架腿稍离地面，前后左右摆动，眼睛看对中器的望远镜，直至分划圈中心对准地面标志中心为止，放下两架腿并踏紧。

(3)升落架腿使气泡基本居中，然后用脚螺旋精确整平。

(4)检查地面标志是否位于对中器分划圈中心，若不居中，可稍微松开连接螺旋，在架头上移动仪器，使其精确对中。

3.整平

整平是利用基座上三个脚螺旋使照准部水准管气泡居中，从而使竖轴竖直，和水平度盘水平。

整平时，先转动照准部，使照准部水准管与任意一对脚螺旋的连线平行，两手同时向内或向外转动这两个脚螺旋，使水准管气泡居中。将照准部旋转90°，转动第三个脚螺旋，使水准管气泡居中，按以上步骤反复进行，直到照准部转至任意位置气泡皆居中为止，如图3-7所示。

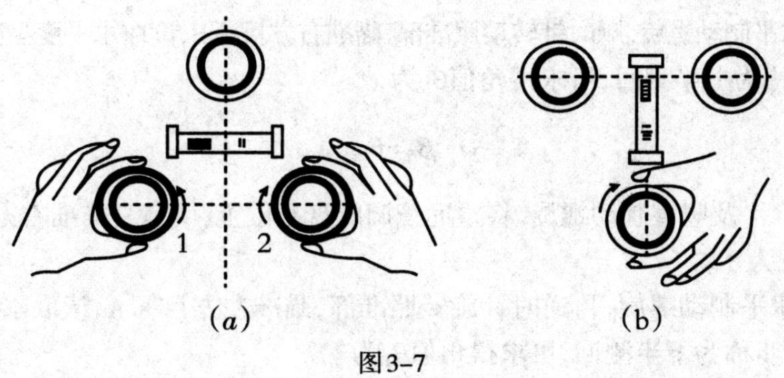

图3-7

4.瞄准

测水平角时，瞄准是指用十字丝的纵丝精确地瞄准目标，具体操作步骤如下：

(1)调节目镜调焦螺旋，使十字丝清晰。

(2)松开望远镜制动螺旋和照准部制动螺旋，先利用望远镜上的准星瞄准目标，使在望远镜内能看到目标物象，然后旋紧上述两制动螺旋。

(3)转动物镜调焦螺旋使物象清晰，注意消除视差。

(4)旋转望远镜和照准部制动螺旋，使十字丝的纵丝精确地瞄准目标。

5.读数

照准目标后，打开反光镜，并调整其位置，使读数窗内进光明亮均匀，然后进行读数显微镜调焦，使读数窗内分划清晰，并消除视差，最后读取度盘读数并记录。

### 3.3.2 水平角观测

根据观测条件、精度要求和使用仪器的不同，水平角的测量主要有两种方法：测回法和方向观测法。

1.测回法

测回法适用于观测两个方向之间的单角。如图3-8所示，欲观测A、B两点间的夹角∠AOB，设其为β，其观测程序如下：

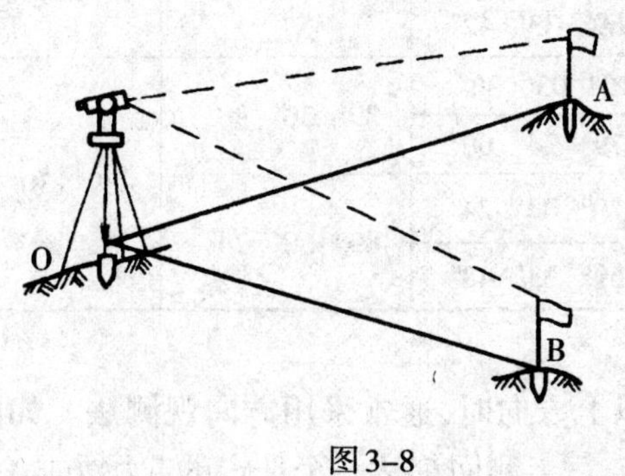

图3-8

(1) 在O点安置经纬仪，对中、整平后，将望远镜置于盘左位置(正镜)，精确瞄准左方目标A，调整水平度盘为零度左右，记录读数为$A_{左}$。

(2) 松开水平制动螺旋，顺时针转动照准部，瞄准右方目标B，读取水平度盘读数，记为$B_{左}$。

以上两步称为上半测回，可求得角值$\beta_{左}$为

$$\beta_{左}=B_{左}-A_{左} \tag{3-1}$$

(3) 松开水平及竖直制动螺旋，将望远镜调成盘右位置（倒镜），瞄准右方目标B，读取水平度盘读数，记为$B_{右}$。

(4) 松开水平制动螺旋，再逆时针旋转照准部，瞄准左方目标A，读取水平度盘读数，记为$A_{右}$。以上两步称为下半测回，可求得角值$\beta_{右}$为

$$\beta_{右}=B_{右}-A_{右} \tag{3-2}$$

(5) 上、下半测回合称一测回。

$$\beta=\frac{1}{2}(\beta_{左}+\beta_{右}) \tag{3-3}$$

值得注意的是：

(1)上、下半测回的角值之差不大于40″时，才能取其平均值作为一测回观测成果。

(2)水平度盘是按顺时针方向注记的，因此半测回角值必须是右目标读数减去左目标读数，当不够减时则将右目标读数加上360°。

(3)当测角精度要求较高时，往往要测几个测回，为了减少度盘分划误差的影响，各测回间应根据测回数$n$按$180°/n$变换水平度盘位置。

测回法测角记录计算格式如表3-1。

**表3-1　水平角观测手簿（测回法）**

<table>
<tr><th>测站</th><th>测回</th><th>竖盘位置</th><th>目标</th><th>水平度盘数</th><th>半测回角值</th><th>一测回角值</th><th>各测回平均角值</th></tr>
<tr><td rowspan="4">O</td><td rowspan="4">1</td><td rowspan="2">左</td><td>A</td><td>0° 03′ 18″</td><td rowspan="2">89° 30′ 12″</td><td rowspan="4">89° 30′ 15″</td><td rowspan="8">89° 30′ 21″</td></tr>
<tr><td>B</td><td>89° 33′ 30″</td></tr>
<tr><td rowspan="2">右</td><td>A</td><td>180° 03′ 24″</td><td rowspan="2">89° 30′ 18″</td></tr>
<tr><td>B</td><td>269° 33′ 42″</td></tr>
<tr><td rowspan="4">O</td><td rowspan="4">2</td><td rowspan="2">左</td><td>A</td><td>90° 03′ 30″</td><td rowspan="2">89° 30′ 30″</td><td rowspan="4">89° 30′ 27″</td></tr>
<tr><td>B</td><td>179° 34′ 00″</td></tr>
<tr><td rowspan="2">右</td><td>A</td><td>270° 03′ 24″</td><td rowspan="2">89° 30′ 24″</td></tr>
<tr><td>B</td><td>359° 33′ 48″</td></tr>
</table>

**2.方向观测法**

当测站上需要观测两个以上方向时，通常采用方向观测法。如图3-9所示，O点为测站点，A、B、C、D为四个观测目标，每半测回都从一个选定的起始方向（零方向）开始观测，在依次观测所需的各个目标之后，应再次观测起始方向（称为归零）的方法，称为方向观测法。其

观测及计算步骤如下：

(1)在测站点O安置经纬仪，在A、B、C、D观测目标处竖立观测标志。

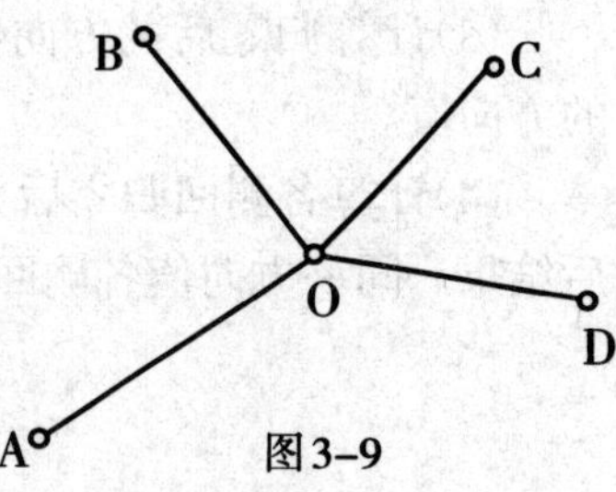

图3-9

(2)盘左位置，选择一个明显目标A作为起始方向，瞄准零方向A，将水平度盘读数安置在稍大于0°处，读取水平度盘读数，记入方向观测法观测手簿中。松开照准部制动螺旋，顺时针方向旋转照准部，依次瞄准B、C、D各目标，分别读取水平度盘读数，记入观测手簿(表3-2)。为了校核，再次瞄准零方向A(称为上半测回归零)，读取水平度盘读数，记入手簿，以上称为上半测回。

其中，零方向A的两次读数之差的绝对值，称为半测回归零差。$DJ_6$型经纬仪半测回归零差不应超过18″。如果归零差超限，应重新观测。

(3)盘右位置，逆时针方向依次照准目标A、D、C、B、A，并将水平度盘读数由下向上记入观测手簿，此为下半测回。

上、下两个半测回合称一测回。为了提高精度，有时需要观测$n$个测回，则各测回起始方向仍按180°/$n$的差值，安置水平度盘读数。

表3-2 方向观测法计算手簿

| 测站 | 测回数 | 目标 | 读数 盘左 °′″ | 读数 盘右 °′″ | 2C ″ | 平均读数 °′″ | 归零方向值 °′″ | 各测回归零方向值之平均值 °′″ | 略图及角值 |
|---|---|---|---|---|---|---|---|---|---|
| 0 | 1 | | | | | (0 02 10) | | 00 00 00<br>37 42 01<br>110 26 52<br>150 12 33 | |
| | | A | 0 02 12 | 180 02 00 | +12 | 0 02 06 | 00 00 00 | | |
| | | B | 37 44 15 | 217 44 05 | +10 | 37 44 10 | 37 42 00 | | |
| | | C | 110 29 04 | 290 28 52 | +12 | 110 28 58 | 110 26 48 | | |
| | | D | 150 14 51 | 330 14 43 | +8 | 150 14 47 | 150 12 37 | | |
| | | A | 0 02 18 | 180 02 08 | +10 | 0 02 13 | | | |
| | 2 | | | | | (90 03 24) | | | |
| | | A | 90 03 30 | 270 03 22 | +8 | 90 03 26 | 00 00 00 | | |
| | | B | 127 45 34 | 307 45 28 | +6 | 127 45 31 | 37 42 07 | | |
| | | C | 200 30 24 | 20 30 18 | +6 | 200 30 12 | 110 26 57 | | |
| | | D | 240 15 57 | 60 15 49 | +8 | 240 15 53 | 150 12 29 | | |
| | | A | 90 03 25 | 270 03 38 | +7 | 90 03 22 | | | |

值得说明的是观测手簿中每一项的计算方法：

(1)计算二倍照准误差2$C$值，2$C$=盘左读数-(盘右读数±180°)。2$C$值说明仪器的稳定性，各方向的2$C$值互差对于$J_2$型仪器不得大于13″，$J_6$型的也不能过大。

(2)计算各方向的平均读数，平均读数=$\frac{1}{2}$[盘左读数+(盘右读数±180°)]。起始方向有两个平均数，再取其平均值作为最后值。

(3)计算归零后的方向值，取各方向的平均读数减去起始方向的平均读数，即得归零后的方向值。

(4)计算各测回归零后方向值的平均值，取各测回同一方向值的平均值作为该方向的最后结果。同一方向值各测回互差对于$J_6$型仪器不得超过24″，否则应重测。

## 第四节　竖直角测量

### 3.4.1 竖直度盘结构

竖盘固定在望远镜旋转轴(横轴)的一端，随望远镜一起在竖直面内转动，而用来读取竖盘读数的指标并不随望远镜转动，指标水准管气泡居中后，指标即处于正确(铅直)位置，因此，每次观测竖直角时，必须转动竖盘指标水准管微动螺旋，使指标水准管气泡居中，然后才能读数。

竖盘的注记形式很多，常见的为全圆式，即0°～360°注记。如图3-10所示，(*a*)为$J_6$级经纬仪竖盘全圆逆时针注记，(b)为全圆顺时针注记。

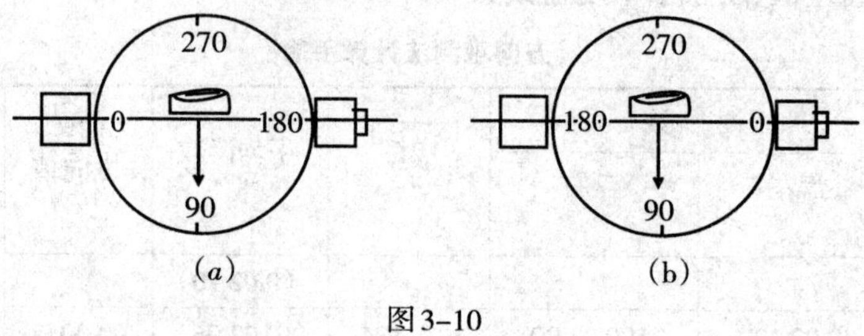


图3-10

### 3.4.2 竖直角观测及其计算

竖直度盘结构特点是，在理想情况下，当竖盘水准管气泡居中，且望远镜视线水平时，竖盘指标应对准某一常数(如270°或90°)。因此，进行竖直角测量时，只需读取目标方向的竖盘读数，便可根据不同度盘注记形式相对应的计算公式计算出所测目标的竖直角。

如图3-11所示，要测得比较精确的竖直角，往往也要用盘左和盘右各观测一次，步骤如下：

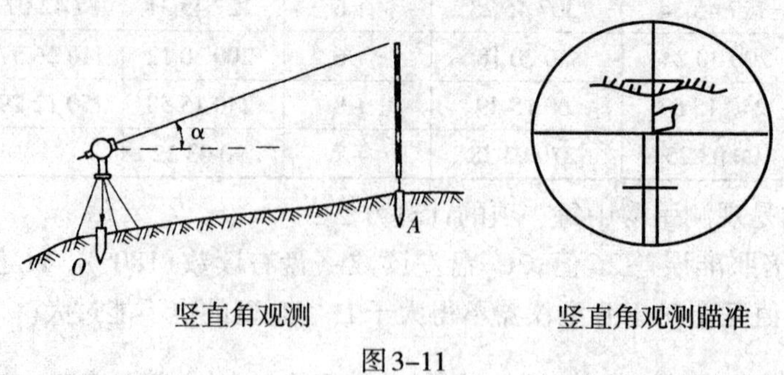


图3-11

1.仪器安置于测站点O上，盘左瞄准目标点A(中丝切于目标顶部)。

2.调节竖盘指标水准管气泡居中，读取读数$L$，记入手簿。

3.盘右再瞄准A点，调节竖盘指标水准管气泡居中，读取读数$R$，记入手簿。

4.计算竖直角$\alpha$，如表3–3所示。

竖直角$\alpha$是观测目标的读数与望远镜视准轴水平时的竖盘读数（即90°、270°）之差。但哪个是被减数，哪个是减数，则应按竖盘的注记形式来确定。

现以顺时针刻划注记的竖盘为例，得出竖直角的计算公式。如图3–12所示。

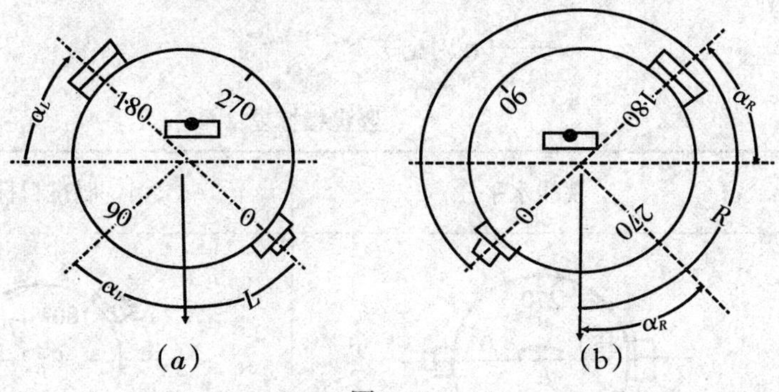


图3–12

（1）盘左，如图3–12（$a$）所示，当抬高视线观测一目标时，竖盘读数为$L$，则竖直角为：

$$\alpha_L=90°-L \tag{3–4}$$

（2）盘右，如图3–12（b）所示，当抬高视线观测原目标，竖盘读数为$R$，则竖直角为：

$$\alpha_R=R-270° \tag{3–5}$$

对于逆时针刻划注记的竖盘，如图3–12所示，可用类似的方法得出竖直角的计算公式为

$$\alpha_L=L-90° \tag{3–6}$$

$$\alpha_R=270°-R \tag{3–7}$$

但值得注意的是，当不知道竖盘的注记形式时，该怎样选择公式呢？下面介绍一种适用于任何注记形式的方法。

在观测之前，先将望远镜大致放平，读取竖盘读数。然后将望远镜上仰，若读数增大，则竖直角等于瞄准目标时的读数减去视线水平时的读数；若读数减小，则竖直角等于视线水平时的读数减去瞄准目标时的读数，以保证仰角为正。

**表3–3**　　**竖直角观测记录手簿**

| 测站 | 目标 | 竖盘位置 | 竖盘读数（° ′ ″） | 半测回竖直角（° ′ ″） | 指标差（″） | 一测回竖直角（° ′ ″） | 备　注 |
|---|---|---|---|---|---|---|---|
| | A | 左 | 76 30 6 | +13 29 54 | –6 | +13 29 48 | 竖盘为全圆顺时针注记 |
| | | 右 | 283 29 42 | +13 29 42 | | | |
| | B | 左 | 109 26 12 | –19 26 12 | –9 | –19 26 21 | |
| | | 右 | 250 33 30 | –19 26 30 | | | |

### 3.4.3 竖盘指标差

当视线水平时，盘左竖盘读数应为90°，盘右为270°。事实上，读数指标往往偏离正确位置即90°或270°，而与正确位置相差一个小角度，该角度称为竖盘指标差，简称指标差。指标差本身有正负号，一般规定当竖盘读数指标偏离方向与竖盘注记方向一致时，x取正号，反之取负号。见表3–4。竖盘指标差为：

$$x=\frac{1}{2}(\alpha_R-\alpha_L) \tag{3-8}$$

表3–4　　竖盘指标差

| 竖盘位置 | 视线水平 | 瞄准目标 |
|---|---|---|
| 盘左 | 270° 180° 0° x 90° | 180° 270° 90° x 0° L |
| 盘右 | 90° 0° 180° x 270° | 90° 180° α 0° x 270° R |

## 第五节　经纬仪的检验与校正

### 3.5.1 照准部水准轴应垂直于仪器竖轴的检验和校正

检验：先整平仪器，照准部水准管平行于任意一对脚螺旋，转动该对脚螺旋使气泡居中，再将照准部旋转180°，若气泡仍居中，说明此条件满足，否则需要校正，如图3–13所示。

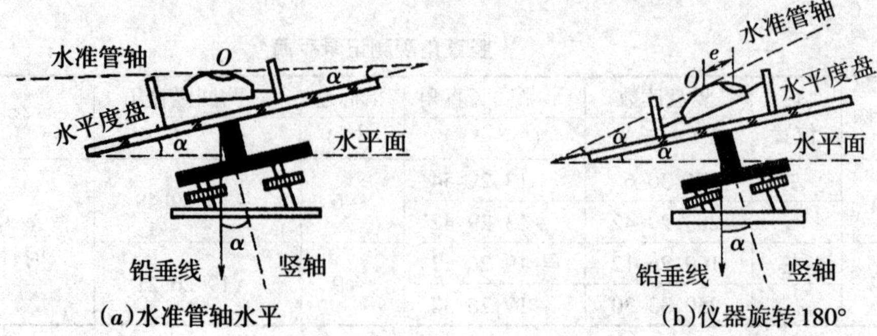

(a)水准管轴水平　　(b)仪器旋转180°

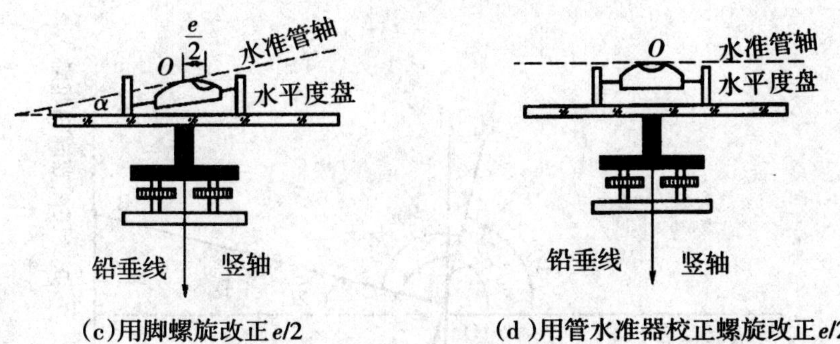

(c)用脚螺旋改正e/2　　(d)用管水准器校正螺旋改正e/2

图3–13　照准部水准管轴的检校

校正:用校正针拨动水准管一端的校正螺丝,先松一个后紧一个,使气泡退回偏离格数的一半,再转动脚螺旋使气泡居中。重复检验校正,直到其水准管在任何位置时气泡偏离量都在一格以内。

### 3.5.2 十字丝竖丝应垂直于仪器横轴的检验校正

检验:如图3–14所示,用十字丝竖丝一端瞄准细小点状目标转动望远镜微动螺旋,使其移至竖丝另一端,若目标点始终在竖丝上移动,说明此条件满足,否则需要校正。

校正:旋下十字丝分划板护罩,用小改锥松开十字丝分划板的固定螺丝,微微转动十字丝分划板,使竖丝端点至点状目标的间隔减小一半,再返转到起始端点。重复上述检验校正,直到无显著误差为止,最后将固定螺丝拧紧。

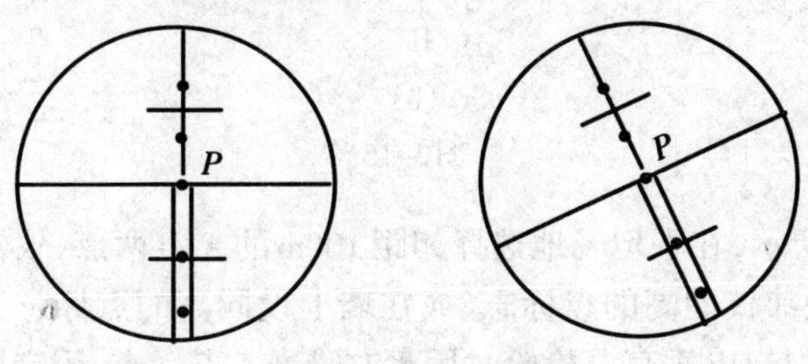

图3–14 十字丝检验

### 3.5.3 视准轴应垂直于横轴的检验和校正

方法一:

检验:盘左瞄准远处与仪器同高点A,读取水平度盘读数$\alpha_{左}$,盘右再瞄准A点,读取水平度盘读数$\alpha_{右}$。若$\alpha_{左}=\alpha_{右}\pm180°$,说明此条件已满足,若差值超过2′,则需要校正。

校正:计算正确读数$\alpha_{右}'=[\alpha_{右}+(\alpha_{左}\pm180°)]/2$,转动水平微动螺旋,使水平度盘读数为$\alpha_{右}'$,此时目标偏离十字丝交点,用校正针拨动十字丝左、右校正螺旋,使十字丝交点对准A点。如此重复检验校正,直到差值在2′内为止,最后旋上十字丝分划板护罩。

方法二：

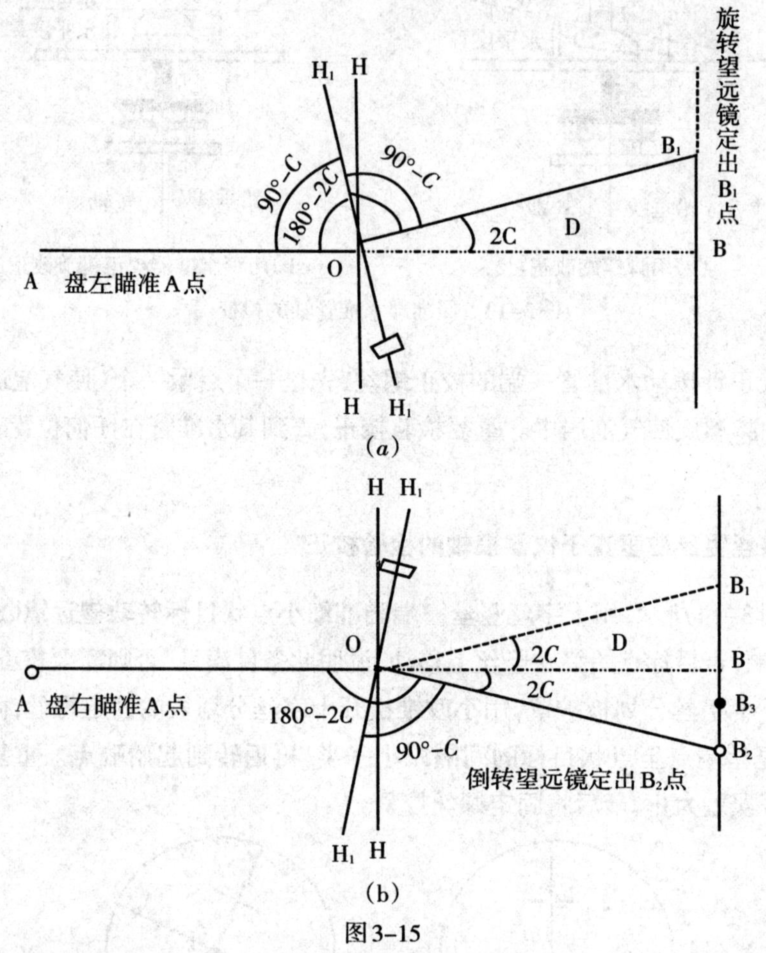


图3–15

检验：如图3–15所示，在平坦场地选择相距100m的A、B两点，仪器安置在两点中间的O点，在A点设置和经纬仪同高的点标志（或在墙上设同高的点标志），在B点设一根水平尺，该尺与仪器同高且与OB垂直。检验时用盘左瞄准A点标志，固定照准部，倒转望远镜，在B点尺上定出$B_1$点的读数，再用盘右同法定出$B_2$点读数。若$B_1$与$B_2$重合，说明此条件满足，否则需要校正。

校正：在$B_1$、$B_2$点间1/4处定出$B_3$读数，使$B_3=B_2-(B_2-B_1)/4$。拨动十字丝左、右校正螺旋，使十字丝交点与$B_3$点重合。如此反复检校，直到$B_1B_2 \leq 2mm$为止，最后旋上十字丝分划板护罩。

### 3.5.4 横轴与竖轴垂直的检验和校正

如图3–16所示，在离建筑物10m处安置仪器，盘左瞄准墙上高目标点标志P（垂直角大于30°），将望远镜放平，十字丝交点投在墙上定出$P_1$点。盘右瞄准P点，同法定出$P_2$

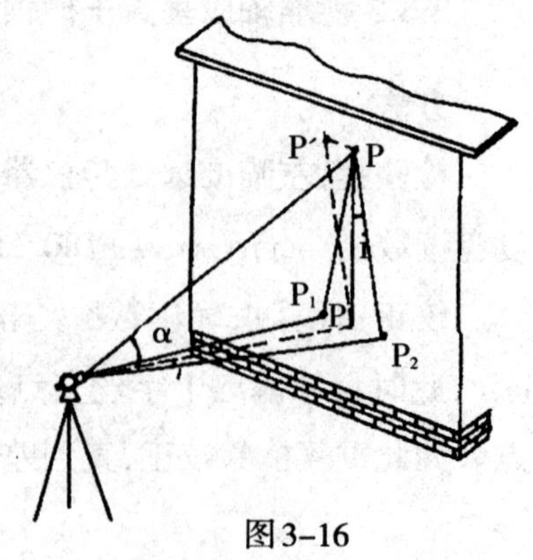


图3–16

点。若$P_1P_2$点重合,则说明此条件满足,若$P_1P_2 > 5mm$,则需要校正。由于仪器横轴是密封的,故该项校正应由专业维修人员进行。

### 3.5.5 竖盘指标差的检验和校正

竖盘指标差检校的目的是使竖盘指标差$x$等于0,如图3–17所示。

检校方法:安置经纬仪整平后,用盘左、盘右两个位置瞄准同一个目标,分别调竖盘指标水准管气泡居中后,读取竖盘读数$L$和$R$,然后按式(3–8)计算竖盘指标差$x$。若$x$值超过1′时,应进行校正。

校正方法:保持望远镜盘右位置瞄准目标$P$不变,计算不含指标差$x$时的盘右正确读数$R_0$,$R_0=R-x$。转动竖盘指标水准管微动螺旋使竖盘读数为$R_0$,此时竖盘指标水准管气泡一定不会居中,用校正针拨动竖盘指标水准管一端的校正螺丝,使气泡居中即可,此项校正须反复进行。

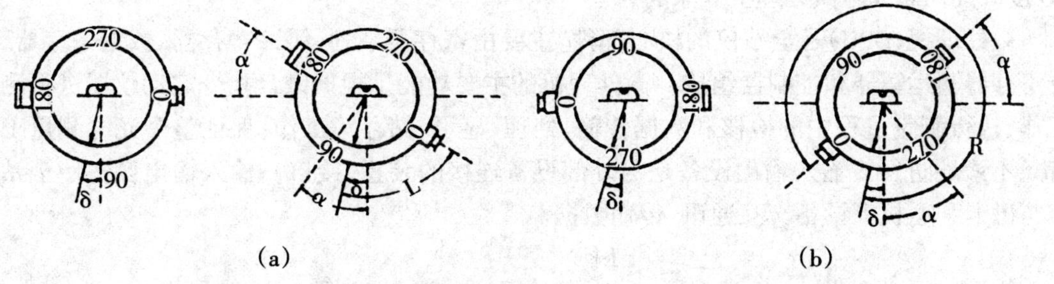


图3–17

### 3.5.6 光学对中器的检验校正

检校的目的是使光学对中器的光学垂线与仪器竖轴重合,即仪器对中后,绕竖轴旋转至任何方向仍然对中,如图3–18所示。

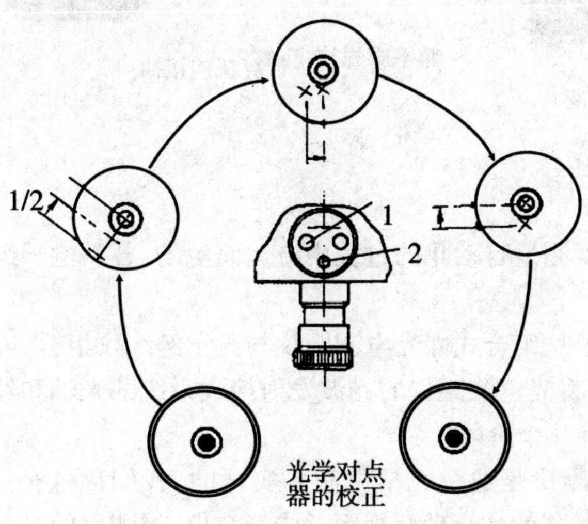


图3–18

# 第六节　全站仪测量系统

## 3.6.1 全站仪及其发展

### 1.全站仪

全站仪，即全站型电子速测仪(Electronic Total Station)，是一种集光、机、电为一体的高技术测量仪器，是集水平角、垂直角、距离(斜距、平距)、高差测量功能于一体的测绘仪器系统。因其一次安置，仪器就可完成该测站上全部测量工作，所以称之为全站仪，如图3-19所示，它广泛用于地上大型建筑和地下隧道施工等精密工程测量或变形监测领域。

全站仪上半部分包含有测量的四大光电系统，即水平角测量系统、竖直角测量系统、水平补偿系统和测距系统。通过键盘可以输入操作指令、数据和设置参数。以上各系统通过I/O接口接入总线与微处理机联系起来。

微处理机(CPU)是全站仪的核心部件，主要由寄存器系列(缓冲寄存器、数据寄存器、指令寄存器)、运算器和控制器组成。微处理机的主要功能是根据键盘指令启动仪器进行测量工作，执行测量过程中的检核和数据传输、处理、显示、储存等工作，保证整个光电测量工作有条不紊地进行。输入输出设备是与外部设备连接的装置(接口)，输入输出设备使全站仪能与磁卡和微机等设备交互通讯、传输数据。

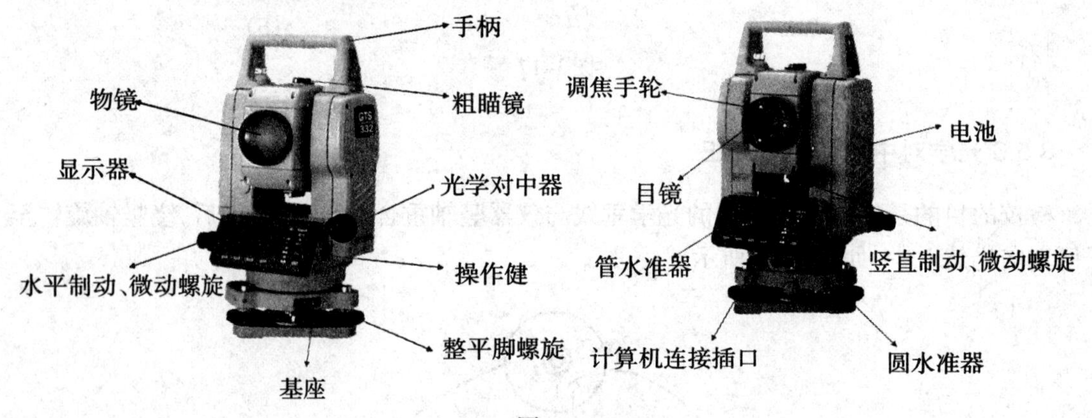


图3-19

### 2.全站仪的发展

全站仪是人们在角度测量自动化的过程中应运而生的，各类电子经纬仪在各种测绘作业中起着巨大的作用。

全站仪的发展经历了从组合式即光电测距仪与光学经纬仪组合，或光电测距仪与电子经纬仪组合，到整体式即将光电测距仪的光波发射接收系统的光轴和经纬仪的视准轴组合为同轴的整体式全站仪等几个阶段。

最初速测仪的距离测量是通过光学方法来实现的，我们称这种速测仪为“光学速测仪”。实际上，“光学速测仪”就是指带有视距丝的经纬仪，被测点的平面位置由方向测量及光学视距来确定，而高程则是用三角测量方法来确定的。带有“视距丝”的光学速测仪，由于其快速、简易，而在短距离（100米以内）、低精度的测量中（如碎部点测定中）有其优势，得到了广泛的应用。

随着电子测距技术的出现，大大地推动了速测仪的发展。用电磁波测距仪代替光学视距经纬仪，使得测程更大、测量时间更短、精度更高。人们将距离由电磁波测距仪测定的速测仪笼统地称之为“电子速测仪”（Electronic Tachymeter）。

然而，随着电子测角技术的出现，这一“电子速测仪”的概念又相应地发生了变化，根据测角方法的不同分为半站型电子速测仪和全站型电子速测仪。半站型电子速测仪是指用光学方法测角的电子速测仪，也有称之为“测距经纬仪”。这种速测仪出现较早，并且进行了不断的改进，可将光学角度读数通过键盘输入到测距仪，对斜距进行化算，最后得出平距、高差、方向角和坐标差，这些结果都可自动地传输到外部存储器中。全站型电子速测仪则是由电子测角、电子测距、电子计算和数据存储单元等组成三维坐标测量系统，测量结果能自动显示，并能与外围设备交换信息的多功能测量仪器。由于全站型电子速测仪较完善地实现了测量和处理过程的电子化和一体化，所以人们也通常称之为全站型电子速测仪，或简称全站仪。

随着计算机技术的不断发展与应用以及用户的特殊要求和其他工业技术的应用，全站仪出现了一个新的发展时期，出现了带内存、防水型、防爆型、电脑型等的全站仪。

目前，世界上最高精度的全站仪测角精度（一测回方向标准偏差）0.52，测距精度1mm+1ppm。利用ATR功能，白天和黑夜（无须照明）都可以工作。全站仪已经达到令人不可置信的角度和距离测量精度，既可人工操作也可自动操作，既可远距离遥控运行，也可在机载应用程序控制下使用，可使用在精密工程测量、变形监测、几乎是无容许限差的机械引导控制等应用领域。

总之，全站仪这一最常规的测量仪器将越来越满足各项测绘工作的需求，发挥更大的作用。

### 3.6.2 全站仪的结构特点

同电子经纬仪、光学经纬仪相比，全站仪增加了许多特殊部件，使得全站仪具有比其他测角、测距仪器更多的功能，使用也更方便。这些特殊部件构成了全站仪在结构方面独树一帜的特点。

1.同轴望远镜

全站仪的望远镜实现了视准轴、测距光波的发射、接收光轴同轴化。同轴化的基本原理是：在望远物镜与调焦透镜间设置分光棱镜系统，通过该系统实现望远镜的多功能，既可瞄准目标，使之成像于十字丝分划板，进行角度测量，同时其测距部分的外光路系统又能使测距部分的光敏二极管发射的调制红外光在经物镜射向反光棱镜后，经同一路径反射回来，再经分光棱镜作用使回光被光电二极管接收。为测距需要在仪器内部另设一内光路系统，通过分光棱镜系统中的光导纤维将由光敏二极管发射的调制红外光也传送给光电二极管接收，进而由内、外光路调制光的相位差间接计算光的传播时间，计算实测距离。

同轴性使得望远镜一次瞄准即可实现同时测定水平角、垂直角和斜距等全部基本测量要素的测定功能，加之全站仪强大、便捷的数据处理功能，使全站仪使用极其方便。

2.双轴自动补偿

全站仪在作业时，若纵轴倾斜，会引起角度观测的误差，盘左、盘右观测值取中不能使之抵消。而全站仪特有的双轴(或单轴)倾斜自动补偿系统，可对纵轴的倾斜进行监测，并在度盘读数中对因纵轴倾斜造成的测角误差自动加以改正(某些全站仪纵轴最大倾斜可允许至±6′)。也可通过将由竖轴倾斜引起的角度误差，由微处理器自动按竖轴倾斜改正计算式计算，并加入度盘读数中加以改正，使度盘显示读数为正确值，即所谓纵轴倾斜自动补偿。双轴自动补偿所采用的构造(现有水平，包括Topcon，Trimble)为：使用一水泡(该水泡不是从外部可以看到的，与检验校正中所描述的不是一个水泡)来标定绝对水平面，该水泡是中间填充液体，两端是气体。在水泡的上部两侧各放置一发光二极管，而在水泡的下部两侧各放置一光电管，用以接收发光二极管透过水泡发出的光。而后，通过运算电路比较两二极管获得的光的强度。当在初始位置，即绝对水平时，将运算值置零。当作业中全站仪器倾斜时，运算电路实时计算出光强的差值，从而换算成倾斜的位移，将此信息传达给控制系统，以决定自动补偿的值。自动补偿的方式除由微处理器计算后修正输出外，还有一种方式即通过步进马达驱动微型丝杆，把此轴方向上的偏移进行补正，从而使轴时刻保证绝对水平。

3.键盘

键盘是全站仪在测量时输入操作指令或数据的硬件，全站型仪器的键盘和显示屏均为双面式，便于正、倒镜作业时操作。

4.存储器

全站仪存储器的作用是将实时采集的测量数据存储起来，再根据需要传送到其他设备如计算机中，供进一步的处理或利用，全站仪的存储器有内存储器和存储卡两种。

全站仪内存储器相当于计算机的内存(RAM)，存储卡是一种外存储媒体，又称PC卡，作用相当于计算机的磁盘。

5.通讯接口

全站仪可以通过BS—232C通讯接口和通讯电缆将内存中存储的数据输入计算机，或将计算机中的数据和信息经通讯电缆传输给全站仪，实现双向信息传输。

### 3.6.3 全站仪的数据通讯

全站仪的数据通讯是指全站仪与电子计算机之间进行的双向数据交换。全站仪与计算机之间的数据通讯的方式主要有两种：一种是利用全站仪配置的PCMCIA卡(Personal Computer Card Internation Association，个人计算机存储卡国际协会，简称PC，也称存储卡)进行数字通讯，特点是通用性强，各种电子产品间均可互换使用；另一种是利用全站仪的通讯接口，通过电缆进行数据传输。

1.用PC卡进行数据通讯

目前新推出的全站仪全部都有PC卡接口，由全站仪采集的数据按规定格式记录到PC卡上，作业完成后就可将PC卡从全站仪上取出，插入带有PC记录卡接口的计算机上，数据通讯方便。目前使用的PC卡长86.5mm，宽54.0mm，厚3.23mm，存储量一般可达2MB。

2.电缆传输

电缆传输是全站仪数据通信的方式之一，它是指全站仪将内存中的数据(实测数据边、角、高差、距离)或经全站仪处理的数据(如坐标)等，通过电缆传输到计算机或其他测量系统中。

传输方式有并行接口和串行接口通信两类。串行通信时各数据依次一位一位地传递，每一位数据占有一固定时间长度，传送只需一条线；并行通信是各位数据同时传送，每位数各占用一条传送线，全站仪大都采用了串行通信方式。

### 3.6.4 全站仪的基本操作与使用方法

目前，世界上许多著名的测绘仪器生产厂商均生产有各种型号的全站仪。不同型号的全站仪，其具体操作方法会有较大的差异。下面简要介绍全站仪的基本操作与使用方法。

1.测量前的准备工作

(1)电池的安装(注意：测量前电池须充足电)：首先把电池盒底部的导块插入装电池的导孔；然后按电池盒的顶部直至听到“咔嚓”响声后，向下按解锁钮，取出电池。

(2)仪器的安置：在实验场地上选择一点，作为测站，另选两点作为观测点；将全站仪安置于测站点，对中、整平后，在两点分别安置棱镜，然后进行竖直度盘和水平度盘指标的设置。

竖直度盘指标设置：松开竖直度盘制动按钮，将望远镜纵转一周(望远镜处于盘左，当物镜穿过水平面时)，竖直度盘指标即已设置，随即听见一声鸣响，并显示出竖直角。

水平度盘指标设置：松开水平制动螺旋，旋转照准部360°，水平度盘指标即自动设置，随即一声鸣响，同时显示水平角。至此，竖直度盘和水平度盘指标已设置完毕。

注意：每当打开仪器电源时，必须重新设置新的指标。

(3)调焦与照准目标：其操作步骤与一般经纬仪相同，这里不再进行介绍，但是要注意消除视差。

2.角度测量

全站仪的水平角和竖直角测量方法与光学经纬仪一致。其步骤如下：

(1)首先在显示屏上将其置于角度测量模式。

(2)盘左瞄准左目标A按置零键，使水平度盘读数显示为0°00′00″，顺时针旋转照准部，瞄准右目标B，读取显示读数，此时显示的水平度盘读数即为两方向间的水平夹角。

(3)同样的方法可以进行盘右观测。

(4)如果需要测竖直角，可在读取水平度盘的同时读取竖盘的显示读数。

3.距离测量

全站仪的测距模式有精测模式、跟踪模式、粗测模式三种。精测模式是最常用的测距模式，测量时间约2.5s，最小显示单位1mm；跟踪模式，常用于跟踪移动目标或放样时连续测距，最小显示一般为1cm，每次测距时间约0.3s；粗测模式，测量时间约0.7s，最小显示单位1cm或1mm。在距离测量或坐标测量时，可按测距模式(MODE)键选择不同的测距模式。

但应注意，有些型号的全站仪在距离测量时不能设定仪器高和棱镜高，显示的高差值是全站仪横轴中心与棱镜中心的高差。其步骤如下：

(1)设置棱镜常数:测距前须将棱镜常数输入仪器中,仪器会自动对所测距离进行改正。

(2)设置大气改正值或气温、气压值:光在大气中的传播速度会随大气的温度和气压而变化,15℃和760mmHg是仪器设置的一个标准值,此时的大气改正为0ppm。实测时,可输入温度和气压值,全站仪会自动计算大气改正值(也可直接输入大气改正值),并对测距结果进行改正。

(3)量仪器高、棱镜高,并输入全站仪。

(4)距离测量:照准目标棱镜中心,按测距键,距离测量开始,测距完成时显示斜距、平距、高差,其中HD为水平距离,VD为倾斜距离。

4.坐标测量

全站仪坐标测量就是根据已知点坐标,测量出地面上一未知点的三维坐标(平面坐标X、Y,高程$H$)。其步骤如下:

(1)设定测站点的三维坐标。

(2)设定后视点的坐标或设定后视方向的水平度盘读数为其方位角。当设定后视点的坐标时,全站仪会自动计算后视方向的方位角,并设定后视方向的水平度盘读数为其方位角。

(3)设置棱镜常数。

(4)设置大气改正值或气温、气压值。

(5)量仪器高、棱镜高并输入全站仪。

(6)照准目标棱镜,按坐标测量键,全站仪开始测距并计算显示测点的三维坐标。

### 3.6.5 使用全站仪的注意事项

1.运输仪器时,应采用原装的包装箱运输、搬动。

2.近距离将仪器和脚架一起搬动时,应保持仪器竖直向上。

3.拔出插头之前应先关机,因在测量过程中,若拔出插头,则可能丢失数据。

4.在电源打开期间不要将电池取出,因为此时存储数据可能会丢失,因此在电源关闭后再装入或取出电池。

5.仪器只能存放在干燥的室内。充电时,周围温度应在10℃~30℃之间。

6.全站仪是精密贵重的测量仪器,要防日晒、防雨淋、防碰撞震动,严禁仪器直接照准太阳。

7.元件应保持清洁,如沾染灰沙必须用毛刷或柔软的擦镜纸擦掉,禁止用手指抚摸仪器的任何光学元件表面。

8.湿环境中工作,作业结束,要用软布擦干仪器表面的水分及灰尘后装箱,回到办公室后立即开箱取出仪器放于干燥处,彻底晾干后再装箱内。

### 3.6.6 全站仪在矿山测量中的作用

矿山测量被誉为矿山的“眼睛”,它在均衡生产、监督工程质量、指导安全生产等方面发挥着重要作用。随着计算机技术、空间技术、信息处理技术的发展与广泛应用,测绘科学也有了很大的进步和发展,全站仪也逐步开发和应用于矿山测量当中。它以其操作简单、功能完备、可靠的角度与距离测量，以及坚硬的外壳和适用于全天候作业的结构，备受矿山测量人员的青睐。特别在现场布控、地形测量、曲线巷道放样、采空区测量等方面发挥得淋漓尽致，大大提高了测量工作效率，减轻了测量人员的内外业工作强度，取得了良好效果。它日渐取代了传统的经纬仪、钢尺等测量工具，在矿山测量中发挥着重要作用。

1.全站仪的主要优点

全站仪具有经纬仪和测距仪的优点，且以数字的形式提供测量成果，其操作简便，性能稳定，功能丰富，数据可通过电子手簿与计算机进行通信。主要表现在以下几个方面：

(1)具有较强的内存管理功能，可以方便地对数据进行增加、删除、修改和传输。

(2)可以完成自动化数据采集，即进行自动记录、测量数据和坐标数据，可以直接与计算机互相传输数据。

(3)设计有比较完美的特殊测量程序，即除了进行基本的测量工作(角度、距离、坐标)之外，还可以进行坐标放样、悬高测量、偏心测量、对边测量、距离放样以及设置新点、后方交会、面积测量等功能。

(4)汉字中文界面，使得操作和观测更加直观、方便。

(5)坚硬的外壳，适应全天候作业。

总之，全站仪具有的这些优点，使其在矿山测量中得到了广泛应用。地面控制测量、地形测量、工程测量均可利用全站仪进行；矿井联系测量，井下大量的测量工作，也可用全站仪进行。因此，全站仪在矿山测量中涵盖了几乎所有的测量工作。同时，基于全站仪与计算机技术可交替传输，可建立矿山三维数据自动采集、传输、处理的矿山测量数据处理系统，将取代传统的手簿记录、手工录入繁琐计算等大量的重复性工作。

2.全站仪在矿山测量中的主要应用

(1)控制测量

控制测量可分为地表控制测量和井下控制测量。地表控制点的建立主要方法有极坐标法、测边交会、边角侧交、边角后交等。建立井下控制点的主要方法有闭合导线法、附合导线法、支导线法等，支导线法建立控制点使用比较广泛。井下的运输巷道、穿脉、安全绕道、采场、天井等各项工程皆需控制方向、坡度，贯通位置，测出各工程的隆型图，并由这些控制点来提供平面坐标及高程。控制点是井下各项工程施工设计的最基础资料，因此测量控制点准确性，将直接影响井下工程施工的质量。使用全站仪进行测角量距建立控制点，更加精确，效果更好。全站仪在井下建立控制点测量表现出强大的生命力。

(2)数字化测图

全站仪数字化测图(在第六章进行详细介绍)是目前应用比较广泛的数字测图方法之一，它是通过全站仪对地形、地貌特征点进行外业的数据采集，再传输到计算机利用成图软件进行编辑、修改、生成等高线等过程，获得地形图。其主要特点是测图直观、灵活、精度高。在矿区地形图测量中，使用全站仪建立图根控制点，进行野外的数字采集，并将外业的数据输入计算机当中，通过内业编辑(主要应用CASS6.0数字化地形地籍成图软件)后进行成果图输出。利用全站仪数字化测图，取代了传统的野外经纬仪视距法测距，手工勾绘地形图方法，使得成图更快更准更美观。

(3)曲线坐标法放样

在井下工程中,常常会遇到斜坡道、甩车场、安全绕道等曲线巷道工程,有时,在井下的巷道转弯处或分岔处,一般都要设计一段曲线巷道以利于行车。在标定这些曲线巷道中腰线过程中多用偏角法、切线支距法、悬线法等方法,然而井下曲线的施工管理因受现场条件的限制,由于巷道两侧只有一定的宽度,故在放样时,上述方法均有不足之处。而全站仪坐标法放样就显得非常方便、灵活且精度较高。放样的具体方法是,根据设计图上放样点的距离,计算出各放样点的坐标,在控制点上设站,利用全站仪的坐标放样功能直接放样。使用全站仪坐标法放样不必使用大样图,减少了室内工作量。

(4)采空区测量

在矿山中,采用浅孔留矿法、深孔崩落法等方法采完矿后,井下形成巨大的空硐,测量人员难以进入或因安全原因不能进入这些空硐内,但为了计算采矿量,人员不得不进入测量。过去曾用经纬仪交会法施测,过程比较麻烦,而短距离免棱镜全站仪的使用恰好能很好地解决这一问题。只要在硐口安置全站仪,前视点由聚光灯或专用光标投射器在硐壁上产生光斑作为照准目标,通过极坐标法测出采空区的隆形图,保证了测量安全性。

# 第二部分　专业核心知识点

1. 水平角、竖直角测量的基本原理；
2. $DJ_6$型光学经纬仪的基本构造、操作与读数方法；
3. 测回法和方向观测法测量角度的方法；
4. 全站仪的构造及测量方法。

# 第三部分　专业技能训练

## 技能一　光学经纬仪的认识与使用

认识$DJ_6$级光学经纬仪的构造和各部件的名称。图3-20为$DJ_6$级光学经纬仪的外形和构造名称。

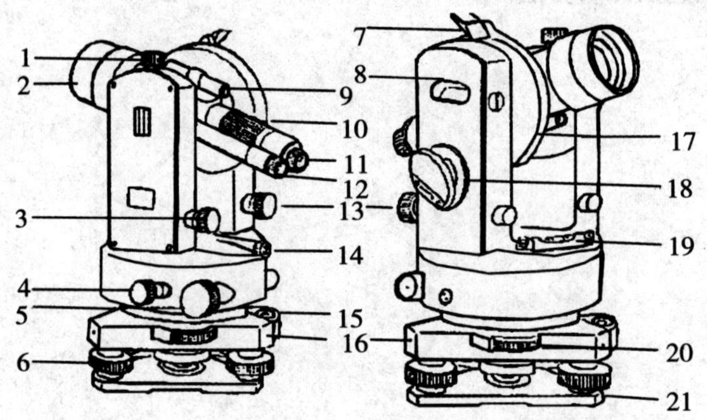


1——望远镜制动螺旋；2——望远镜物镜；3——望远镜微动螺旋；4——水平制动螺旋；5——水平微动螺旋；6——脚螺旋；7——竖盘水准管观察镜；8——竖盘水准管；9——瞄准器；10——物镜调焦环；11——望远镜目镜；12——度盘读数镜；13——竖盘水准管微动螺旋；14——光学对中器；15——圆水准器；16——基座；17——竖盘；18——度盘照明镜；19——照准部水准管；20——水平度盘位置变换轮；21——基座底板

图3-20

## 技能二　经纬仪的安置及使用

1. 选点

在地面上选择坚固平坦的地方，用铅笔画一"十"字线，十字线交点作为测站点。

2. 对中

对中是指将经纬仪水平度盘的中心安置在测站点的铅垂线上。方法：将仪器安置在测站点上，架头大致水平，三个脚螺旋的高度适中，光学对点器大致在测站点铅垂线上，转动对点器目镜看清十字丝中心圈，再推拉或旋转目镜，使测站点影像清晰。若中心圈与测站点相距较远，则应平移脚架，再旋转脚螺旋，使两者重合。伸缩架腿，粗略整平圆水准器，再用脚螺旋使圆水准气泡居中。最后还要检查测站点与中心圈是否重合，若有很小偏差则松开连接螺旋，在架头上移动仪器，使其精确对中。

3. 整平

整平是使经纬仪水平度盘处于水平位置，仪器竖轴铅直。方法：使照准部水准管与任意两个脚螺旋连线平行，两手以相反方向同时旋转两个脚螺旋，使水准管气泡居中（气泡移动方向与左手大拇指移动方向一致）。再将照准部旋转90°，调节第三个脚螺旋使水准管气泡居中。反复进行以上操作，直至气泡在任何方向居中。

4. 瞄准目标

松开照准部和望远镜的制动螺旋，用瞄准器粗略瞄准目标，拧紧制动螺旋。调节目镜对光螺旋，看清十字丝，再转动物镜对光螺旋，使目标影像清晰，转动水平微动和竖直微动螺旋，用十字丝精确瞄准目标，并消除视差。

5. 练习水平度盘读数

调整度盘照明镜的位置，使读数窗亮度适当，旋转度盘读数镜的目镜，使度盘分划清晰。$DJ_6$级光学经纬仪一般采用分微尺读数(如图3–21所示)，有两个读数窗口，标明“水平”为水平度盘读数；标明“竖直”为垂直度盘读数。度盘的分微尺读数，估读到0.1′，并化为秒数。

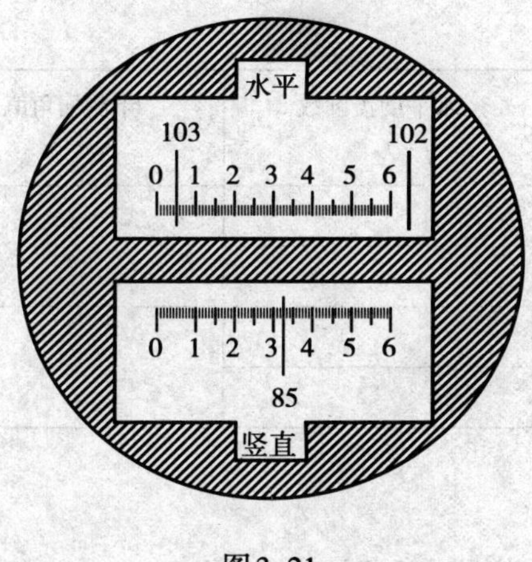


图3–21

**技能三　水平角观测(测回法)**

在实习场地周围选定两个目标(如建筑物、烟囱顶部的避雷针等)A和B，以A为起点，B为终点，如图3–22所示。

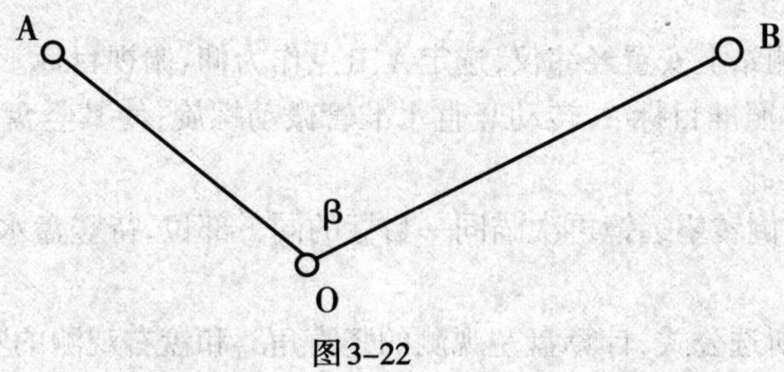


图3–22

(1)在O点安置经纬仪，对中、整平后，将望远镜置于盘左位置(正镜)，精确瞄准左方目标A，调整水平度盘为零度左右，记录读数为$A_{左}$。

(2) 松开水平制动螺旋，顺时针转动照准部，瞄准右方目标B，读取水平度盘读数，记为$B_{左}$。

以上两步称为上半测回，可求得角值为

$$\beta_{左}=B_{左}-A_{左}$$

(3) 松开水平及竖直制动螺旋，将望远镜调成盘右位置(倒镜)，瞄准右方目标B，读取水平度盘读数，记为$B_{右}$。

(4) 松开水平制动螺旋，再逆时针旋转照准部，瞄准左方目标A，读取水平度盘读数，记为$A_{右}$。以上称为下半测回，可求得角值为β

$$\beta_{右}=B_{右}-A_{右}$$

(5) 上、下半测回合称一测回。

$$\beta=\frac{1}{2}(\beta_{左}+\beta_{右})$$

水平角观测手簿：

| 测站 | 盘位 | 目标 | 水平度盘读数<br>° ′ ″ | 半测回角值<br>° ′ ″ | 一测回平均值<br>° ′ ″ |
|---|---|---|---|---|---|
| | | | | | |
| | | | | | |
| | | | | | |
| | | | | | |

**技能四　竖直角观测**

1. 公式选择

观测竖直角前，首先确定仪器应采用何种公式。

办法：在观测之前，应将望远镜大致放平，读取竖盘读数。然后将望远镜上仰，若读数增大，则竖直角等于瞄准目标时的读数减去视线水平时的读数；若读数减小，则竖直角等于视线水平时的读数减去瞄准目标时的读数，以保证仰角为正。

该规则对盘左、盘右、逆时针注字、顺时针注字的仪器均适用。

2. 竖直角观测步骤

(1)在指定的测站上安置经纬仪，选定A、B点作为仰、俯视目标。

(2)盘左位置，照准目标A，转动竖直水准管微动螺旋，使其竖盘水准管气泡居中，并读取读数$L$，计入手簿。

(3)盘右位置，倒转望远镜再次瞄同一目标的同一部位，待竖盘水准管气泡居中时，读取读数$R$，计入手簿。

(4)根据仪器所选公式，计算盘左观测的竖直角$\delta_{左}$和盘右观测的竖直角$\delta_{右}$。取其平均值作为该目标一测回观测的竖直角：

$$\delta=\frac{1}{2}(\delta_{左}+\delta_{右})$$

(5)用相同的方法观测目标B，读取读数并计入手簿。

(6)竖盘指标差$X$的检查与计算。

比较盘左和盘右所测得的竖直角，若角值相等，则无指标差；若角值不等，则有指标差，将其差值除以2便得竖盘指标差。

竖直角观测手簿：

| 测站 | 目标 | 盘位 | 竖直度盘读数<br>° ′ ″ | 半测回角值<br>° ′ ″ | 一测回平均值<br>° ′ ″ | 竖盘指标差<br>″ |
|---|---|---|---|---|---|---|
| | | | | | | |
| | | | | | | |
| | | | | | | |
| | | | | | | |

**技能五　全站仪的认识**

1. 认识全站仪的构造、部件名称和作用

全站仪的基本构造主要包括：光学系统、光电测角系统、光电测距系统、微处理机、显示控制/键盘、数据/信息存储器、输入/输出接口、电子自动补偿系统、电源供电系统、机械控制系统等部分，如图3-23所示。

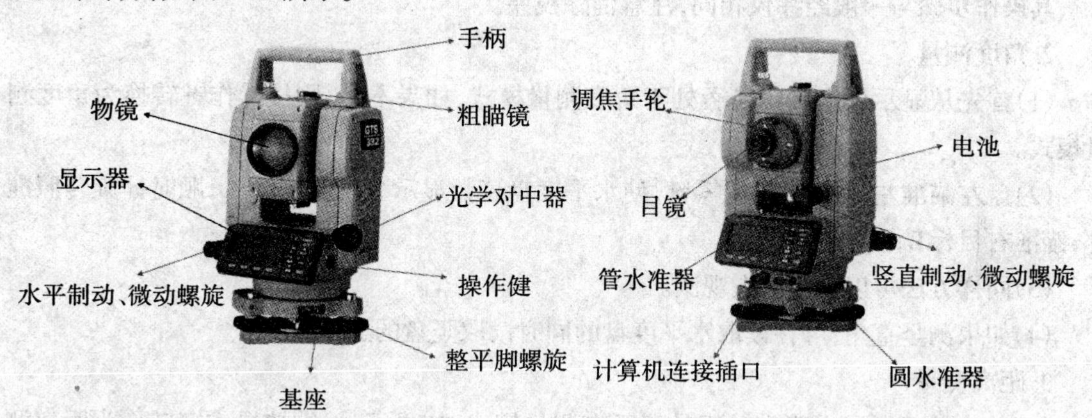


图3-23

2. 认识全站仪的操作面板（图3-24中1、2、3为NTS-305各模式下操作面板）

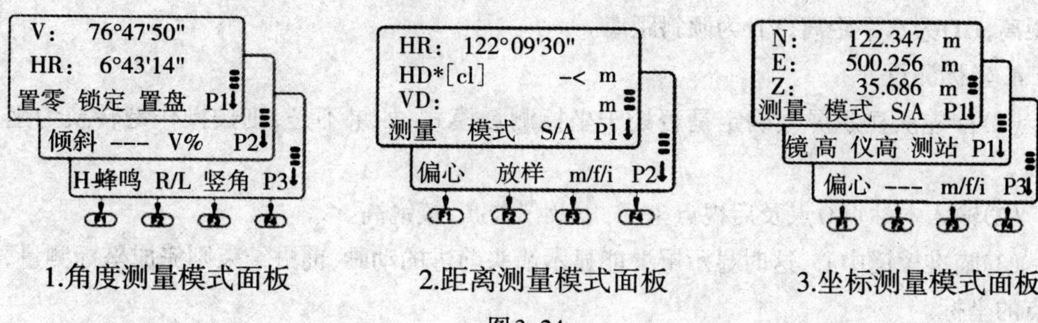


图3-24

**技能六　全站仪的使用**

1. 测量前的准备工作

(1)电池的安装。

注意测量前电池须充足电,把电池盒底部的导块插入装电池的导孔,按电池盒的顶部直至听到“咔嚓”响声。向下按解锁钮,取出电池。

(2)仪器的安置。

在实验场地上选择一点,作为测站,另外两点作为观测点,将全站仪安置于测站点,对中、整平,在两点分别安置棱镜。

(3)竖直度盘和水平度盘指标的设置。

竖直度盘指标设置:松开竖直度盘制动钮,将望远镜纵转一周,竖直度盘指标即已设置,随即听见一声鸣响,并显示出竖直角。

水平度盘指标设置:松开水平制动螺旋,旋转照准部360°,水平度盘指标即自动设置。随即一声鸣响,同时显示水平角。至此,竖直度盘和水平度盘指标已设置完毕。

注意:每当打开仪器电源时,必须重新设置仪器的指标。

(4)调焦与照准目标。

其操作步骤与一般经纬仪相同,注意消除视差。

2. 角度测量

(1)首先从显示屏上确定是否处于角度测量模式,如果不是,则按操作键转换为角度测量模式。

(2)盘左瞄准左目标A,按置零键,使水平度盘读数显示为0°00′00″,顺时针旋转照准部,瞄准右目标B,读取显示读数。

(3)同样方法可以进行盘右观测。

(4)如果测竖直角,可在读取水平度盘的同时读取竖盘的显示读数。

3. 距离测量

(1)首先从显示屏上确定是否处于距离测量模式,如果不是,则按操作键转换为距离测量模式。

(2)照准棱镜中心,这时显示屏上能显示箭头前进的动画,前进结束则完成距离测量,得出距离,HD为水平距离,VD为倾斜距离。

4. 坐标测量

(1)首先从显示屏上确定是否处于坐标测量模式,如果不是,则按操作键转换为坐标模式。

(2)输入本站点O点及后视点坐标,以及仪器高、棱镜高。

(3)瞄准棱镜中心,这时显示屏上能显示箭头前进的动画,前进结束则完成坐标测量,得出点的坐标。

全站仪测量记录表：

1.水平角、水平距离测量记录表：

| 测站 | 盘位 | 目标 | 水平度盘读数<br>° ′ ″ | 半测回角值<br>° ′ ″ | 一测回平均值<br>° ′ ″ | 水平距离<br>m |
|---|---|---|---|---|---|---|
| | | | | | | |
| | | | | | | |
| | | | | | | |
| | | | | | | |

2.竖直角测量记录表：

| 测站 | 目标 | 盘位 | 竖直度盘读数<br>° ′ ″ | 半测回角值<br>° ′ ″ | 一测回平均值<br>° ′ ″ | 竖盘指标差<br>″ |
|---|---|---|---|---|---|---|
| | | | | | | |
| | | | | | | |
| | | | | | | |
| | | | | | | |

3.三维坐标测量记录表：

| 测站<br>仪高 | 后视<br>点号 | 后视方位角<br>° ′ ″ | 测点号 | X坐标<br>m | Y坐标 | 镜高<br>m | H高程<br>m |
|---|---|---|---|---|---|---|---|
| | | 30 30 35 | 测站 | 32400.573 | 48250.345 | | 75.375 |
| | | | | | | | |
| | | | | | | | |
| | | | | | | | |
| | | | | | | | |
| | | | | | | | |
| | | | | | | | |

## 复习题

1.试述用测回法与方向观测法测量水平角的操作步骤。

2.在水平角的观测过程中，盘左、盘右照准同一目标时，是否要照准目标的同一高度？为什么？

3.何谓水平角？何谓竖直角？它们取值范围为多少？

4.经纬仪有哪几条主要轴线？它们应满足什么条件？

5.何谓全站仪？它由哪几部分组成？一般具有哪些测量功能？

6.用$J_6$型光学经纬仪按测回法观测水平角，整理表3–5中水平角观测的各项计算。

表3–5　　水平角观测记录

| 测站 | 目标 | 度盘读数 | | 半测回角值 | 一测回角值 | 各测回平均角值 | 备注 |
|---|---|---|---|---|---|---|---|
| | | 盘左 | 盘右 | | | | |
| | | ° ′ ″ | ° ′ ″ | ° ′ ″ | ° ′ ″ | ° ′ ″ | |
| O | A | 0 00 24 | 180 00 54 | | | | |
| | B | 58 48 54 | 238 49 18 | | | | |
| | A | 90 00 12 | 270 00 36 | | | | |
| | B | 148 48 48 | 328 49 18 | | | | |

7.计算表3–6竖直角观测的指标差和竖直角。

表3–6　　竖直角观测记录

| 测站 | 目标 | 度盘读数 | | 指标差 | 竖直角 | 备注 |
|---|---|---|---|---|---|---|
| | | 盘左 | 盘右 | | | |
| | | ° ′ ″ | ° ′ ″ | ″ | ° ′ ″ | |
| O | A | 79 20 24 | 280 40 00 | | | 270°<br>180°　0°<br>90°<br>（盘左注记） |
| | B | 98 32 18 | 261 27 54 | | | |
| | C | 90 32 42 | 270 27 00 | | | |
| | D | 84 56 24 | 275 03 18 | | | |

## 讨论题

1.经纬仪安置包括哪两个内容？怎样进行？目的何在？

2.用经纬仪照准一竖直面内不同高度的两个点，水平度盘上读数是否相同？测站与不同高度的两点所组成的夹角是不是水平角？在竖直度盘上的两读数差是否就是竖直角？

3.如何判断竖直度盘的注记方向？计算公式是什么？

4.电子经纬仪和光学经纬仪有何不同？

5.全站仪测量主要误差包括哪些？应如何消除？

6.试述全站仪在矿山测量中的作用？

## 思考题

测量水平角时，为什么要用盘左和盘右观测并取其平均值？为什么要改变每一个测回的起始读数？若测回数为3，各测回起始读数应是多少？

# 第四章　高程水准测量

## 第一部分　系统理论知识

高程是确定地面点位置的基本要素之一。在测量工作中,为了确定地面点的高程所进行的测量工作称为高程测量。其实质是测出两点间的高差,然后根据其中一点的已知高程推算出未知高程。

高程测量由于使用的仪器和施测方法不同,一般可以分为四种:几何水准测量(水准测量)、气压高程测量、三角高程测量和GPS高程测量。其中,水准测量是高程测量中最常用的一种方法。本章主要介绍水准测量原理和三角高程测量原理。

### 第一节　水准测量原理

水准测量因其测量精度较高,适用于平坦地区及丘陵地区。其原理是:利用仪器的一条水平视线来测定两地面点间的高差,然后根据已知点的高程,推算出地面上未知点的高程。

如图4-1所示,设地面上有A、B两点,A点高程$H_A$为已知,要用水准测量方法求未知点B的高程$H_B$。

首先在A、B两点间安置水准仪,并在A、B两点上分别竖立水准尺,根据水准仪提供的水平视线在A点水准尺上读数为$a$,在B点的水准尺上读数为$b$,则A、B两点间的高差为:

$$h_{AB}=a-b \tag{4-1}$$

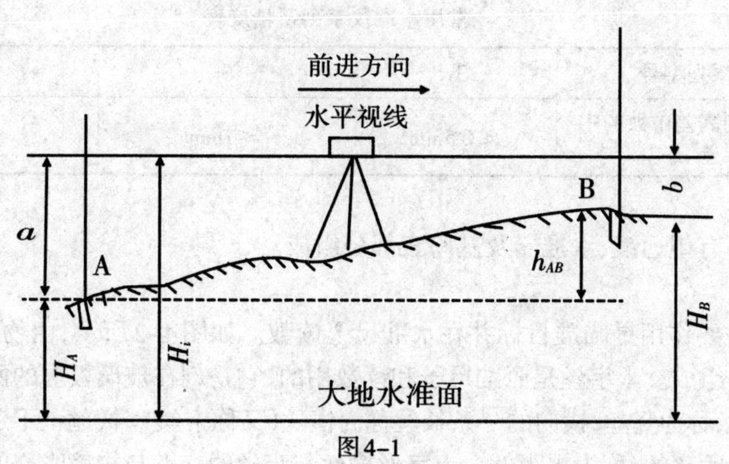


图4-1

这种将水准仪安置在标尺之间进行的水准测量，称为中间水准测量。设水准测量是由点A向点B进行，如图4-1中箭头所示，则点A为后视点，其水准尺读数为后视读数；点B为前视点，其水准尺读数为前视读数。则高差等于后视读数减前视读数，即

$$高差(h)=后视读数(a)-前视读数(b)$$

如果a>b，则高差$h_{AB}$为正，表示B点比A点高；如果$a<b$，则高差$h_{AB}$为负，表示B点比A点低。在计算高差$h_{AB}$时，要注意$h_{AB}$下标AB的写法：$h_{AB}$表示A点至B点的高差，$h_{BA}$则表示B点至A点的高差，两个高差的绝对值相同而符号相反，即

$$h_{AB}=-h_{BA} \tag{4-2}$$

在测得A、B两点间高差$h_{AB}$后，则未知点B的高程$H_B$为：

$$H_B=H_A+h_{AB}=H_A+(a-b) \tag{4-3}$$

## 第二节　水准测量仪器及其工具

水准测量所使用的仪器为水准仪、水准尺和尺垫。其中水准仪是进行水准测量的主要仪器。

### 4.2.1 水准仪

水准仪按其能达到的精度，分为$S_{0.5}$、$S_1$、$S_3$及$S_{10}$等几种等级（型号）。“S”表示水准仪中“水”字的汉语拼音的第一个字母；下标“0.5”“1”“3”及“10”等数字表示该类仪器的精度，是仪器实测所能达到的每公里往返测高差中数偶然中误差，以毫米为单位，见表4-1。我国目前常用的$S_{0.5}$、$S_1$型水准仪属于精密水准仪，$S_3$及$S_{10}$型水准仪是普通水准仪。

**表4-1　常用水准仪系列及精度表**

| 水准仪系列型号 | $S_{0.5}$ | $S_1$ | $S_3$ |
|---|---|---|---|
| 每公里往返测高差中数的中误差 | ≤0.5mm | ≤1mm | ≤3mm |

水准仪主要有望远镜、水准器及基座三部分组成。

1.望远镜

望远镜的主要作用是瞄准目标并在水准尺上读数。如图4-2所示，由物镜、目镜和十字丝三个主要部分组成。十字丝是照准尺子和读数用的，它是刻在玻璃板上的两条相互垂直的细丝，竖向的一条称为竖丝，横向的一条长丝称为横丝（又称中丝），横丝上下还有两条对称的短丝是用来测量距离的，称为视距丝。十字丝横丝与竖丝的交点与物镜光心的连线称为视准轴。水准仪的望远镜与经纬仪的不同之处在于它只能与望远镜托架一起作水平转动。

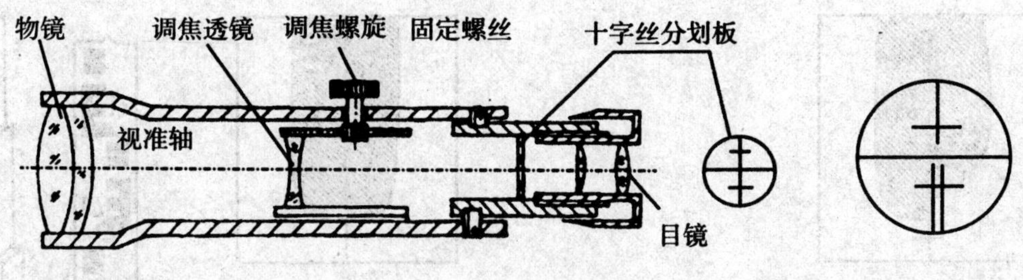


图4-2

2.水准器

水准器是用来指示仪器视线是否水平或仪器竖轴(旋转轴)是否竖直的装置。有管水准器和圆水准器两种。管水准器用来指示视准轴是否水平,圆水准器用来指示竖轴是否竖直。

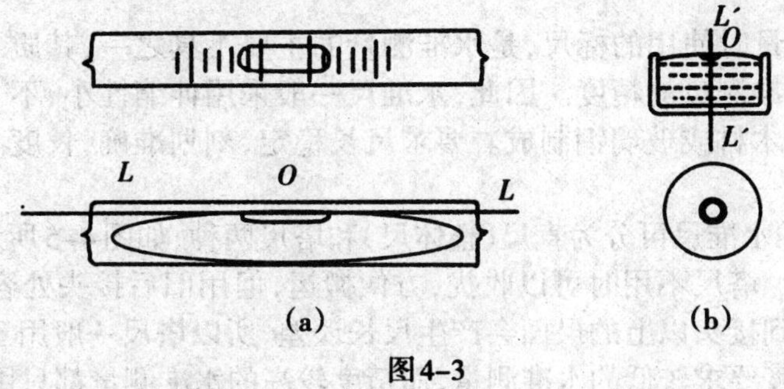


图4-3

(1)管水准器

管水准器又称水准管,用玻璃制成,其内表面是经过专门打磨而成的圆弧,圆弧半径在0~20m之间,管内注满易流动的液体(如酒精或乙醚)。水准管圆弧的中点O称为水准管的零点,如图4-3(*a*),通过零点的切线LL称为水准轴。当气泡位于水准器的中点时(即气泡对零点对称时),简称气泡居中,则水准轴成水平位置。水准管上通常每隔2毫米画一分划线,每2毫米弧长所对的圆心角称为水准器的分划值。水准器的分划值越小,水准器就越灵敏,用来整平仪器的精度就越高。

(2)圆水准器

圆水准器用于初步整平仪器,如图4-3(b)所示。圆水准器顶面的内壁磨成圆球面,顶面中央刻有一个小圆圈,其圆心O称为圆水准器的零点,过零点O的法线L′L′,称为圆水准轴。由于它与仪器的旋转轴(竖轴)平行,所以当圆气泡居中时,圆水准轴处于竖直(铅垂)位置,表示水准仪的竖轴也大致处于竖直位置了。$S_3$水准仪圆水准器分划值一般为8′~10′。由于分划值较大,灵敏度较低,只能用于水准仪的粗略整平,为仪器精确整平创造条件。

(3)符合水准器

为了提高目估管水准器气泡居中的精度,现在生产的多数水准仪,均在水准管的上方装有棱镜系统。当水准管半边气泡两端的影像符合时,就表示气泡已经居中,否则气泡就没有居中,如图4-4所示。在水准测量时,转动微倾螺旋可使符合水准气泡影像符合,即气泡居中。

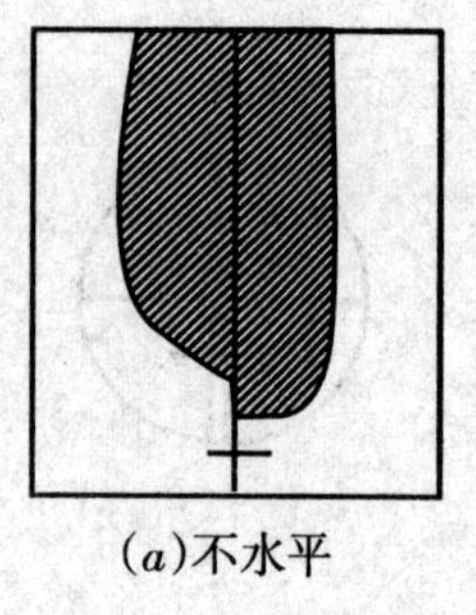

(a)不水平

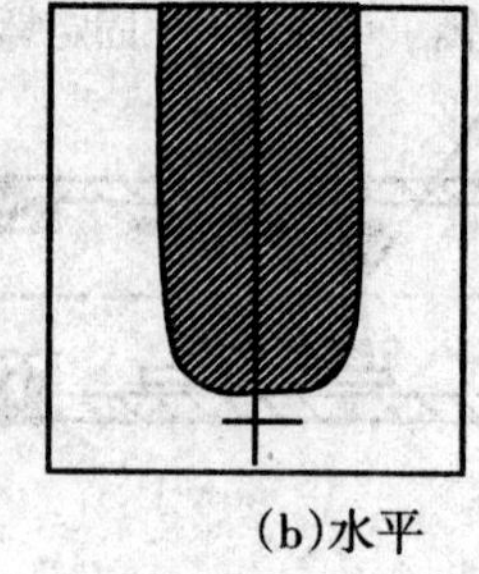

(b)水平

图4-4

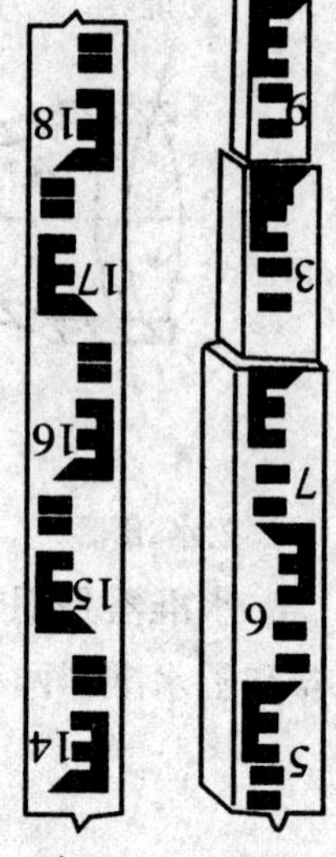

直尺　　塔尺

图4-5

### 4.2.2 水准尺和尺垫

1.水准尺

水准尺是水准测量时使用的标尺，是水准测量的主要工具之一，其质量的好坏直接影响水准测量的精度。因此，水准尺一般采用伸缩性小、不易变形且干燥的优良木材或玻璃钢制成。要求尺长稳定，刻划准确，长度从2m至5m不等。

根据构造，常用的水准尺可分为直尺(整体尺)和塔尺两种，如图4-5所示。

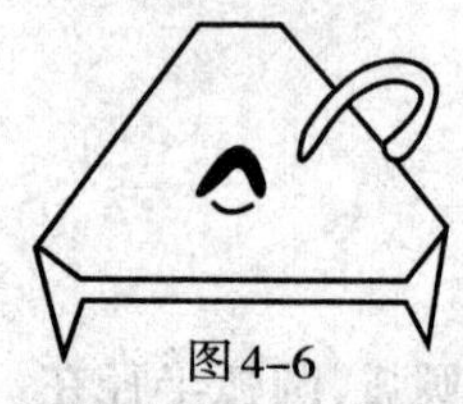

图4-6

塔尺不用时可以收拢，方便搬运，但用旧后接头处容易损坏，观测时用到接头以上的尺面会产生尺长误差，所以塔尺一般用于地形起伏较大，精度要求较低的水准测量，而精度较高的水准测量都只用直尺。

直尺中又有单面分划尺和双面(红黑面)分划尺两种。水准尺尺面每隔1cm涂有黑白或红白相间的分格，每分米处注有数字，数字一般是倒写的，以便观测时从望远镜中看到的是正像字。

双面水准尺的两面均有刻划，一面为黑白分划，称为"黑面尺"(也称主尺)；另一面为红白分划，称为"红面尺"。双面尺必须成对使用，两根尺的黑面的起始读数为零，而红面的起始读数分别为4687mm和4787mm。红黑面起始读数之差称为零点差(或红黑面常数差)。水平视线在同一根水准尺上的黑面与红面的读数之差理论上应等于零点差，可用于水准测量时水准尺读数的检核。

2.尺垫

如图4-6所示，尺垫一般由三角形的铸铁制成，它的上表面中央有一突起的半球形圆顶，用以放置水准尺，尺垫下部有三个尖脚，便于使用时将尺垫踩入土中，使之稳固。

在精度要求较高的水准测量中，转点处应放置尺垫，以防止观测过程中尺子下沉或位置发生变化而影响读数。

## 第三节　水准仪的测量方法

### 4.3.1 水准仪的使用

水准仪的使用一般包括仪器的安置、粗略整平、瞄准水准尺、精平和读数等操作步骤。

1.安置仪器

水准仪的安置过程不需要对中，因而相对于经纬仪来说更简单一些。首先，在测站上打开三脚架，并调节使其高度适中，目估使架头大致水平，检查脚架腿是否安置稳固，脚架伸缩螺旋是否拧紧；然后打开仪器箱取出水准仪，置于三脚架头上用连接螺旋将仪器牢固地固连在三脚架头上。

2.粗略整平（粗平）

用水准仪微倾螺旋精确整平望远镜视准轴之前，应先用圆水准器粗略整平仪器。具体做法是：如图4–7(*a*)所示，当气泡中心偏离零点时，先用双手同时以相反方向转动脚螺旋1、2，使圆气泡移到两个脚螺旋连线的垂直方向上，然后再按图4–7(b)中箭头所指方向，用左手转动脚螺旋3，使圆气泡居中（即位于小黑圆圈中央）。在整平的过程中，气泡移动的方向与左手大拇指转动脚螺旋时的移动方向一致。

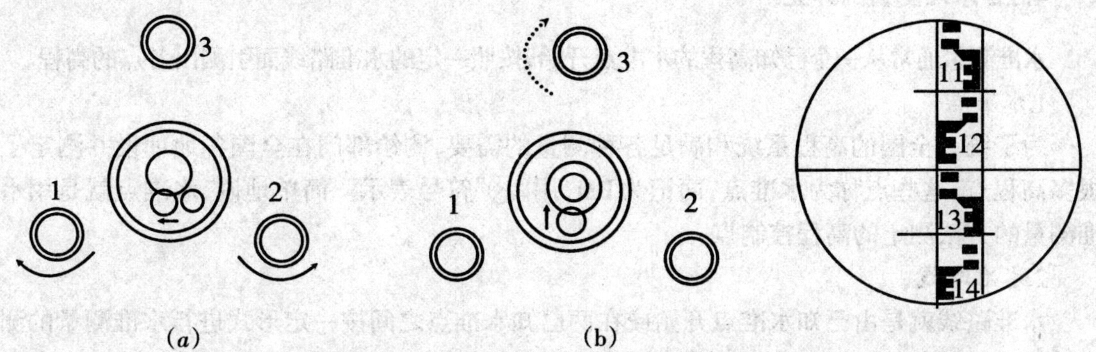


图4–7　圆水准器整平　　图4–8　瞄准水准尺与读数

3.瞄准水准尺

(1)在瞄准水准尺之前，首先进行目镜对光，即把望远镜对着明亮的背景，转动目镜对光螺旋，使十字丝清晰（此后瞄准目标时一般不需要再调节目镜对光螺旋）。

(2)松开制动螺旋，转动望远镜，用望远镜筒上的照门和准星瞄准水准尺，拧紧制动螺旋，然后从望远镜中观察，转动物镜对光螺旋进行对光，使目标清晰，再转动微动螺旋，使竖丝对准水准尺，以便于读数。

(3)消除视差。为了检查对光质量，可用眼睛在目镜后上下微微晃动，若发现十字丝与目标影像有相对运动，则说明物像平面与十字丝平面不重合，这种现象称为视差。视差对观测成果影响很大，必须加以消除。消除的方法是重新进行对光，直到眼睛上下移动而水准尺上读数不变为止，此时，十字丝与目标的影像都十分清晰。图4–9(*a*)为存在视差时，图4–9(b)为消除视差后。

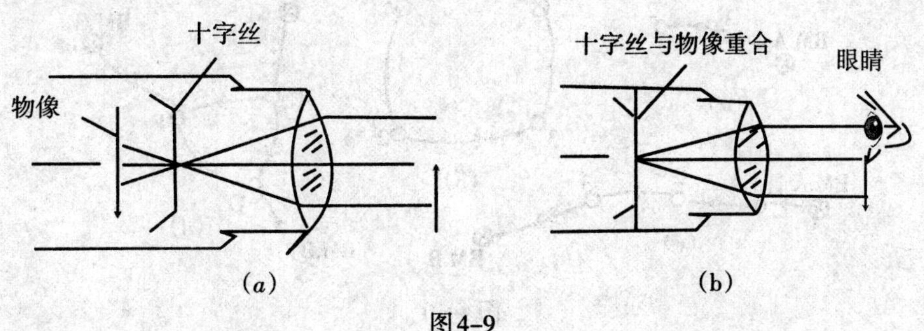


图4–9

4.精确整平与读数

读数前，旋转微倾螺旋，使水准管气泡居中，并使望远镜旁的观察窗中的气泡完全符合，这就达到了精平的要求。然后便可根据十字丝的中丝在尺上读数。现在的水准仪多采用倒像望远镜，因此读数时应由上而下，从小往大进行。观测者应先估读水准尺上毫米数（小于一格的估值），然后读出米、分米及厘米值，一般应读出四位数，如图4-8中，读数为1258mm，其中8为估读数字。

应当注意，读数应迅速、果断、准确。读数后应立即重新检视符合水准气泡是否仍旧居中，如仍居中，则读数有效；否则应重新使符合水准气泡居中后再读数。

### 4.3.2 水准测量的外业

水准测量通常从一个已知高程的水准点开始，按照一定的水准路线而引测出各点的高程。

1.水准点

为了统一全国的高程系统和满足各种测量的需要，测绘部门在全国各地埋设并测定了很多高程点，这些点称为水准点，简记为BM，用"⊗"符号表示。简单地说，水准点就是用水准测量的方法测定的高程控制点。

2.水准路线

水准路线就是由已知水准点开始或在两已知水准点之间按一定形式进行水准测量的测量路线，根据测区已有水准点的实际情况和测量的需要以及测区条件，水准路线一般可布设如下几种形式：

(1)支水准路线

从一个已知高程的水准点BM.A开始，沿待测的高程点1、2进行水准测量，称为支水准路线，如图4-10(*a*)所示。为了检核支水准路线观测成果的正确性和提高观测精度，对于支水准路线应进行往返观测。

(2)闭合水准路线

从一个已知高程的水准点BM.A开始，沿各待测高程点1、2、3进行水准测量，最后又回到原水准点BM.A，称为闭合水准路线，如图4-10(b)所示。

(3)附合水准路线

从一个已知高程的水准点BM.A开始，沿各待测高程点1、2、3进行水准测量，最后附合至另一已知水准点BM.B上，称为附合水准路线，如图4-10(c)所示。

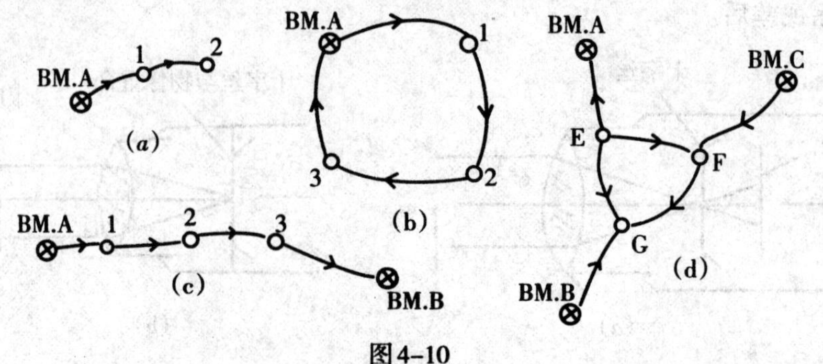

图4-10

(4)水准网

若干条单一水准路线相互连接构成网形，称为水准网，如图4-10(d)所示，单一水准路线相互连接的点称为结点，如图4-10(d)中的E、F、G点。

3.水准测量方法

在实际水准测量中，A、B两点间高差可能较大或相距较远，不可能安置一次仪器便能测定两点间的高差。此时需沿A点至B点的水准路线上安置若干次仪器，增设若干个过渡性的临时立尺点，依次在两个立尺点中间安置水准仪来测定相邻各点间高差，最后取各个测站高差的代数和，即求得两点间的高差值，这种方法称为复合水准测量。观测时，每安置一次仪器，称为一个测站，各过渡的立尺点称为转点。

如图4-11所示，欲求$h_{AB}$，在A点至B点水准路线上增设$n-1$个临时立尺点(转点)$TP_1 \sim TP_{n-1}$，安置$n$次水准仪，依次连续地测定相邻两点间高差$h_1 \sim h_n$，即

$$h_1=a_1-b_1$$
$$h_2=a_2-b_2$$
$$\cdots$$
$$h_n=a_n-b_n$$

则

$$h_{AB}=h_1+h_2+\cdots h_n=\sum h=\sum a-\sum b \tag{4-4}$$

式中，$\sum a$为后视读数之和，$\sum b$为前视读数之和，则未知点B的高程为

$$H_B=H_A+h_{AB}=H_A+(\sum a-\sum b) \tag{4-5}$$

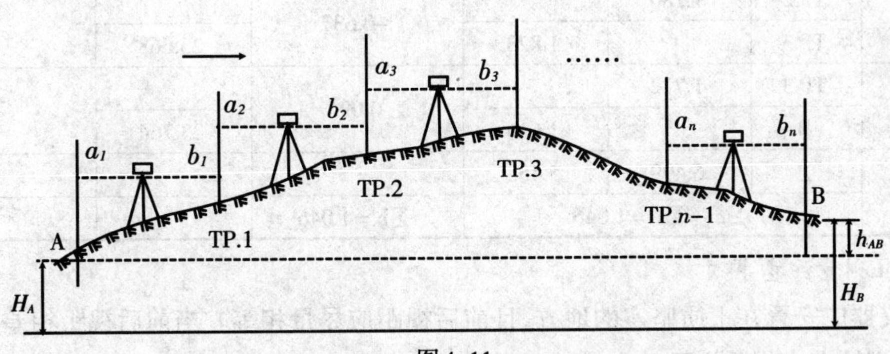


图4-11

A、B两点间水准路线上增设的转点起着传递高程的作用。为了保证高程传递的正确性，必须在A、B之间尽可能选择较平坦且距离较近的路线上安置仪器，同时要尽可能保持各测站的前后视距大致相等，且在仪器由一测站迁至下一测站时，前视点的尺垫位置不能移动，这样有利于消除或减弱误差对高差的影响。

4.水准测量的检核

为了避免发生错误或提高精度，应进行测站检核。测站检核可采用下述两种方法之一：

(1)改变仪器高的方法

在每一测站测得高差后，改变仪器高度(即重新安置与整平仪器)在10cm以上再测一

次高差。当两次测得高差的差值在规定的限差以内,则取两次高差平均值作为该站测得的高差值,否则需要检查原因,重新观测。

(2)双面尺法

仪器高度不变,用水准尺的红、黑面分别进行两次测量高差,进行检核。检核符合要求后,取红、黑所测高差的平均值作为最后结果,否则重新观测。

由于重新安置仪器比较麻烦,现今多采用双面尺法进行校核。表4-2为水准测量记录与计算表格。表中,$\sum a - \sum b = \sum h$ 可作为计算中的校核,可以检查计算是否正确,但不能检核读数和记录是否有错误。在进行连续水准测量时,若其中任何一个后视或前视读数有错误,都要影响高差的正确性。对于每一测站而言,为了校核每次水准尺读数有无差错,可采用上述两种方法进行检核。

表4-2　　普通水准测量记录手簿

测区　　仪器型号　　观测者

时间　　年　月　日　　天　气　　记录者

| 测站 | 点号 | 水准尺读数(m) | | 高 差(m) | 高程(m) | 备注 |
|---|---|---|---|---|---|---|
| | | 后视 | 前视 | | | |
| Ⅰ | BM.A | 1.874 | | 0.955 | 22.718 | 已知 |
| | TP.1 | | 0.919 | | 23.973 | |
| Ⅱ | TP.1 | 1.727 | | 0.632 | | |
| | TP.2 | | 1.095 | | 24.305 | |
| Ⅲ | TP.2 | 1.186 | | -0.637 | | |
| | TP.3 | | 1.823 | | 23.668 | |
| Ⅳ | TP.3 | 1.712 | | 0.096 | | |
| | B | | 1.616 | | 23.764 | |
| 计算检核 | Σ | 6.499 | 5.453 | | | |
| | $\sum a - \sum b = 1.046$ | | | $\sum h = 1.046$ | | |

5.水准测量注意事项

(1)仪器应安置在土质坚实的地方,且前后视距应尽量相等。当前后视距相差较大时,可移动前视转点或仪器位置;

(2)在搬站的过程中,前视转点上的扶尺员应注意转点的位置不改变;

(3)观测时要打伞,避免阳光照射仪器;

(4)水准尺必须立直,不得前后左右倾斜。在转点上立尺时,应先放尺垫并踩实。前后视观测期间,尺垫都不能碰动;

(5)每次读数前,必须使水准管气泡居中;

(6)记簿者对观测者所读之数,应复报一遍,确信无误后再记入手簿,并要按格式记录,字迹清晰,不准涂改。

## 第四节　水准测量内业

水准测量外业工作结束后，要全面检查外业观测手簿中的各项数据是否符合要求，确认无误后，再转入内业计算。水准测量内业计算的内容主要包括水准路线闭合差的计算、分配以及水准点高程的计算。

### 4.4.1 水准路线闭合差的计算与检核

水准测量工作是在野外进行的，由于各种因素的影响，测量成果中不可避免地含有一定的误差甚至错误。为了防止错误或提高精度，要对水准测量成果进行检核。由于误差的存在，水准测量的实测高差与理论值往往不相符合，其差值称为水准路线的闭合差。

1.支水准路线检核

支水准路线一般要进行往返观测，从理论上讲，往测高差总和$\sum h_{往}$与返测高差总和$\sum h_{返}$绝对值相等，符号相反，它们的代数和应等于零。但由于测量中各种误差的影响，往测高差总和与返测高差总和的代数和不等于零，由此可得支水准路线往、返测高差闭合差计算公式为：

$$f_h=\sum h_{往}-\sum h_{返} \tag{4-6}$$

2.附合水准路线的检核

附合水准路线所有测段高差的代数和，理论上应等于起、终点两个已知水准点间的高差，即

$$\sum h_{理}=H_{终}-H_{起} \tag{4-7}$$

如实测高差总和$\sum h_{测}$与$\sum h_{理}$不相等，则其差值即为附和水准路线高差闭合差$f_h$，即

$$f_h=\sum h_{测}-\sum h_{理}=\sum h_{测}-(H_{终}-H_{起}) \tag{4-8}$$

3.闭合水准路线的检核

闭合水准路线各段高差的代数和在理论上应等于零，即$\sum h=0$，由于存在着测量误差，闭合路线的实测高差总和不为零，必产生高差闭合差$f_h$，即

$$f_h=\sum h_{测} \tag{4-9}$$

由于水准测量中仪器误差、观测误差以及外界条件的影响，使水准测量中不可避免地存在着误差，高差闭合差就是水准测量误差的综合反映。为了保证观测精度，对高差闭合差应作出一定的限制，只有当闭合差在容许的范围内时，成果才合格。超过容许范围，应查明原因，返工重测。允许的高差闭合差是在研究误差产生规律和根据实际工作中的要求而提出来的，普通水准测量的允许高差闭合差一般规定为：

$$f_{h允}=\pm40\sqrt{L}\ mm$$

式中　$L$——水准路线长度，以公里为单位。

在高差起伏较大的地区（如山丘），当每公里路线安置水准仪的测站数超过16站时，允许高差闭合差应用下式计算：

$$f_{h允}=\pm 12\sqrt{n}\ mm$$

式中　　$n$——水准路线中的总测站数。

### 4.4.2 水准路线闭合差的分配

当水准测量经过路线检核合格后，即$|f_h|<|f_{h允}|$时，先要进行闭合差的调整，即把闭合差进行合理分配，得到各测段调整后的高差值，最后计算各点的高程。支水准路线高差闭合差的分配方法很简单，只要把各段往返高差的绝对值取平均值，作为调整后的高差，高差符号以往测为准。闭合水准路线和附合水准路线高差闭合差的分配方法相同，一般是按与测站数成正比将闭合差反号分配到各测段高差中，或按与路线的长度成正比反号分配闭合差，计算公式如下：

$$v_{hi}=-\frac{f_h}{\sum n}\times n_i\text{或}v_{hi}=-\frac{f_h}{\sum L}\times L_i \tag{4-10}$$

式中　　$\sum n$为水准路线总测站数，$n_i$表示第$i$测段路线站数；

$\sum L$为水准路线总长度，$L_i$表示第$i$测段的路线长；

$v_{hi}$为分配给第$i$测段观测高差$h_i$上的改正数；

$f_h$为水准路线高差闭合差。

求出各测段高差改正数后，计算校核式为$\sum v_{hi}=-f_h$，若满足则说明计算无误。然后计算改正后的高差$\hat{h}_i$，它等于第$i$测段观测高差$h_i$加上其相应的高差改正数$v_{hi}$，即

$$\hat{h}_i=h_i+v_{hi} \tag{4-11}$$

最后，在水准路线上可由某已知高程点，按改正后的高差，依次推算出水准路线上各点的高程。例如，图4-12为一附合水准路线，已知$A$点高程$36.345m$，$B$点高程$39.039m$，计算高差改正数、改正后高差和高程如表4-3。

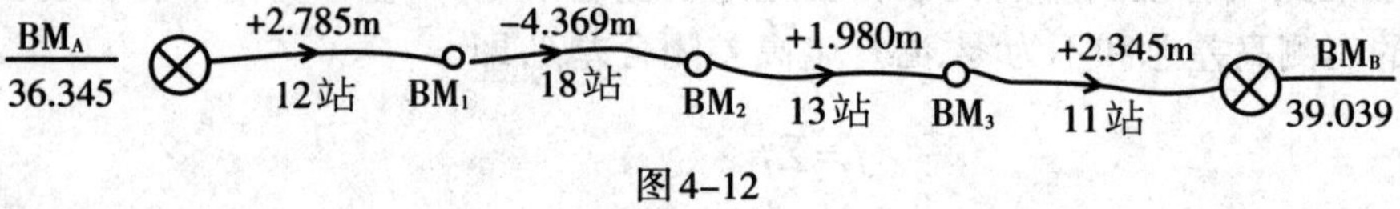

$BM_A$ 36.345　+2.785m 12站　$BM_1$　−4.369m 18站　$BM_2$　+1.980m 13站　$BM_3$　+2.345m 11站　$BM_B$ 39.039

图4-12

**表4-3**

| 测段编号 | 测点 | 测站数(个) | 实测高差(m) | 改正数(m) | 改正后的高差(m) | 高程(m) | 备　注 |
|---|---|---|---|---|---|---|---|
| | $BM_A$ | | | | | 36.345 | □$H_{BMB}-H_{BMA}=2.694$ |
| 1 | | 12 | +2.785 | −0.010 | +2.775 | | |
| | $BM_1$ | | | | | 39.120 | □$f_h=\sum h-(H_{BMB}-H_{BMA})$ |
| 2 | | 18 | −4.369 | −0.016 | −4.385 | | $=2.741-2.694$ |
| | $BM_2$ | | | | | 34.745 | $=+0.047$ |
| 3 | | 13 | +1.980 | −0.011 | +1.969 | | |
| | $BM_3$ | | | | | 36.704 | $\sum n=54$ |
| 4 | | 11 | +2.345 | −0.010 | +2.335 | | |
| | $BM_B$ | | | | | 39.039 | $Vi=-\frac{f_h}{\sum n}\cdot n_i$ |
| Σ | | 54 | +2.741 | −0.047 | +2.694 | | |

# 第五节 等外水准测量

等外水准测量主要是为地形测图提供高程起算数据或作为小型矿区的高程控制。因此,等外水准应沿解析图根控制点或小型矿区平面首级控制点、近井点布设,必要时埋设少量水准点。等外水准测量技术要求施测的图根水准路线称为等外水准路线。等外水准路线的长度,对于闭合和附合水准路线,不应超过36km,对于支水准路线,不应超过10km。等外水准测量时,应使用双面(黑红)水准尺。

1.一个测站上的观测程序和记录

一个测站上的这种观测程序简称"后—前—前—后"或"黑—黑—红—红"。即

(1)照准后视尺黑面,读取下、上丝读数,精平,读取中丝读数;

(2)照准前视尺黑面,读取下、上丝读数,精平,读取中丝读数;

(3)照准前视尺红面,精平,读取中丝读数;

(4)照准后视尺红面,精平,读取中丝读数。

在质地较硬的地面进行四等水准测量,每站观测顺序也可以为"后-后-前-前"(黑、红、黑、红)。上、下丝读数用于计算视距,只需读出后、前视尺黑面视距丝读数即可。使用微倾式水准仪每次读取中丝之前均要求精平。

表4-4　　等外水准测量手簿(双面尺法)

| 测站编号 | 点号 | 后尺 上丝<br>下丝<br>后视距<br>视距差 | 前尺 上丝<br>下丝<br>前视距 | 方向及尺号 | 水准尺读数 黑面 | 水准尺读数 红面 | K+黑-红 | 平均高差/m | 备注 |
|---|---|---|---|---|---|---|---|---|---|
| | | (1)<br>(2)<br>(9)<br>(11) | (4)<br>(5)<br>(10)<br>(12) | 后<br>前<br>后-前 | (3)<br>(6)<br>(15) | (8)<br>(7)<br>(16) | (14)<br>(13)<br>(17) | (18) | |
| 1 | BM.1-TP.1 | 1 571<br>1 197<br>37.4<br>-0.2 | 0 739<br>0 363<br>37.6<br>-0.2 | 后12<br>前13<br>后-前 | 1 384<br>0 551<br>+0.833 | 6 171<br>5 239<br>+0.932 | 0<br>-1<br>+1 | +0.8325 | |
| 2 | TP.1-TP.2 | 2 121<br>1 747<br>37.4<br>-0.1 | 2 196<br>1 821<br>37.5<br>-0.3 | 后13<br>前12<br>后-前 | 1 934<br>2 008<br>-0.074 | 6 621<br>6 796<br>-0.175 | 0<br>-1<br>+1 | -0.0745 | *K*为水准尺尺常数<br>表中<br>$K_{12}$=4.787<br>$K_{13}$=4.687 |
| 3 | TP.2-TP.3 | 1 914<br>1 539<br>37.5<br>-0.2 | 2 055<br>1 678<br>37.7<br>-0.5 | 后12<br>前13<br>后-前 | 1 726<br>1 866<br>-0.140 | 6 513<br>6 554<br>-0.041 | 0<br>-1<br>+1 | -0.1405 | |
| 4 | TP.3-A | 1 965<br>1 700<br>26.5<br>-0.2 | 2 141<br>1 874<br>26.7<br>-0.7 | 后13<br>前12<br>后-前 | 1 832<br>2 007<br>-0.175 | 6 519<br>6 793<br>-0.274 | 0<br>+1<br>-1 | -0.1745 | |
| 每页检核 | Σ(9) = 138.8　Σ[(3) + (8)] = 32.700　Σ[(15) + (16)] = +0.886<br>Σ(10) = 139.5　Σ[(6) + (7)] = 31.814　Σ(9)-Σ(10)=-0.7=4站(12)<br>Σ[(3)+(8)]-Σ[(6)+(7)] = +0.886　Σ(18) = +0.4432　Σ(18) = +0.886<br>总视距Σ(9) + Σ(10) = 287.3 | | | | | | | | |

2.测站上手簿的计算与检核(如表4–4)

(1)视距部分:视距等于下丝读数与上丝读数的差乘以100。

后视距离:(9)=[(1)–(2)]×100

前视距离:(10)=[(4)–(5)]×100

计算前、后视距差:(11)=(9)–(10)

计算前、后视距累积差:(12)=上站(12)+本站(11)

(2)水准尺读数检核:同一水准尺的红、黑面中丝读数之差,应等于该尺红、黑面的尺常数K(4.687m或4.787m)。红、黑面中丝读数差(13)、(14)按下式计算:

(13)=(6)+$K_{前}$–(7)

(14)=(3)+$K_{后}$–(8)

红、黑面中丝读数差(13)、(14)的值,三等不得超过2mm,四等不得超过3mm。

(3)高差计算与校核:根据黑面、红面读数计算黑面、红面高差(15)、(16),计算平均高差(18)。

黑面高差:(15)=(3)–(6)

红面高差:(16)=(8)–(7)

黑、红面高差之差:(17)=(15)–[(16)±0.100]=(14)–(13)(校核用)

式中　0.100——两根水准尺的尺常数之差(m)。

黑、红面高差之差(17)的值,三等不得超过3mm,四等不得超过5mm。

平均高差:$(18)=\frac{1}{2}\{[15]+[16]\pm0.100\}$

当$K_{后}$=4.687m时,式中取+0.100 m;当$K_{后}$=4.787m时,式中取–0.100 m。

3.每页计算的校核

(1)视距部分:后视距离总和减前视距离总和应等于末站视距累积差。即

$\sum(9)-\sum(10)$=末站(12)

总视距=$\sum(9)+\sum(10)$

(2)高差部分:红、黑面后视读数总和减红、黑面前视读数总和应等于黑、红面高差总和,还应等于平均高差总和的两倍。即

测站数为偶数时

$\sum[(3)+(8)]-\sum[(6)+(7)]=\sum[(15)+(16)]=2\sum(18)$

测站数为奇数时

$\sum[(3)+(8)]-\sum[(6)+(7)]=\sum[(15)+(16)]=2\sum(18)\pm0.100$

4.等外水准测量的技术要求

使用$S_3$、$S_{10}$型水准仪进行的等外水准测量技术要求如表4–5所示。

**表4–5　　等外水准测量观测的技术要求**

| 等级 | 水准仪 | 视线长度/m | 前后视距差/m | 前后视距累积差/m | 黑面、红面读数之差/mm | 黑面、红面所测高差之差/mm |
|---|---|---|---|---|---|---|
| 等外 | $S_3$<br>$S_{10}$ | ≤120<br>≤80 | ≤±10 | ≤±50 | ≤±4 | ≤±6 |

## 第六节　三角高程测量

用水准测量方法测定高程，精度较高，是建立矿区高程控制的主要方法。但当地形高低起伏，两点间高差较大，特别是在山区，不便进行水准测量，或高程测量精度要求较低时，可以用三角高程测量的方法测定两点间的高差和点的高程。

### 4.6.1 三角高程测量原理

三角高程测量是根据两点间的水平距离$S$（或倾斜距离$S'$）和垂直角$\alpha$，应用三角学的原理，计算两点间的高差。

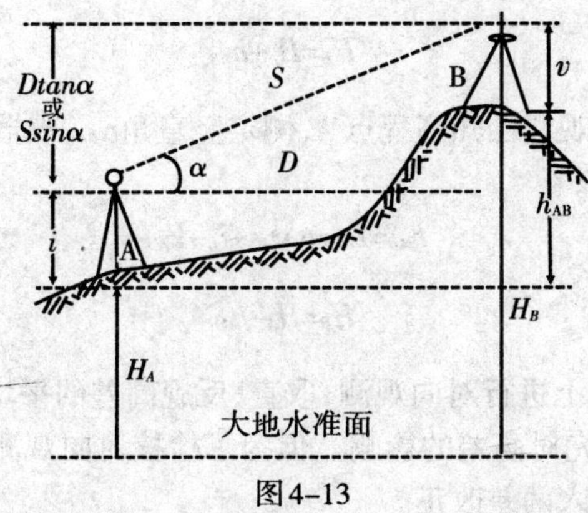


图4–13

如图4–13所示，A为已知点，高程为$H_A$，欲求B高程$H_B$。可在A点架设经纬仪，在B点竖立照准标志，用经纬仪测出竖直角$\alpha$，量取仪器高$i$及觇标高$V$，设A、B两点间的水平距离为$D$（倾斜距离$S$），则A、B两点间的高差为：

$$h_{AB}+V=D\tan\alpha+i$$

或 $$h_{AB}+V=S\sin\alpha+i$$

可推出 $$h_{AB}=D\tan\alpha+i-V$$

或 $$h_{AB}=S\sin\alpha+i-V \quad (4\text{–}12)$$

则B点的高程为：

$$H_B=H_A+h_{AB}=H_A+D\tan\alpha+i-V$$

或 $$H_B=H_A+h_{AB}=H_A+S\sin\alpha+i-V \quad (4\text{–}13)$$

计算时，注意垂直角的正负号，当垂直角为仰角时取正号，当为俯角时为负号。该公式没有考虑地球曲率和大气折光对所测高差的影响。当A、B两点间的水平距离大于400m时，测得的高差须加上地球曲率和大气折光（气差）的改正数$r$。其中$r=\frac{D^2}{2R}(1-K)$，$D$为两点间的水平距离，$R$为地球半径，为6371km，$K$称为折光系数。$K$的数值不是一个常数，它随地区的气温、气压、温度和空气密度的不同而不同。我国目前采用的$K$=0.11,它是我国部分地区大气折光系数的平均值。

### 4.6.2 三角高程测量的外业

三角高程测量的外业观测工作主要是观测竖直角,其次还要量出仪器高和觇标高。

为防止测量差错和提高观测精度,凡组成三角高程路线的各边,应进行直、反觇(即对向观测),然后取直、反觇测出高差的平均值作为观测的最后结果。

直觇,从已知高程点A观测未知高程点B,测定竖直角$\alpha_{AB}$,仪器高$i_A$,觇标高$V_B$,其高差$h_{AB}$的计算公式:

$$h_{AB}=D\tan\alpha_{AB}+i_A-V_B+r$$

B点高程为 $$H_B=H_A+h_{AB} \tag{4-14}$$

反觇,从未知高程点B观测已知高程点A,测定竖直角$\alpha_{BA}$,仪器高$i_B$,觇标高$V_A$,其高差的$h_{AB}$计算公式:

$$h_{AB}=D\tan\alpha_{BA}+i_B-V_A+r$$

B点高程为 $$H_B=H_A-h_{AB} \tag{4-15}$$

由此可知,若在同一边上进行对向观测,取直、反觇高差的平均值作为最后结果,可以消除地球曲率和大气垂直折光对高差的影响。但为了检核对向观测的高差是否符合要求,在分别计算$h_{AB}$、$h_{BA}$时,仍需加入两差改正。

### 4.6.3 三角高程测量的内业

三角高程测量的内业主要是进行高程计算。在计算之前应对外业成果进行检核,看其记录、计算有无错误,观测精度是否符合规定,各项数据是否齐全。全部合乎要求后,即可在规定的表格上计算。其中三角高程路线(附合或闭合)的计算与水准路线的计算方法相同,这里不再赘述。

## 第七节　自动安平水准仪与电子数字水准仪简介

### 4.7.1 自动安平水准仪简介

目前,自动安平水准仪已广泛应用于测绘和工程建设中。它的构造特点是没有水准管和微倾螺旋,而只有一个圆水准器进行粗略整平。当圆水准气泡居中后,尽管仪器视线仍有微小的倾斜,但借助仪器内补偿器的作用,视准轴在数秒钟内自动成水平状态,从而读出视线水平时的水准尺读数值。不仅在某个方向上,而且在任何方向上均可读出视线水平时的读数。因此自动安平水准仪不仅能缩短观测时间,简化操作,而且对于施工场地地面的微小震动、松软土地的仪器下沉以及大风吹刮时的视线微小倾斜等不利状况,能迅速自动地安平,有效地减弱外界的影响,有利于提高观测精度。图4-14为国产$DSZ_3$型自动安平水准仪外貌。

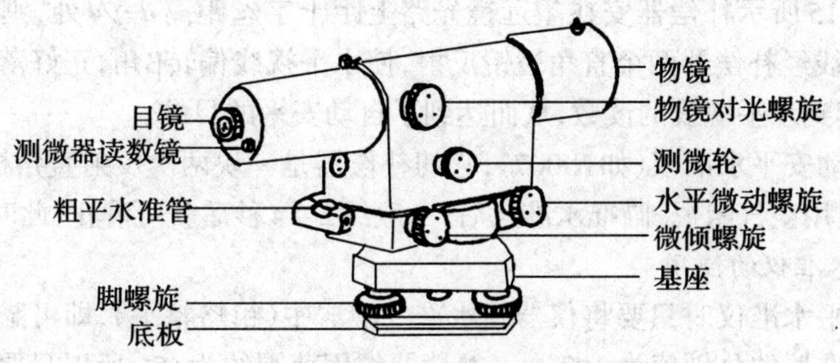


图4–14　自动安平水准仪

1.视线自动安平原理

如图4–15所示，视准轴水平时在水准尺上读数为$a$，当视准轴倾斜一个小角$\alpha$时，此时视线读数为$\alpha$(不是水平视线读数)。为了使十字丝中丝读数仍为水平视线的读数$a$，在望远镜的光路上增设一个补偿装置，使通过物镜光心的水平视线经过补偿装置的光学元件后偏转一个角$\beta$，仍旧成像于十字丝中心。由于$\alpha$和$\beta$都是很小的角度，当下式成立时，即

$$f \cdot \alpha = d \cdot \beta \tag{4–16}$$

就能达到自动补偿的目的。式中$f$为物镜到十字丝分划板的距离，$d$为补偿装置到十字丝分划板的距离。

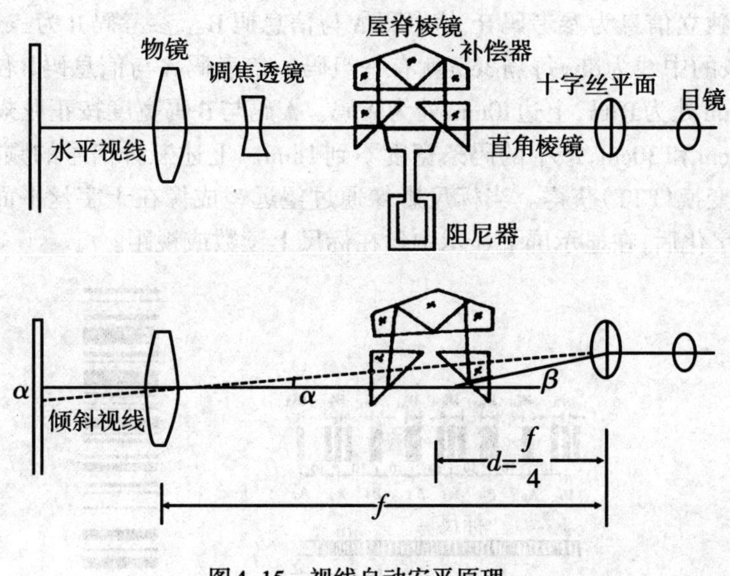


图4–15　视线自动安平原理

2.补偿装置的结构

补偿装置的结构有许多种，大都是悬吊式光学元件(如屋脊棱镜、直角棱镜等)借助于重力作用达到视线自动安平的目的，也有借助于空气或磁性的阻尼装置稳定补偿器的摆动。如图4–14国产$DSZ_3$自动安平水准仪，采用悬吊棱镜组的补偿器借助重力作用达到自动安平

的目的。如图4-15所示补偿器安在望远镜光路上距十字丝距离$d=f/4$处，则当视线微小倾斜α角时，倾斜视线经补偿器两个直角棱镜反射，使水平视线偏转β角，正好落在十字丝交点上，观测者仍能读到水平视线的读数，从而达到了自动安平的目的。

有的精密自动安平水准仪(如Ni007)，它的补偿器是一块两次反射直角棱镜，用薄弹簧片悬挂成重力摆，用空气阻尼，瞄准水准尺后，一般约2～4秒后就可静止，此时可进行读数。

3.自动安平水准仪的使用

使用自动安平水准仪时只要将仪器圆水准气泡居中(粗略整平)，即可瞄准水准尺进行读数。一般圆水准器的分划值为5′/2mm，补偿器作用范围约为±5′，所以只要使圆水准气泡居中并不越出圆水准器中央小黑圆圈范围，补偿器就会产生自动安平的作用，但使用自动安平水准仪仍应认真进行粗略整平。另外，由于补偿器相当于一个重力摆，不管是空气阻尼或者磁性阻尼，其重力摆静止稳定约需2～4秒，故瞄准水准尺约过几秒钟后再读数为好。有的自动安平水准仪配有一个键或自动安平钮，每次读数前应按一下键或按一下钮才能读数，否则补偿器不会起作用，使用时应仔细阅读仪器说明书。

### 4.7.2 电子数字水准仪简介

电子数字水准仪是集电子光学、图像处理、计算机技术于一体的当代最先进的水准测量仪器。它具有速度快、精度高、使用方便、作业员劳动强度轻、便于用电子手簿记录、实现内外业一体化等优点，代表了当代水准仪的发展方向，具有光学水准仪无可比拟的优越性。

电子数字水准仪使用的条形码标尺采用三种独立互相嵌套在一起的编码尺，如图4-16所示。这三种独立信息为参考码R、信息码A与信息码B。参考码R为三道等宽的黑色码条，以中间码条的中线为准，每隔3cm就有一组码。信息码A与信息码B位于R码的上、下两边，下边10mm处为B码，上边l0mm处为A码。A码与B码宽度按正弦规律改变，其信号波长分别为33cm和30cm，最窄的码条宽度不到1mm。上述三种信号的频率和相位可以通过快速傅里叶变换(FTT)获得。当标尺影像通过望远镜成像在十字丝平面上，经过处理器译释、对比、数字化后，在显示屏上显示中丝在标尺上读数或视距。

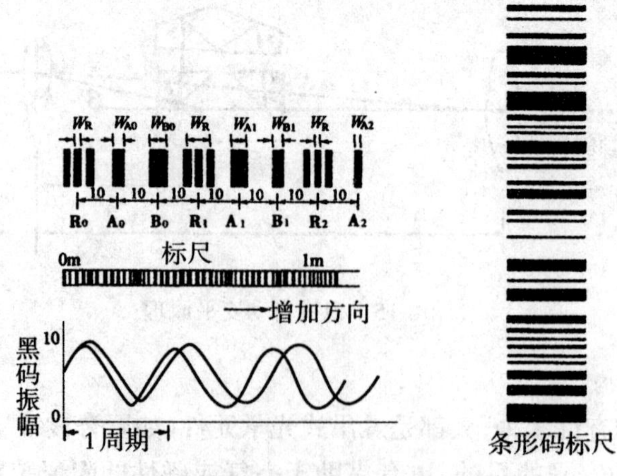


图4-16 条形码标尺及其原理图

电子数字水准仪的操作方法十分简便，只要将望远镜瞄准标尺并调焦后，按测量键，数秒钟后即显示中丝读数；再按测距键，即可显示视距；按存储键可把数据存入内存存储器，仪器自动进行检核和高差计算。观测时，不需要精确夹准标尺分划，也不用在测微器上读数，可直接由电子手簿记录。

## 第八节　水准仪的检验与校正

水准仪具有以下几条主要轴线：视准轴、水准轴、仪器旋转轴和圆水准轴。对水准仪进行检验校正，实际上就是对这些轴线的检验校正。为了更好地理解，首先介绍水准仪应满足的条件。

### 4.8.1 水准仪的轴线及其应满足的几何条件

水准仪应满足的条件，就是水准仪各轴线应满足的条件。水准测量的原理是以视线水平为基础的，而视线是否水平则是根据水准管气泡是否居中来判断的。因此，水准仪必须满足的主要条件是：

1.圆水准轴应平行于仪器竖轴（L′L′∥VV）；

2.十字丝中丝应垂直于仪器竖轴（即中丝应水平）；

3.水准管轴应平行于视准轴（LL∥CC）。

### 4.8.2 水准仪的检验与校正

1.圆水准器轴L'L'平行于仪器的竖轴VV的检验与校正

（1）检验方法

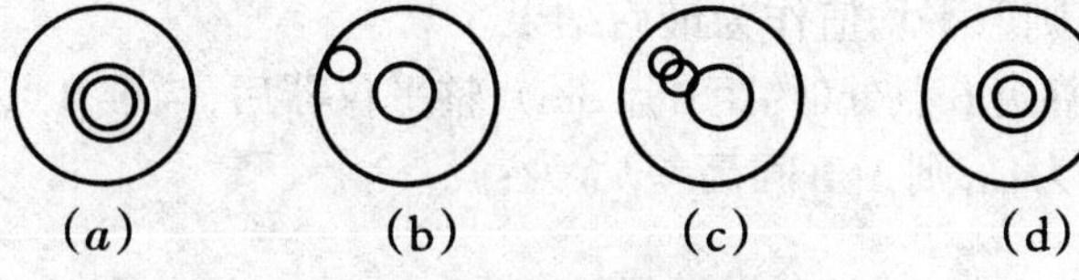


图4-17　圆水准器的检校

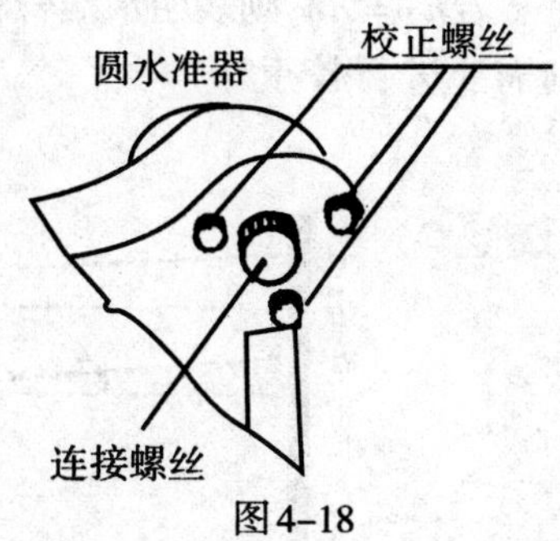


图4-18

安置水准仪后，转动脚螺旋使圆水准气泡居中，如图4-17(*a*)所示，然后将仪器绕竖轴旋转180°，如果圆气泡仍旧居中，则表示该几何条件满足，不必校正；如果圆气泡偏离中心，如图4-17(b)所示，则表示该几何条件不满足，需要进行校正。

（2）校正方法

水准仪不动，旋转脚螺旋，使气泡向圆水准器中心方向移动偏离值的一半，如图4-17(c)粗线圆圈处；然后用校正针先稍松动一下圆水准器底下中间一个大一点的连接螺丝，如图4-18，再分别拨动圆水准器底下的三个校正螺丝，使圆气泡居中，如图4-17(d)。校正完毕后，应把中间一个连接螺丝再旋紧。

2.十字丝中丝垂直于仪器竖轴的检验与校正

(1)检验方法

若十字丝中丝已垂直于仪器竖轴，当竖轴铅垂时，中丝应水平，则用中丝的不同部位在水准尺上读数应该是相同的。安置水准仪整平后，用十字丝交点瞄准某一明显的点状目标，旋紧制动扳手，缓慢地转动微动螺旋，从望远镜中观测点在左右移动时是否始终沿着中丝移动，如果始终沿着中丝移动，则表示中丝是水平的，否则需要校正。

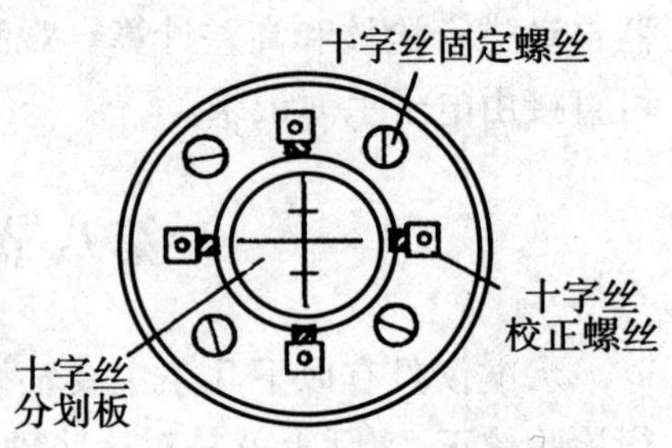

图4–19　十字丝的检校

(2)校正方法

校正方法因十字丝装置的形式不同而异。如图4–19所示的形式，须旋下目镜端的十字丝环外罩，用螺丝刀松开十字丝环的四个固定螺丝，按中丝倾斜的反方向小心地转动十字丝环，直至中丝水平，再重复检验，最后固紧十字丝环的固定螺丝，旋上十字丝外罩。

3.水准管轴平行于视准轴的检验与校正

(1)检验方法

① 在平坦地区选择相距约80m的A、B两点(可打下木桩或安放尺垫)，并在A、B两点中间选择一点O，且使$D_A=D_B$。

② 将水准仪安置于O点处，分别在A、B两点上竖立水准尺，读数为$a_1$和$b_1$，则A、B两点间高差，如图4–20：

$$h_{AB}=(a_1-x)-(b_1-x)=a_1-b_1 \tag{4–17}$$

则$h_{AB}$为正确高差值。为了确保观测的正确性也可用两次仪器高法测定高差，若两次测得高差之差不超过3mm，则取平均值作为最后结果。

③ 将水准仪搬到靠近B点处(约距B点3m)，整平仪器后，瞄准B点水准尺，读数为$b_2$，再瞄准A点水准尺，读数为$a_2$，则A、B间高差$h'_{AB}$为：

$$h'_{AB}=a_2-b_2 \tag{4–18}$$

若$h'_{AB}=h_{AB}$，则表明水准管轴平行于视准轴，几何条件满足；若$h'_{AB}\neq h_{AB}$，且差值大于±5mm，则需要进行校正。

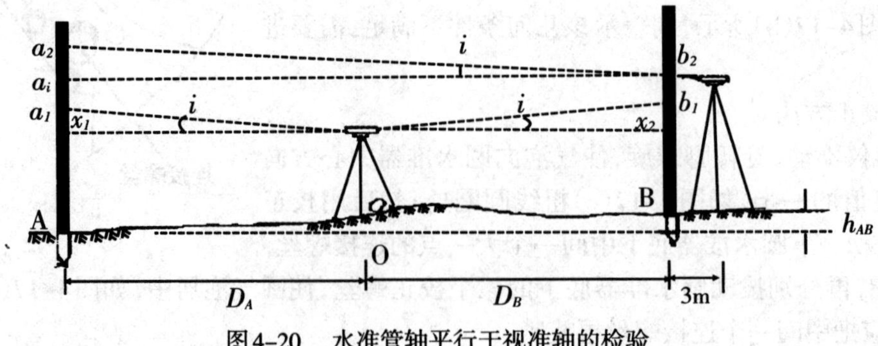

图4–20　水准管轴平行于视准轴的检验

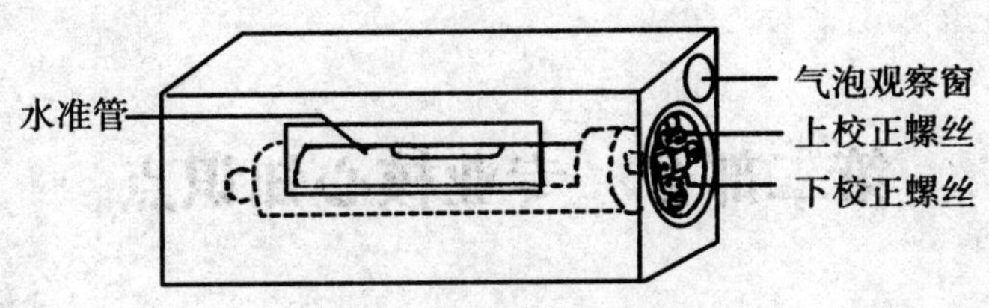


图4-21　水准管轴的校正

(2)校正方法

水准仪不动,先计算视线水平时A尺(远尺)上应有的正确读数$a_2'$:

$$a_2'=b_2+h_{AB}=b_2+(a_1-b_1)$$

当$a_2 < a_2'$,说明视线向上倾斜,反之向下倾斜。瞄准A尺,旋转微倾螺旋,使十字丝中丝对准A尺上的正确读数$a_2'$,此时符合水准气泡就不再居中了,但视线已处于水平位置。用校正针拨动位于目镜端的水准管上、下两个校正螺丝,如图4-21所示,使符合水准气泡严密居中。此时,水准管轴也处于水平位置,达到了水准管轴平行于视准轴的要求。

校正时,应先稍松动左右两个校正螺丝,再根据气泡偏离情况,遵循"先松后紧"规则,拨动上、下两个校正螺丝,使符合气泡居中,校正完毕后,再重新固紧左右两个校正螺丝。

# 第二部分　专业核心知识点

**1. 高程测量的方法；**
**2. 水准测量的工具、原理及测量方法；**
**3. 三角高程测量方法。**

# 第三部分　专业技能训练

## 技能一　水准仪的认识

认清水准仪的构造和各部件的名称，如图4-22所示，为$DS_3$级工程水准仪的外形及各部件的名称。

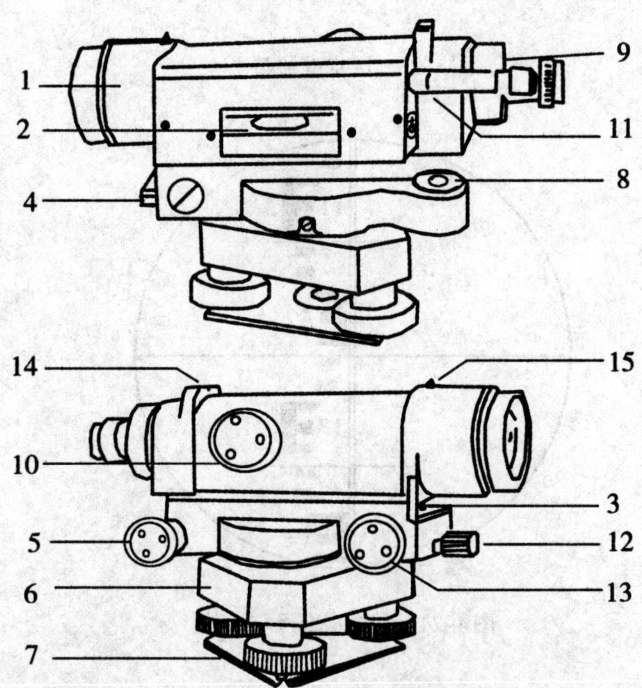


1——望远镜物镜；2——水准管；3——簧片；4——支架；5——微倾螺旋；6——基座；7——脚螺旋；8——圆水准器；9——望远镜目镜；10——物镜调焦螺旋；11——符合气泡观察镜；12——制动螺旋；13——微动螺旋；14——缺口；15——准星

图4-22

## 技能二　水准仪的安置及使用

1. 仪器的安置

首先，在测站上打开三脚架并调节使其高度适中，目估使架头大致水平，检查脚架腿是否安置稳固，脚架伸缩螺旋是否拧紧；然后打开仪器箱取出水准仪，置于三脚架头上，用连接螺旋将仪器牢固地连在三脚架头上。

2. 粗略整平(粗平)

先用圆水准器粗略整平仪器。具体做法是：如图4-23($a$)所示，当气泡中心偏离零点时，先用双手同时以相反方向转动脚螺旋1、2，使圆气泡移到两个脚螺旋连线的垂直方向上，然后再按图4-23(b)中箭头所指方向，用左手转动脚螺旋3，使圆气泡居中(即位于小黑圆圈中央)。在整平的过程中，气泡移动的方向与左手大拇指转动脚螺旋时的移动方向一致。

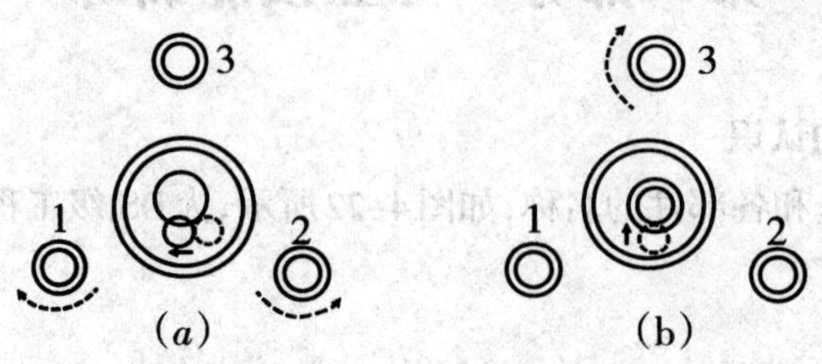


图4-23 圆水准器整平

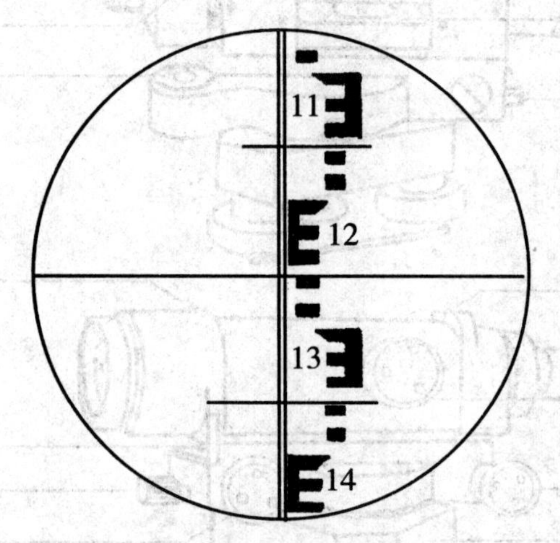


图4-24 瞄准水准尺与读数

3. 瞄准

进行水准测量时，用望远镜瞄准水准尺的步骤如下：转动目镜调焦，使十字丝清晰；放松制动螺旋，通过望远镜上的缺口和准星瞄准水准尺，旋紧制动螺旋。转动对光螺旋，使影像清晰地落在十字丝平面上。转动水平微动螺旋，使十字丝竖丝位于水准尺上。

4. 精确整平与读数

读数前，旋转微倾螺旋，使水准管气泡居中，并使望远镜旁的观察窗中的气泡完全符合，这就达到了精平的要求。然后便可根据十字丝的中丝在尺上读数。读数时应由上而下，从小往大进行。观测者应先估读水准尺上毫米数(小于一格的估值)，然后读出米、分米及厘米值，一般应读出四位数。如图4-24中，读数为1259mm，其中9为估读数字。

**技能三　水准测量**

1. 在实习场地布设如图4-25中所示的一种图形的水准路线，打木桩或用粉笔在地面上画出标记。

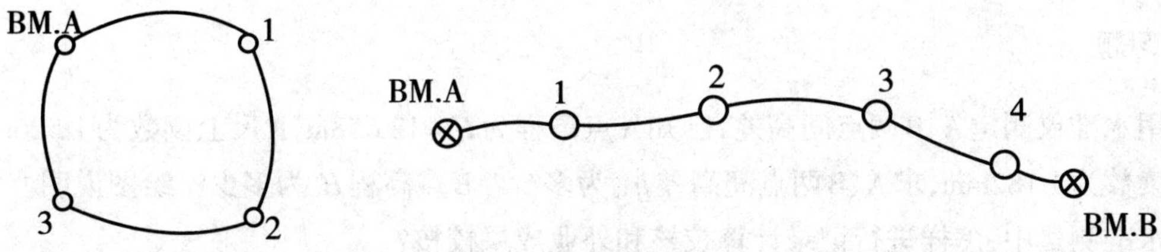


图4–25

2. 在BM.A、1点上立尺，在距两点大致等距离处架设水准仪，粗略整平后，用望远镜瞄准BM.A点的后视尺，制动、转动水平微动螺旋，用十字丝对准水准尺，使水准气泡符合，立即用中丝读取读数$a_1$并计入手簿。

3. 松开制动螺旋，转动望远镜瞄准1点的前视尺，制动后，转动水平微动螺旋，用十字丝对准水准尺，再转动微倾螺旋，使水准气泡符合，立即用中丝读取读数$b_1$并计入手簿。则两点间的高差为：

$$h_1=a_1-b_1$$

4. 将水准仪升高或降低10cm以上，再重复以上2和3两步观测，测得后视读数和前视读数分别为$a_1'$和$b_1'$，则两点间的高差为：

$$h_1'=a_1'-b_1'$$

如果两次测得的高差之差未超过±6mm，则取其平均值作为两点的高差，用h表示，则

$$h=\frac{1}{2}(h_1+h_1')$$

5. 完成一个测站的观测工作之后，将BM.A点上的水准尺移到2点作为前视尺，再将水准仪安置在距1、2点等距离处，重复上述1、2、3、4步骤，测得1、2两点的高差$h_{12}$。

6. 依次类推，分别测得各站高差$h_{23}$、$h_{34}$、$h_{4BM.B}$。

水准测量手簿

| 测站 | 点号 | 不准尺读数(m) | | 高差(m) | 高程(m) | 备注 |
|---|---|---|---|---|---|---|
| | | 后视 | 前视 | | | |
| | | | | | | |
| | | | | | | |
| | | | | | | |
| | | | | | | |
| | | | | | | |
| | | | | | | |
| 计算检核 | Σ | | | | | |
| | $\sum a-\sum b=$ | | | | | |

## 复习题

1.用水准仪测定A、B两点间高差，已知A点高程为$H_A$=12.658m，A尺上读数为1.526mm，B尺上读数为1.182mm，求A、B两点间高差$h_{AB}$为多少？B点高程$H_B$为多少？绘图说明。

2.水准测量中，怎样进行记录计算校核和外业成果校核？

3.如图4–26所示，由水准点A测到B点的往测高差$h_{往}$=+1.688m，再从B点返测到A，各站的水准尺读数于图中，试填下表并计算B点高程。

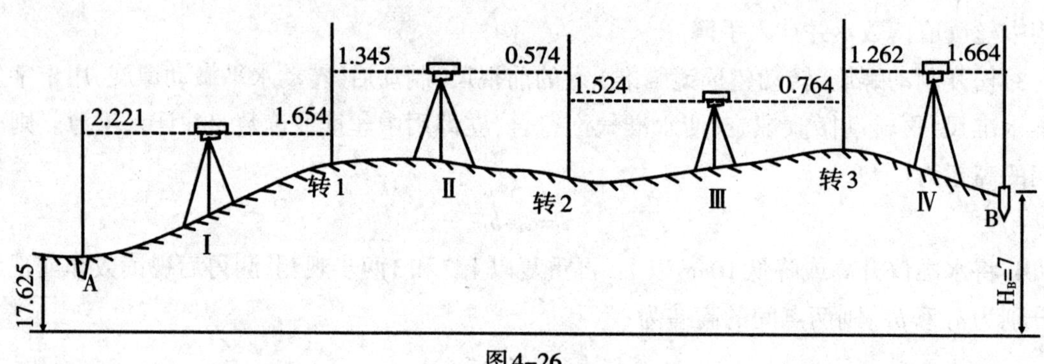


图4–26

表4–6

| 测站 | 测点 | 后视读数(m) | 前视读数(m) | 高差（m） | | 高程(m) | 备注 |
|---|---|---|---|---|---|---|---|
| | | | | + | – | | |
| | | | | | | | |
| | | | | | | | |
| | | | | | | | |
| | | | | | | | |
| | | | | | | | |
| | | | | | | | |
| | | | | | | | |
| | | | | | | | |
| 计算与校核 | | | | | | | |

4.整理表4–7中的等外水准测量观测数据。

表4-7　　四等水准测量记录整理

| 测站编号 | 后尺 下丝<br>上丝<br>后视距<br>视距差d(m) | 前尺 下丝<br>上丝<br>前视距<br>∑d(m) | 方向及尺号 | 水准尺读数（m）<br>黑面 | 水准尺读数（m）<br>红面 | K+黑-红(mm) | | 高差中数(m) | 备注 |
|---|---|---|---|---|---|---|---|---|---|
| 1 | 1.832 | 0.926 | 后A | 1.379 | 6.165 | | | | |
| | 0.960 | 0.065 | 前B | 0.495 | 5.181 | | | | |
| | | | 后一前 | | | | | | |
| | | | | | | | | | |
| 2 | 1.742 | 1.631 | 后B | 1.469 | 6.156 | | | | |
| | 1.194 | 1.118 | 前A | 1.374 | 6.161 | | | | |
| | | | 后一前 | | | | | $K_A$=4.787<br>$K_B$=4.687 | |
| | | | | | | | | | |
| 3 | 1.519 | 1.671 | 后A | 1.102 | 5.890 | | | | |
| | 0.692 | 0.836 | 前B | 1.258 | 5.945 | | | | |
| | | | 后一前 | | | | | | |
| | | | | | | | | | |
| 4 | 1.919 | 1.968 | 后B | 1.570 | 6.256 | | | | |
| | 1.220 | 1.242 | 前A | 1.603 | 6.391 | | | | |
| | | | 后一前 | | | | | | |
| | | | | | | | | | |
| 校核 | | | | | | | | | |

5.已知A点的高程$H_A$=489.454m，A点立尺读数为1.446m，B点读数为1.129m，C点读数为2.331m，求此时仪器视线高程是多少？$H_B$和$H_c$各为多少？

## 讨论题

1.水准测量中为什么要把水准仪安置在前、后视尺大概等距处？是否一定要安置在前、后视尺的连线上？

2.水准测量时，转点和尺垫起什么作用？何点不能放置尺垫？

3.何为视差？产生视差的原因是什么？如何消除视差？

4.水准仪上的圆水准器和管水准器的作用有何不同？

5.水准测量中测站检核的作用是什么？有哪几种方法？

6.在三角形高程测量时，为什么必须进行对向观测？

## 思考题

支水准路线、附合水准路线、闭合水准路线高差闭合差的调整与高程计算的区别。

# 第五章　小区域平面控制测量

## 第一部分　系统理论知识

### 第一节　控制测量概述

#### 5.1.1 控制的概念

第一章已经介绍，无论何种工作，其实质都是确定一系列点的位置，而任何点位的确定都不可避免地会产生误差。为了使前一点的误差不积累到下一个点位上，保证测绘或测设点位的精度，测量工作必须遵循"由整体到局部，先控制后碎步"的原则，先建立控制网，然后根据控制网进行碎部测量和测设。

所谓控制，就是先在测区范围内的适当位置选择一些点，并埋设标桩，然后用较精密的测量仪和精确的测量方法，确定出其位置，再以这些点为基础，测定其周围各点的位置。这些高精度的点称为控制点，测定它们相对位置的工作称为控制测量。

控制测量分为平面控制测量和高程控制测量两类。测定控制点的平面位置($x,y$)的工作，称为平面控制测量；测定控制点的高程(H)的工作，称为高程控制测量。平面控制测量可分为导线测量、三角测量、三边测量、GPS测量等形式，本章重点介绍导线测量。

#### 5.1.2 国家控制网的概念

为了统一全国各地区的测量工作，必须进行全国性的控制测量，以建立国家控制网。国家控制网主要包括平面控制网和高程控制网两类。

1.平面控制网

在全站仪和GPS接收机普及以前，传统的国家平面控制网主要是采用三角测量的方法建立的，即在全国范围内将控制点组成一系列的三角形，通过测定所有三角形的内角，推算出各控制点的坐标，称为国家三角网。按其精度可分一、二、三、四等四个等级。其中，一等精度最高，是国家控制网的骨干，用于控制二等以下各级三角测量，并为研究地球形状和大小提供依据。一等三角网基本是沿着经线和纬线的方向布设，而二、三、四等则是

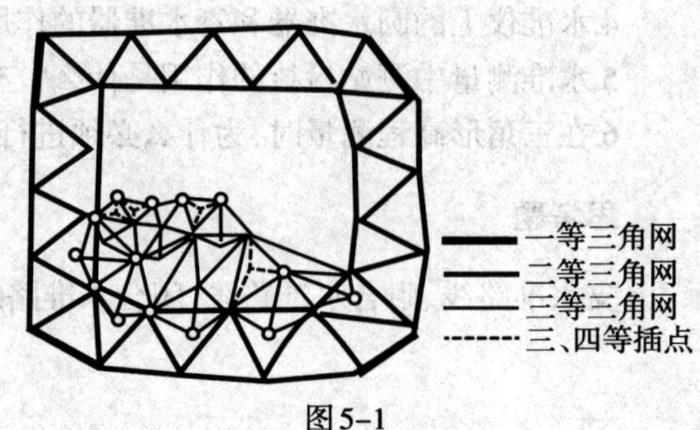

图5-1

在高一级网的控制下加密得到的，精度依次降低。

由于全国性控制网点一般分布较稀，不能满足小区域地形测图或矿山工程测量的需要，因此要在全国性控制点的基础上建立精度低且有足够密度的控制点，这些点就叫图根控制点（简称图根点）。

又由于三角测量对控制点之间的通视条件要求高，在选点、外业观测方面有较大的局限性，近年来高精度GPS接收机的普及，使得GPS测量成为进行大区域国家平面控制测量或矿区控制测量的主要方法。

2.高程控制网

国家高程控制网的建立，也是按照“由整体到局部，从高级到低级”的原则进行的。按其精度的不同也可分为一、二、三、四等四个等级，主要用水准测量的方法建立。

一、二等水准路线，是国家高程控制网的骨干，同时也是研究地壳和地面运动及有关科学问题的主要依据。因此，它沿地质构造稳定、交通不太繁忙、路线平缓的交通线布设成网状。

三、四等水准测量是直接提供地形测图和各种工程建设所必需的高程控制点，一般可根据需要在一、二等水准网内加密，布设成附合路线，并尽可能相互交叉构成闭合环。

## 第二节　坐标计算的基本公式

在第一章，我们已经介绍了测量上用的平面直角坐标系。虽与数学上的平面直角坐标不同，但原理是一致的。任一点的坐标都是用从该点到纵横坐标轴的垂直距离来表示，且点在不同的象限中，x、y有不同的正负号，每一对坐标值只对应于平面上的一个点。

### 5.2.1 坐标增量

一直线的终点坐标与起点坐标之差称为坐标增量，通常以△x，△y来表示纵坐标增量与横坐标增量。

如图5-2所示，在平面直角坐标系中，设直线AB上起点A的坐标为$(x_a, y_a)$，终点B的坐标为$(x_b, y_b)$，则直线由A到B的坐标增量$\Delta x_{ab}$、$\Delta y_{ab}$分别为：

$$\Delta x_{ab}=x_b-x_a$$

$$\Delta y_{ab}=y_b-y_a \quad (5\text{-}1)$$

反之，直线由B到A的坐标增量$\Delta x_{ba}$、$\Delta y_{ba}$分别为：

$$\Delta x_{ba}=x_a-x_b$$

$$\Delta y_{ba}=y_a-y_b \quad (5\text{-}2)$$

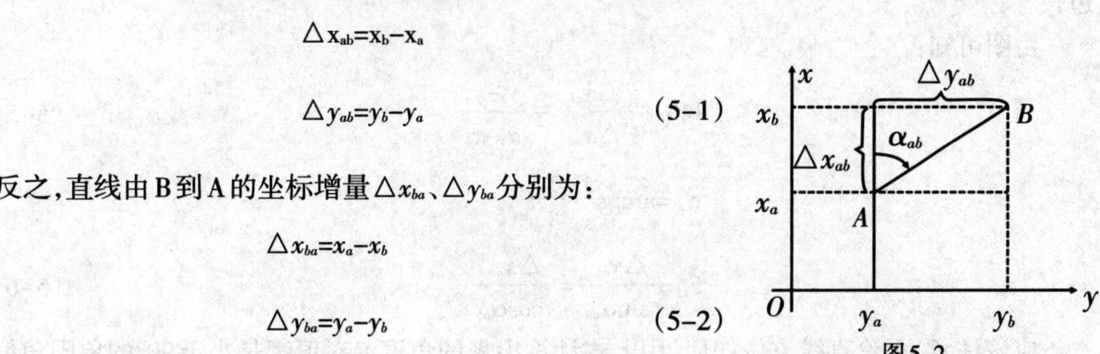

图5-2

由此可知，任一直线的坐标增量的正、负号取决于该直线的方向。

若假设AB直线的长度为$s_{ab}$，坐标方位角为$\alpha_{ab}$，则在直角三角形中，应用三角形的正、余弦公式，可求得坐标增量为：

$$\triangle x_{ab}=s_{ab}\cos\alpha_{ab}$$

$$\triangle y_{ab}=s_{ab}\sin\alpha_{ab} \quad (5-3)$$

在上式中，因直线长度为正值，所以坐标增量的正负号取决于该直线的方位角所在的象限，各象限坐标增量符号见表5-1。

**表5-1**

| 象限 | 坐标方位角α | Δx | Δy |
|---|---|---|---|
| Ⅰ | 0° ～90° | + | + |
| Ⅱ | 90° ～180° | − | + |
| Ⅲ | 180° ～270° | − | − |
| Ⅳ | 270° ～360° | + | − |

### 5.2.2 坐标正算

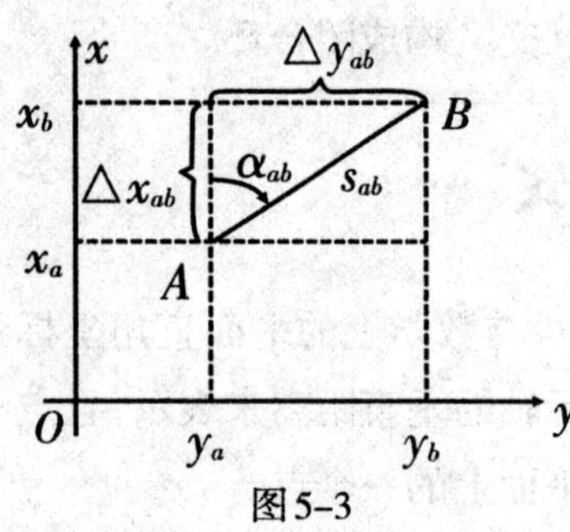

图5-3

根据已知点的坐标和已知点到待定点的坐标方位角、边长，计算待定点的坐标，这种计算方法称为坐标正算。

如图5-3所示，已知A点坐标为$(x_a, y_a)$，A到B的边长和坐标方位角分别为$s_{ab}$和$\alpha_{ab}$，求待定点B的坐标。则由坐标增量公式可知：

$$x_b=x_a+\triangle x_{ab}=x_a+s_{ab}\cos\alpha_{ab}$$

$$y_b=y_a+\triangle y_{ab}=y_a+s_{ab}\sin\alpha_{ab} \quad (5-4)$$

### 5.2.3 坐标反算

由两个已知点的坐标计算该两点连线的坐标方位角和边长的方法，称为坐标反算。

如图5-3所示，已知A、B两点的坐标分别为$(x_a, y_a)$和$(x_b, y_b)$，求AB边的坐标方位角和边长。

由图可知：

$$\mathrm{tg}\alpha_{ab}=\frac{\triangle y_{ab}}{\triangle x_{ab}}=\frac{y_b-y_a}{x_b-x_a} \quad (5-5)$$

$$\alpha_{ab}=\mathrm{arctg}\frac{y_b-y_a}{x_b-x_a}$$

$$S_{ab}=\frac{\triangle y_{ab}}{\sin\alpha_{ab}}=\frac{\triangle x_{ab}}{\cos\alpha_{ab}} \quad (5-6)$$

应该注意，无论直线方位如何，用上式计算出来的角度绝对值都是小于90°的象限角值

（arctan函数的角值范围在－90°～＋90°间），而坐标方位角的角值范围在0°～360°间，因此还要根据坐标增量的正、负号先判断出该直线所在的象限，然后根据坐标方位角与象限角之间的转化关系，求出该直线的坐标方位角。

若只需计算直线长度时，也可用下式计算。

$$s_{ab}=\sqrt{\triangle x_{ab}{}^2+\triangle y_{ab}{}^2}=\sqrt{(x_b-x_a)^2+(y_b-y_a)^2} \tag{5-7}$$

## 第三节　经纬仪导线测量

将测区内相邻控制点连成直线而构成的折线，称为导线。导线上的各转折点称为导线点。各边叫导线边，相邻两边的夹角叫转折角。

导线测量就是依次测定各导线边的长度和各转折角，根据起算数据，推算各边的坐标方位角，从而求出各导线点的坐标的方法。经纬仪导线测量是建立图根点的一种方法，适用于平坦地区，并且要求在相邻两点彼此通视的地区布设。

### 5.3.1 经纬仪导线的布设形式

根据测区的不同情况和要求，导线可布设成下列三种形式：

1.闭合导线

导线从已知控制点M和已知方向MA出发，经过1、2、3、4最后仍回到起点M，形成一个闭合多边形，这样的导线称为闭合导线。闭合导线本身存在着严密的几何条件，具有检核作用，如图5-4(*a*)。

2.附合导线

导线从已知控制点M和已知方向MA出发，经过1、2、3点，最后附合到另一已知点B和已知方向BN上，这样的导线称为附合导线，这种布设形式也具有检核观测成果的作用，如图5-4(b)。

3.支导线

支导线是由一已知点M和已知方向出发，既不附合到另一已知点，又不回到原起始点的导线，称为支导线，如图5-4(c)。

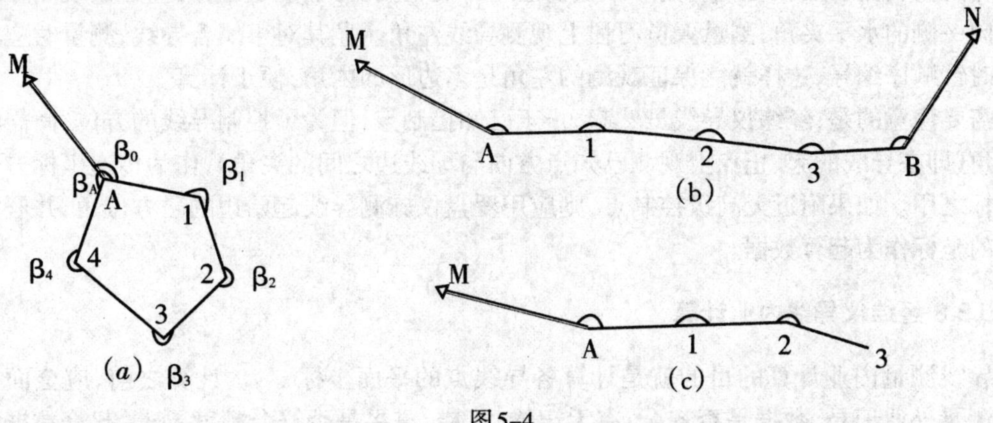


图5-4

### 5.3.2 经纬仪导线的外业

导线测量的外业工作包括踏勘选点、埋设标志、边长测量和角度测量。

1.选点和埋设标志

选点就是将设计图上的点位设置于测区内相应的地面上。在选点过程中，若发现设计的点位有不当之处，可现场改动。现场选点时，应根据不同的需要，掌握以下几点原则：

(1)导线点应选在土质坚实、视野开阔、对测图有较大效用、能安置仪器、便于观测的地方，且相邻导线点间应通视良好，以便于测角。

(2)采用不同的工具量边时，导线边通过的地方应考虑到各自不同的要求。如用钢尺，则尽量使导线边通过较平坦的地方；若用全站仪，则应使导线避开强磁场及折光等因素的影响。

(3)导线各边长应大致相等，一般不宜超过500m，亦不短于50m。

(4)导线点的数量要足够，密度要均匀，以便于控制整个测区。

埋设标志：选定点位后，要用标志将点位在地面上固定下来。对于永久性的点，要埋设混凝土桩，在桩顶刻“十”字，作为点的标志。对于临时性的点，可在地面上打一木桩，在桩顶钉一小钉以示点位。导线点设置好以后，在桩的侧面以红漆注明导线点号，以便于统一编号。此外，为了便于寻找，应量出导线点与附近明显地物的距离，绘出草图，注明尺寸，该图称为“点之记”。

2.边长测量

导线边长可以用全站仪、钢卷尺等工具来丈量。

用全站仪测边时，应往、返观测取平均值。对于图根导线，仅进行气象改正和倾斜改正；对于精度要求较高的一、二级导钱，应进行仪器加常数和乘常数的改正。

用钢尺丈量导线边长时，对于一、二、三级导线，精度要求较高，钢尺应用经过检定或与已检定过的钢卷尺比长，以便于在结果中加入尺长误差、温度变化等改正数。对于图根导线，应用一般方法丈量，且导线边长也应往返丈量，往返丈量的距离之差与其平均值之比，不应大于1/2000，坡度变化较大的山区不应大于1/1000，否则应重新丈量。

3.角度测量

导线的转折角分为左转角和右转角，在前进方向左侧的水平角称为左转角，在右侧的水平角称为右转角。图根导线转角一般用$J_6$型经纬仪观测，为了便于计算，应尽量观测导线前进方向一侧的水平夹角，测量人员习惯上观测导线左角。尤其对于闭合导线，测量时应尽量按逆时针顺序编号，这样就能保证观测的左角是多边形的内角，便于计算。

需要注意的是，经纬仪导线虽然起、止于已知控制点，但为了控制导线的方位，尚需测定连接角(即在导线的起、止点上观测已知点方向与导线边之间的夹角)，作为传递坐标方位角和坐标之用。如果附近无高级控制点，则应用罗盘仪施测导线起始边的磁方位角，并假定起始点的坐标作为起算数据。

### 5.3.3 经纬仪导线内业计算

导线测量内业计算的目的就是计算各导线点的平面坐标x、y。计算之前，应全面检查导线测量外业记录，数据是否齐全，有无记错、算错，成果是否符合精度要求，起算数据是否准确等。在确认观测成果无误后，绘制导线略图，把各项数据注于图上相应位置。

导线计算可分为以下5个步骤进行：①角度闭合差的计算和调整；②坐标方位角的推算；③坐标增量的计算；④坐标增量闭合差的计算和调整；⑤坐标计算。

1.闭合导线的计算

如图5-5所示，为一闭合导线，导线点按逆时针布设，观测的角度分别为$\beta$、$\beta_1$、$\beta_2$、$\beta_3$、$\beta_b$，既为导线的左转角，又是多边形的内角。其中A、B为已知控制点，其方位角$\alpha_{ab}$已知，要求1、2、3各点的坐标。首先应先根据已知的$\alpha_{ab}$与连接角β求出导线起始边B1的坐标方位角。然后按以下步骤进行计算。

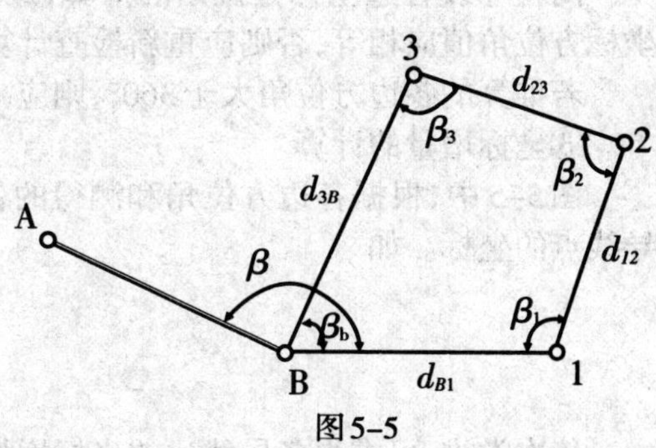


图5-5

①角度闭合差的计算与调整

闭合导线在几何上相当于一个n边形，其内角和的理论值$\sum\beta_{理}$应为：

$$\sum\beta_{理}=(n-2)\cdot180° \tag{5-8}$$

由于观测值含有误差，致使实测的内角之和$\sum\beta_{测}$不等于其理论值，其差值称为角度闭合差$f_\beta$，则

$$f_\beta=\sum\beta_{测}-\sum\beta_{理}=\sum\beta_{测}-(n-2)\cdot180° \tag{5-9}$$

$f_\beta$的大小反映了水平角观测的质量。一般图根导线的角度闭合差的容许值$f_{\beta允}$的计算公式为：

$$f_{\beta允}=\pm40''\sqrt{n}$$

式中　　$n$为导线折角数。

若$f_\beta\leqslant f_{\beta允}$，说明角度闭合差符合要求，可进一步对$f_\beta$反符号平均分配到各观测角中进行调整，调整分配值称为角度改正数，用$\nu_\beta$表示，即：

$$\nu_\beta=-\frac{f_\beta}{n} \tag{5-10}$$

如果上式不能整除，可将余数凑给短边夹角的改正数中。

若$f_\beta>f_{\beta允}$，则说明角度闭合差超限，应返工重测。

②坐标方位角的推算

根据起始边的已知坐标方位角及调整后的改正值，可按下列公式推算其他各导线边的坐标方位角。

$$\alpha_{前}=\alpha_{后}+\beta_{左}-180°$$ ——适用于观测左转角(5-11)

$$\alpha_{前}=\alpha_{后}-\beta_{右}+180°$$ ——适用于观测右转角(5-12)

由此，可推算图5-5的坐标方位角为：

$$\alpha_{b1}=\alpha_{ab}+\beta-180°$$
$$\alpha_{12}=\alpha_{b1}+\beta_1-180°$$
$$\cdots$$

$$\alpha_{3b}=\alpha_{23}+\beta_3-180°$$

$$\alpha_{b1}=\alpha_{3b}+\beta_b-180°$$

注意：

闭合导线各边坐标方位角的推算，最后要推算出起始边坐标方位角，两次推得的已知坐标方位角值应相等，否则应重新检查计算。

若推算的各边方位角大于360°，则应减去360°，若小于0°，则应加上360°。

③坐标增量的计算

图5–5中，根据各边方位角和测得的各边边长，可根据下式计算坐标增量，从而计算各导线点的坐标。如

$$\triangle X_{b1}=S_{b1}\cos\alpha_{b1}$$

$$\triangle Y_{b1}=S_{b1}\sin\alpha_{b1} \quad (5\text{–}13)$$

依次类推，可求得各导线边的坐标增量值。

④坐标增量闭合差的计算和调整

闭合导线纵、横坐标增量代数和在理论上应为零，即

$$\sum\triangle X_{理}=0 \qquad \sum\triangle Y_{理}=0$$

实际上，由于量边的误差和角度闭合差调整后的残余误差，使得计算所得的纵、横坐标增量和（$\sum\triangle X_{计}$、$\sum\triangle Y_{计}$）不等于零，从而产生纵坐标增量闭合差$f_x$与横坐标增量闭合差$f_y$，即

$$f_x=\sum\triangle X_{计}$$

$$f_y=\sum\triangle Y_{计} \quad (5\text{–}14)$$

由于横纵坐标增量闭合差的存在，导致导线在A点处不能闭合，而产生闭合差$f_D$，称为导线全长闭合差，则

$$f_D=\sqrt{f_x^2+f_y^2} \quad (5\text{–}15)$$

导线愈长，误差的累积愈大。所以通常以$f_D$与导线全长的比值来衡量导线的精度，这个比值称为导线的相对闭合差（$K$）。相对闭合差通常用分子为1的分数来表示。

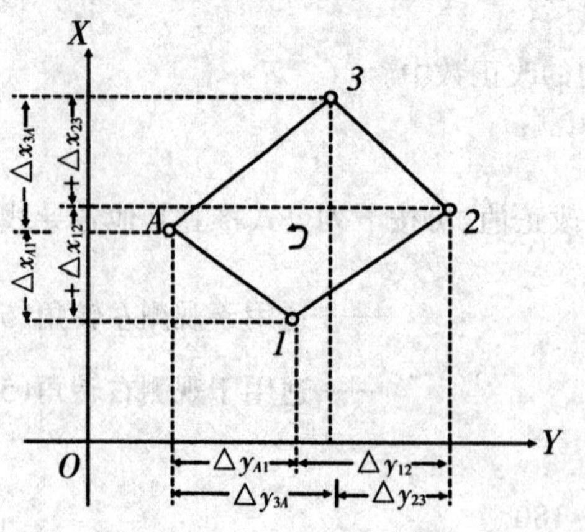


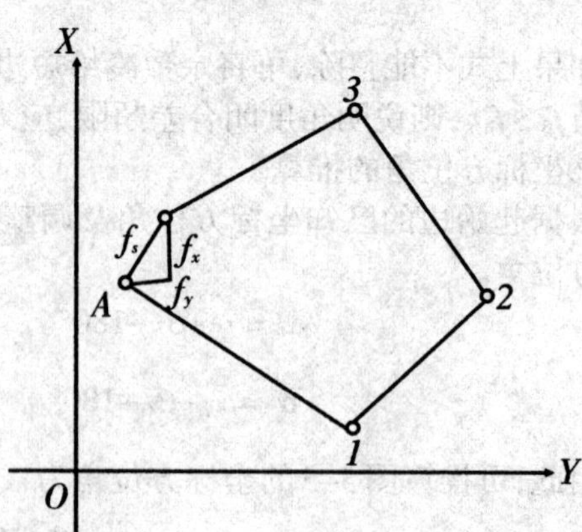


图5–6

$$K=\frac{f_D}{\sum D}=\frac{1}{\sum D/f_D}$$

若导线的相对闭合差在允许范围内（经纬仪导线测量的精度要求：一般地区不低于1/2000，量距困难地区不低于1/1000），则将$f_x$和$f_y$分别反号，并按与导线边长成正比的原则分配给相应的纵横坐标增量。以$V_{xi}$、$V_{yi}$分别表示第$i$边的纵、横坐标增量改正数，即

$$V_{xi}=-\frac{f_x}{\sum D}D_i$$

$$V_{yi}=-\frac{f_y}{\sum D}D_i \tag{5-16}$$

计算时，要求纵、横坐标增量改正数之和应满足下式，即改正后的坐标增量的代数和应等于零，以作检核。

$$\sum V_x=-f_x$$

$$\sum V_y=-f_y$$

⑤坐标计算

根据已知起始点的坐标和改正后的坐标增量，可用下式推算出其他各点的坐标

$$x_{前}=x_{后}+\triangle x_{改}$$

$$y_{前}=y_{后}+\triangle y_{改} \tag{5-17}$$

最后得到的坐标应与起始点的坐标相同，作为检核。

表5-2为一闭合导线算例。

**表5-2**

| 点号 | 角度观测值(右角) ° ′ ″ | 坐标方位角 ° ′ ″ | 边长(m) | 坐标 x(m) | 坐标 y(m) | 计算略图 |
|---|---|---|---|---|---|---|
| 1 | | | | 2000.00 | 2000.00 | |
| 2 | −6″ 139 05 00 | 69 45 00 | 103.85 | 2035.941 | 2097.451 | |
| 3 | −6″ 94 15 54 | 110 40 06 | 114.57 | 1995.500 | 2204.670 | |
| 4 | −6″ 88 36 36 | 196 24 18 | 162.46 | 1839.649 | 2158.819 | |
| 5 | −6″ 122 39 30 | 287 47 48 | 133.54 | 1880.460 | 2031.695 | |
| 1 | −6″ 95 23 30 | 345 08 24 | 123.68 | 2000.00 | 2000.00 | |
| | | 69 45 00 | 638.10 | | | |



$f_{\beta容}=\pm40''\sqrt{n}=\pm89''$、$f_\beta=30''$、$f_\beta<f_{\beta容}$（合格）

$f_x=\pm0.019$m、$f_y=-0.125$m、$f_D=\pm0.126$m

$$K=\frac{f_D}{\sum D}=\frac{0.126}{638.1}=\frac{1}{5064}$$

$k<k_{容}$（合格）

2.附合导线计算

附合导线的坐标计算与闭合导线的坐标计算基本相同，仅在角度闭合差的计算与坐标增量闭合差的计算方面稍有差别。

①角度闭合差的计算与调整

如图5–7所示，根据起始边AB的坐标方位角$\alpha_{ab}$及观测的各右角，按右转角计算公式推算CD边的坐标方位角$\alpha_{cd}$。

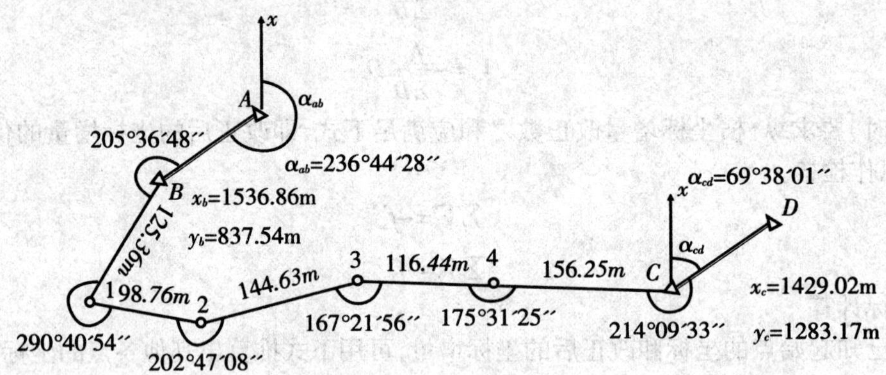


图5–7

$\alpha_{b1}=\alpha_{ab}-\beta_b+180°$

$\alpha_{12}=\alpha_{b1}-\beta_1+180°$

…

$\alpha_{cd}=\alpha_{34}-\beta_c+180°$

将以上式子两边相加可推出

$$\alpha_{cd}=\alpha_{ab}-\sum\beta+n\times180° \tag{5-18}$$

式中n为包括导线两端点在内的导线点数

则$\sum\beta_{理}=\alpha_{ab}-\alpha_{cd}+n\times180°$

附合导线的角度闭合差$f_\beta$为：

$$f_\beta=\sum\beta_{测}-\sum\beta_{理}=\sum\beta_{测}-(\alpha_{ab}-\alpha_{cd}+n\times180°) \tag{5-19}$$

若角度闭合差$f_\beta$在容许范围内，如果观测的是左角，则将角度闭合差反号平均分配到各左角上；如果观测的是右角，则将角度闭合差同号平均分配到各右角上。

②坐标增量闭合差的计算

附合导线的坐标增量代数和的理论值应等于终、始两点的已知坐标值之差，即

$$\sum X_{理}=X_b-X_a$$

$$\sum Y_{理}=Y_b-Y_a \tag{5-20}$$

纵、横坐标增量闭合差为：

$$f_x=\sum\triangle X_{计}-\sum\triangle X_{理}=\sum[\triangle X_{计}-(X_b-X_a)]$$

$$f_y=\sum\triangle Y_{计}-\sum\triangle Y_{理}=\sum[\triangle Y_{计}-(Y_b-Y_a)] \tag{5-21}$$

以下为附合导线坐标计算表。

表5-3

| 点号 | 观测角（右角） | 改正数 | 改正角 | 坐标方位角 α | 距离 D/m | 增量计算值 | | 改正后增量 | | 坐标值 | | 点号 |
|---|---|---|---|---|---|---|---|---|---|---|---|---|
| | | | | | | Δx/m | Δy/m | Δx/m | Δy/m | x/m | y/m | |
| 1 | 2 | 3 | 4=2+3 | 5 | 6 | 7 | 8 | 9 | 10 | 11 | 12 | 13 |
| A | | | | 236° 44' 28" | | | | | | | | A |
| B | 205° 36' 48" | −13" | 205° 36' 35" | 211° 07' 53" | 125.36 | +4<br>−107.31 | −2<br>−64.81 | −107.27 | −64.83 | 1 536.86 | 837.54 | B |
| 1 | 290° 40' 54" | −12" | 290° 40' 42" | 100° 27' 11" | 98.76 | +3<br>−17.92 | −2<br>+97.12 | −17.89 | +97.10 | 1 429.59 | 772.71 | 1 |
| 2 | 202° 47' 08" | −13" | 202° 46' 55" | 77° 40' 16" | 114.63 | +4<br>+30.88 | −2<br>+141.29 | +30.92 | +141.27 | 1 411.70 | 869.81 | 2 |
| 3 | 167° 21' 56" | −13" | 167° 21' 43" | 90° 18' 33" | 116.44 | +3<br>−0.63 | −2<br>+116.44 | −0.60 | +116.42 | 1 442.62 | 1 011.08 | 3 |
| 4 | 175° 31' 25" | −13" | 175° 31' 12" | 94° 47' 21" | 156.25 | +5<br>−13.05 | −3<br>+155.70 | −13.00 | +155.67 | 1 442.02 | 1 127.50 | 4 |
| C | 214° 09' 33" | −13" | 214° 09' 20" | 60° 38' 01" | | | | | | 1 429.02 | 1 283.17 | C |
| D | | | | | | | | | | | | D |
| Σ | 1 256° 07' 44" | −77" | 1 256° 06' 25" | | 641.44 | −108.03 | +445.74 | −107.84 | +445.63 | | | |

辅助计算：

$\alpha'_{CD}=\alpha_{AB}+6\times180°-\sum\beta_R=60°36'44''$

$\sum\Delta X_m=-108.03$、$\sum\Delta Y_m=+445.74$、$f_\beta=\alpha'_{CD}-\alpha_{CD}=+1'17''$

$X_C-X_B=-107.84$、$Y_C-Y_B=+445.63$、$f_{\beta P}=\pm60''\sqrt{6}=\pm147''$

$W_X=-0.19m$、$W_y=+0.11m$、$|f_\beta|<|f_{\beta P}|$、$f_D=\pm\sqrt{W_X^2+W_Y^2}=0.22m$

$W_K=\frac{0.22}{641.44}=\frac{1}{2900}<W_{KP}=\frac{1}{2000}$

# 第四节　GPS测量技术简介

### 5.4.1 概述

美国国防部于1973年批准建立新一代卫星导航系统——导航卫星定时测距全球定位系统(Navigation Timing and Ranging Global Positioning System),简称全球定位系统(GPS)。它是一种可以定时和测距的空间交会定点的导航系统,可向全球用户提供连续、实时、高精度的三维位置、三维速度和时间信息,为陆、海、空三军提供精密导航,还可用于情报搜集、核爆监测、应急通讯和卫星定位等一些军事目的。

GPS整个发展计划分三个阶段实施:即原理可行性验证阶段(1974～1978年);系统的研制与试验阶段(1979～1987年);最后的工程发展与完成阶段(1988～1993年)。整个计划耗资巨大(200亿美元以上),这是继阿波罗计划、航天飞机计划之后的又一庞大的空间计划。

另外,苏联自1978年10月开始,发射自己的全球导航卫星系统(GLONASS)试验卫星,计划在20世纪90年代中期建成GLONASS工作卫星。星座由21颗工作卫星和3颗在轨备用卫星组成,均匀分布在三个轨道平面上。欧洲空间局(ESA)正在筹建民用导航卫星系统,包括在赤道平面上的6颗同步卫星(GEO)和12颗高椭圆轨道(HEO)卫星的混合卫星星座。我国也已建成双星定位系统,由2颗同步卫星确定平面位置的导航系统。

全球定位系统(GPS)是借助分布在空中的多个GPS卫星确定地面点位置的一种新型定位系统。GPS定位具有全天候、高精度、定位速度快、布点灵活和操作方便等特点。因此,GPS技术在测量学、导航学及其相关学科领域获得了极其广泛的应用。目前,测量学中经典的平面控制测量,正逐步被GPS测量技术所代替。

### 5.4.2 GPS相对于经典测量技术的特点

1.观测站之间无须通视。既要保证良好的通视条件,又要保证测量控制网的良好结构,一直是经典测量技术在实践方面的困难问题之一。而GPS测量不要求观测站之间相互通视,因而不再需要建造觇标。这一优点可大大减少测量工作的经费和时间(一般造标费用约占经费的30%～50%),同时也使点位的选择变得甚为灵活。

不过应指出,GPS测量虽不要求观测站之间相互通视,但必须保持观测站的上空开阔,以便接收GPS卫星的信号不受干扰。

2.定位精度高。大量的实验表明,在小于50km的基线上,其相对定位精度可达$1\times10^{-6}$～$2\times10^{-6}$,而在100km～500km的基线上可达$10^{-6}$～$10^{-7}$。随着观测技术与数据处理方法的改善,在大于1000km的距离上,相对定位精度可达到或优于$10^{-8}$。

3.观测时间短。用GPS接收机作静态相对定位(边长小于20km)时,采集数据时间在1h左右,即可获得较好的基线向量。如果采用快速定位软件,对于双频接收机,仅需采集5min左右;对于单频接收机,只要能观测到5颗卫星,也仅需采集15min左右,便可达到上述同样的精度,作业进度更快。

4.可提供三维坐标。传统大地测量将平面坐标和高程采用不同的方法分别施测，GPS卫星定位可同时精确测定点的三维坐标(X，Y，H)。

5.操作简单。随着接收机的不断改进，自动化程度越来越高，使观测、记录和计算变得轻松愉快。

6.全天候作业。目前GPS观测可在一天内的任何时间进行，不受天黑、大雾、风、雨、雪等气候的影响。

### 5.4.3 GPS定位原理

无线电导航定位系统和卫星测距系统均是利用测距交会的原理确定点位的。就无线电导航定位来说，设想在地面上有三个无线电发设台，其坐标为已知，用户接收机在某个时刻采用无线电测距的方法分别获得了接收机至三个发射台的距离为$d_1$、$d_2$、$d_3$。只需要以3个发射台为核心，以$d_1$、$d_2$、$d_3$为半径作出3个定位球面，即可交会出用户接收机的空间位置。

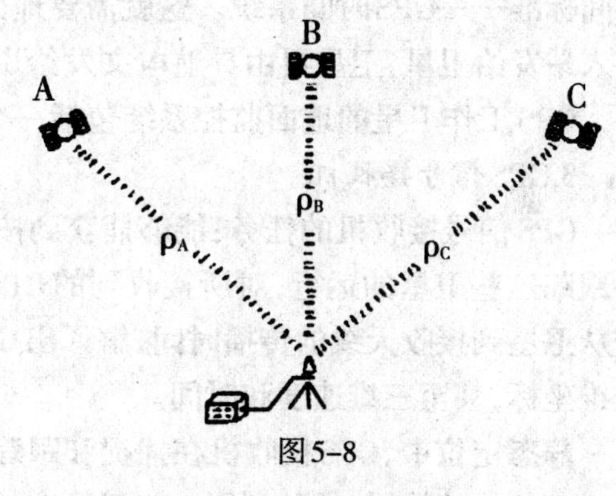

图5-8

将无线电信号发射台从地面点搬到卫星上，组成一个卫星导航定位系统，应用无线电测距交会的原理便可由三个以上地面已知点(控制点)交会出卫星的位置；反之，利用三个以上卫星的已知空间位置又可交会出地面未知点(用户接收机)的位置，如图5-8所示。

### 5.4.4 GPS系统的组成

GPS系统由3大部分组成：空间部分——GPS卫星星座；地面控制部分——地面监控系统；用户设备部分——GPS信号接收机，如图5-9所示。

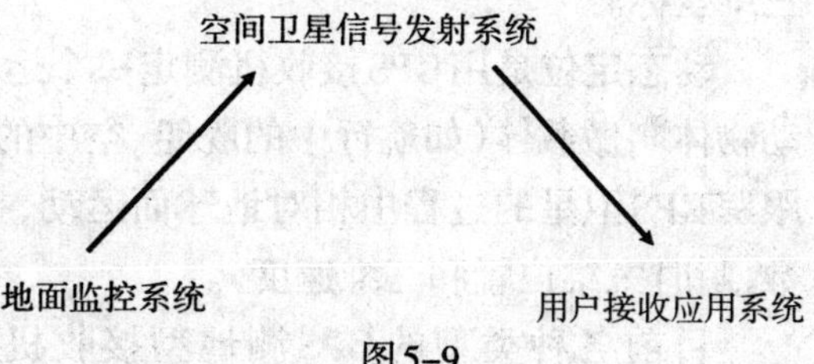

图5-9

1.GPS卫星星座

GPS卫星星座见图5-10，其基本参数是：卫星颗数21+3，卫星轨道面个数为6，卫星高度为20200km，轨道倾角为55°，卫星运行周期为11h58min(恒星时12h)，载波频率为1575.42MHZ和1227.60MHZ。卫星通过天顶时，卫星可见时间为5h，在地球表面上任何地点任何时刻，在高度角15°以上平均可同时观测到6颗卫星，最多可达9颗卫星。

在GPS系统中，GPS卫星的作用主要是：

(1)用L波段的两个无线电波(19cm和24cm波)向广大用户连续不断地发送导航定位信号。每个载波用导航信息D(t)和伪随机码(PRN)测距信号进行双向调制。用于捕捉信号及粗略定位的伪随机码叫C/A码(又叫S码)，精密测距码(用于精密定位)叫P码，由

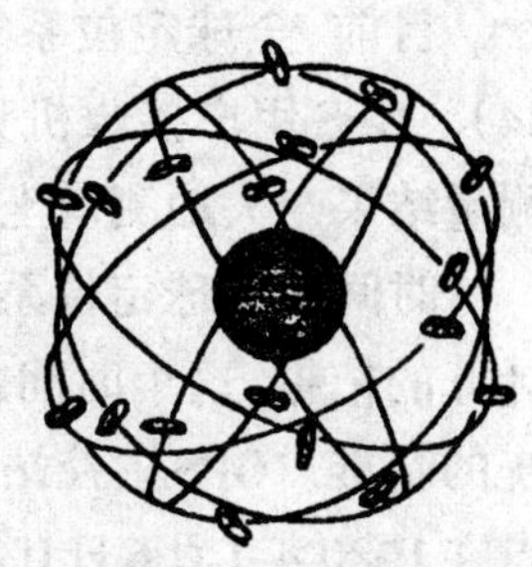
图5-10　卫星星座

导航电文可以知道该卫星当前的位置和卫星的工作情况。

(2)在卫星飞越注入站上空时,接收由地面诸如占用S波段(10cm波段)向卫星发送导航电文和其他有关信息,并通过GPS信号电路,适时地发送给广大用户。

(3)接收地面主控站通过注入站发送到卫星的调度命令,适时地改正运行偏差或启用备用时钟等。

2.地面监控系统

对于导航定位来说,GPS卫星是一动态已知点。卫星的位置是依据卫星发射的星历——描述卫星运动及其轨道的参数算得的。每颗GPS卫星所播发的星历,是由地面监控系统提供的。卫星上的各种设备是否正常工作,以及卫星是否一直沿着预定轨道运行,都要由地面监控设备进行检测和控制。地面监控系统的另一重要作用是保持各颗卫星处于同一时间标准——GPS时间系统。这就需要地面站检测各颗卫星的时间,求出钟差,然后由地面注入站发给卫星,卫星再由导航电文发给用户设备。

GPS工作卫星的地面监控系统包括一个主控站、三个注入站和五个监测站。

3.GPS信号接收机

GPS信号接收机的任务:能够捕获到按一定卫星高度截止角所选择的待测卫星的信号,并跟踪这些卫星的运行,对所接收到的GPS信号进行变换、放大和处理,以便测量出GPS信号从卫星到接收天线的传播时间,解译出GPS卫星所发送的导航电文,实时地计算出测站的三维坐标,甚至三维速度和时间。

静态定位中,GPS接收机在捕捉和跟踪GPS卫星的过程中固定不变,接收机高精度地测量GPS信号的传播时间,利用GPS卫星在轨道上的已知位置,解算出接收天线所在的位置的三维坐标。

动态定位是用GPS接收机测定一个运动物体的运行轨迹。GPS信号接收机所位于的运动物体叫做载体(如航行中的舰船、空中的飞机、行走的车辆等),载体上的GPS接收天线在跟踪GPS卫星的过程中相对地球而运动,接收机用GPS信号实时地测得运动载体的状态参数(瞬时三维位置和三维速度)。

目前各种类型的GPS测地型接收机用于精密相对定位时,其双频接收机精度可达$5mm+1\times10^{-6}\cdot D$,单频接收机在一定距离内精度可达$10mm+2\times10^{-6}\cdot D$。用于差分定位其精度可达亚米级至厘米级。GPS接收机体积越来越小,重量越来越轻,野外观测方便易行。

### 5.4.5 GPS定位的坐标系统与时间系统

目前,全球定位系统使用的是新的地心地固坐标系——1984世界大地坐标系(WGS—84)。GPS用户接收机直接得到的坐标值是以WGS—84坐标系统为基准的,当需要将GPS测量结果与大地测量坐标建立联系和比较时,必须进行坐标的转换。

时间是全球定位系统的基本观测量之一。GPS采用一个独立的时间系统作为导航定位计算的依据,这个时间系统称为GPS时间系统,简称GPST。它以原子频率标准作为时间系统的基准。GPS主控站的原子钟定期调整,使之与协调世界时(UTC)同步,并且规定它的起点在1980年1月6日UTC的零时。

### 5.4.6 GPS控制网的建立

应用GPS卫星定位技术建立控制网具有很多优越性，目前已经在很大程度上取代了常规测量方法。应用GPS卫星定位技术建立控制网的主要特点是：

1.采用相对定位方法，即若干台GPS接收机同步观测，确定各点之间的相对位置，并采用载波相对测量，从而得到高精度的测量结果。

2.GPS测量技术不要求各点之间相互通视，使得控制网点的点位选定灵活方便。

3.GPS测量可以全天候进行，不论白天、黑夜或晴天、雨天，均能正常工作，使得测量工作更具有计划性。

4.观测时间短。当测站之间距离小于30km时，同步观测1h～2h便可得到较好的观测成果；当测站之间的距离小于10km时，还可采用快速定位方法，观测时间可以缩短为10min～20min，甚至更短。

5.GPS测量的观测数据是自动记录的，GPS基线向量的计算和GPS网的平差计算的自动化程度很高。

### 5.4.7 GPS测量实施

GPS测量工作包括外业和内业两大部分。其中，外业工作主要包括选点、建立测站标志、进行野外数据采集以及成果质量的检核等，内业工作主要包括技术设计、数据处理和技术总结等。

1.作业程序

GPS测量的程序根据具体任务及选用的仪器不同而有所不同。图5-11是使用南方测绘仪器公司的NGS-200接收机进行工程控制网测量的一般作业流程。

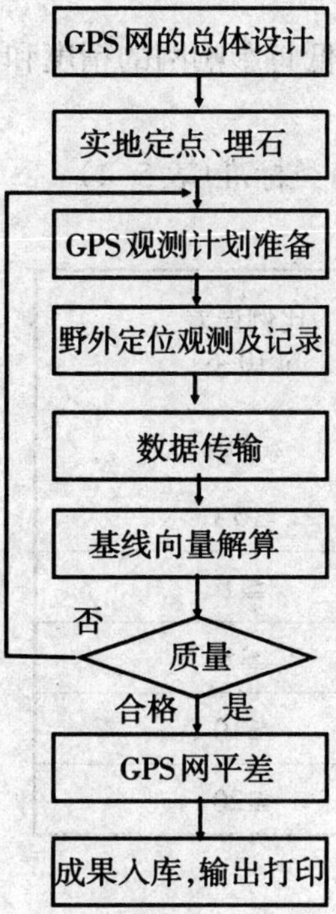

GPS网的总体设计
实地定点、埋石
GPS观测计划准备
野外定位观测及记录
数据传输
基线向量解算
否
质量
合格
是
GPS网平差
成果入库，输出打印
图5-11

2.作业模式

GPS测量的作业模式是指利用GPS定位技术，确定观测站之间相对位置所采用的作业方式，它主要由GPS接收设备的软件和硬件来决定，不同的作业模式其作业方法和观测时间也不同。因此也有不同的应用范围。目前主要采用以下三种作业模式：

（1）静态相对定位模式（图5-12）

这种模式是采用两台（或两台以上）接收机分别安置在基线两端，同步观测4颗以上卫星，一般40分钟或数小时。这种模式可达到标称精度，适合于建立精密等级控制网或工程控制网。

K003
K002
GP03
GP02
GP01
GP04
B022
B023
静态相对定位
图5-12

（2）快速动态定位模式（图5-13）

这种模式是将一台接收机安在

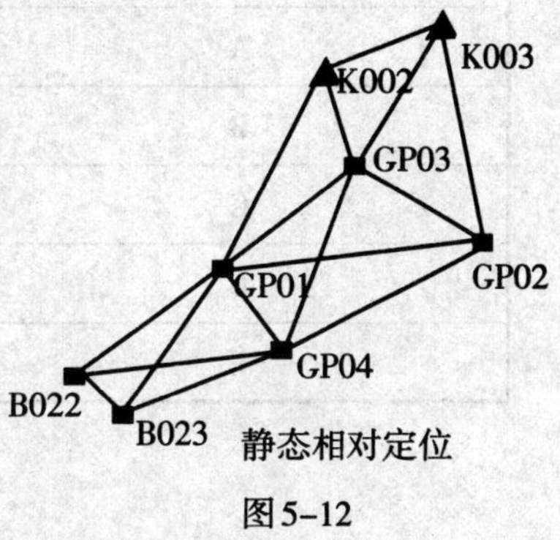

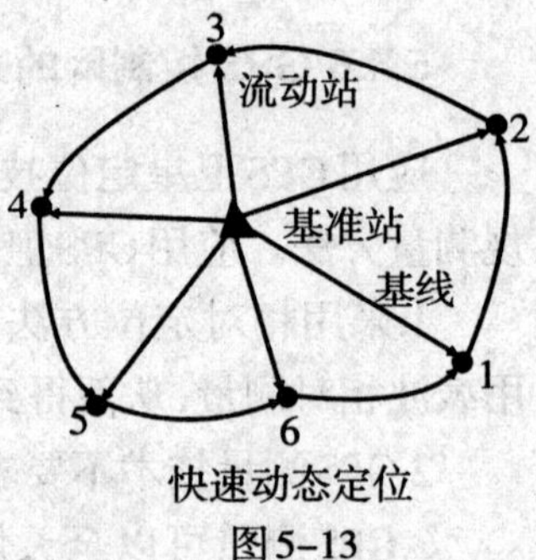

快速动态定位

图5-13

测区中部的一个基准站上，跟踪所有可见卫星，另一台接收机依次在各流动站上静止观测数分钟，这种模式精度较低，适用于勘界测量、碎部测量等。

(3)实时差分动态定位模式(RTK)(图5-14)

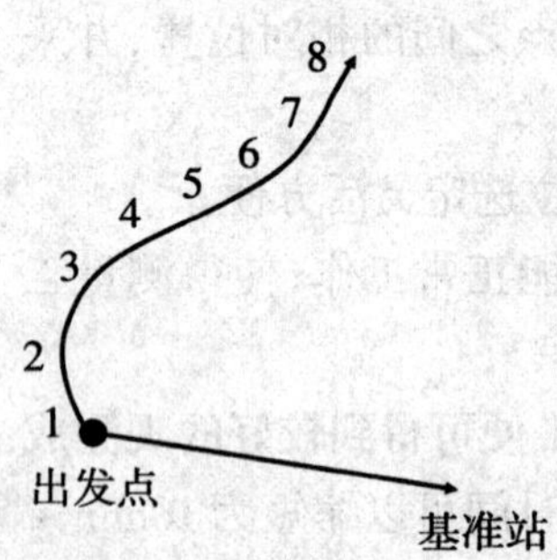

实时差分动态定位

图5-14

这种模式是将一台双频接收机安在测区的一个基准站上，跟踪所有可见卫星，并将其观测数据，通过无线电传输设备实时地发送给流动站接收机，流动站接收机在接收GPS信号的同时，也接收基准站发来观测数据，通过软件实时地解算出各流动站的三维坐标和精度。这种模式可达厘米级的精度。

3.GPS测量技术设计

在GPS测量之前，必须进行技术设计，以得到最优的布测方案。GPS网的布设应结合其目的、要求的精度、卫星状况、接收机类型和数量、测区已有资料、测区地形和交通状况以及作业效率综合考虑，按优化设计原则进行。

(1)基准设计

所谓基准设计就是确定GPS成果所采用的坐标系统和起算数据。确定坐标系统就是为了实现与GPS系统的WGS-84坐标系的坐标转换。而起算数据决定了GPS网的位置和起算点的精度。所以在基准设计时，要了解所采用坐标系的参考椭球参数、中央子午线经度、纵横加常数、起算点坐标、坐标系的投影面高程及测区平均高程异常值。

(2)精度设计

精度设计的目的就是为GPS网确定合理的精度等级。精度等级过低将影响网的精度和今后的使用，精度等级过高将提高观测的成本。

根据2001年国家颁布的GPS测量规范，GPS相对定位精度分以下6类标准(表5-4)

**表5-4**

| 测量分级 | 固定误差<br>$a$(mm) | 比例误差<br>b(10-6) |
|---|---|---|
| AA | ≦3 | ≦0.01 |
| A | ≦5 | ≦0.1 |
| B | ≦8 | ≦1 |
| C | ≦10 | ≦5 |
| D | ≦10 | ≦10 |
| E | ≦10 | ≦20 |

表5-5

| 项目 | AA | A | B | C | D | E |
|---|---|---|---|---|---|---|
| 相邻点最小距 | 300 | 100 | 15 | 5 | 2 | 1 |
| 相邻点最大距 | 2000 | 1000 | 250 | 40 | 15 | 10 |
| 相邻点平均距 | 1000 | 300 | 70 | 15~10 | 10~5 | 5~2 |

表中各级GPS网相邻点间的基线长度精度用下式表示：

$$\sigma=\sqrt{a^2+(b\cdot d\cdot 10^{-6})^2} \tag{5-22}$$

式中　$\sigma$—标准差(mm)；

$a$—固定误差(mm)；

$b$—比例误差系数；

$d$—相邻点间的距离(mm)。

(3)网形设计

网形设计就是布设适当的控制网，既能满足精度要求，又便于工程的需要，同时顾及实地条件以及观测成本。

布网时尽可能采用独立观测边构成闭合图形，要和一定数量的已知点联测，观测点要视野开阔以便能捕获足够数量的卫星信号。

网的形式可采用三角形网、导线形网、星形网、三角锁形网及混合网。

根据规范要求，对于各种等级的GPS网，基线距离的选择必须满足(表5-5)的要求。相邻点最小距离可为平均距离的1/3～1/2；最大距离可为平均距离的2～3倍。

4.野外观测

(1)外业准备工作

外业准备工作包括收集有关资料、拟定作业计划、组织人员、准备仪器设备、编写技术设计书以及后勤保障等。

(2)踏勘、选点、埋石

踏勘选点和技术设计联系在一起，根据技术设计要求，在踏勘的基础上，选择合适的点位，选择的点应满足以下要求：

①点位要易于安放仪器，视野开阔，15°截止角以上的空间不应有障碍物。

②周围没有反射面，如大面积水域或对电磁波反射强烈的物体。

③附近没有强的电磁辐射源，如高压线、输电线、电台等。

④点位最好选在交通便利的地方，以利于其他测量手段联测和扩展。

⑤地面基础稳固，点位易于保存。

对于等级控制点，要根据规范要求埋设具有中心标志的标石，并做好点标志，一般的控制网可采用普通的标石或在岩层、建筑物上做标记。

(3)野外观测步骤

① 安置天线。天线安置是GPS精密测量的重要保证,要仔细对中、整平、量取仪器高。仪器高要用钢尺在互为120°方向量三次,互差小于3mm,取平均值后输入GPS接收机。

② 安置GPS接收机。GPS接收机应安置在距天线不远的安全处,连接天线及电源电缆,并确保无误。

③ 按规定时间打开GPS接收机,输入测站名、卫星截止高度角、卫星信号采样间隔等。详细情况可见仪器操作手册。

④ 一个时段测量结束后要查看仪器高和测站名是否输入,确保无误再关机、关电源。

⑤ 外业观测成果经检核无误后,便可进行数据处理。

5.内业数据处理

(1)GPS测量的数据处理。其基本内容:观测值的粗加工;预处理;基线向量解算以及GPS基线向量网与地面网数据的综合处理等。

(2)建立GPS控制网的技术总结。GPS控制网的外业工作和数据处理工作结束后,应及时编写技术总结。技术总结一般应包括以下内容:

①测区范围与位置,自然地理条件,气候特点,交通及电讯、电源等情况;

②任务来源,测区已有测量情况,项目名称,施测目的和基本精度要求;

③施测单位,施测起讫时间,技术依据,作业人员情况等;

④接收机设备类型、数量及检验情况;

⑤选点情况和评价,埋石情况;

⑥观测方法及补测、重测情况,以及野外作业发生的问题说明;

⑦野外数据检核情况和分析;

⑧起算数据和坐标系统说明;

⑨GPS网平差方法和软件情况,精度分析;

⑩各种附表和附图;

⑪需要说明的其他问题。

## 第五节 经纬仪交会法

在地形测图和工程测量中,经纬仪交会法也是加密控制点的一种常用方法。该法不需要测量边长,而是先根据几个已知的高级控制点与加密点构成交会图形,然后观测角度,最后计算加密点坐标,故又称为测角交会。如果只测量边长(用测距仪测边),称为测边交会法。

由于测角交会法计算简便、经济适用、布设灵活,故被广泛采用。根据布设形式的不同,可分为前方交会法、侧方交会法和后方交会法。

### 5.5.1 前方交会法

前方交会法是采用经纬仪在已知点A、B上分别向新点P观测水平角α和β(如图5-15所示),从而可以计算P点的坐标。但是为了检核,有时从三个已知点A、B、C上分别向新点P

进行角度观测(图5-16),由两个三角形分别解算P点的坐标。同时为了提高交会点的精度,选择P点时,应尽可能使交会角γ接近于90°,并保证30°≤γ≤150°。

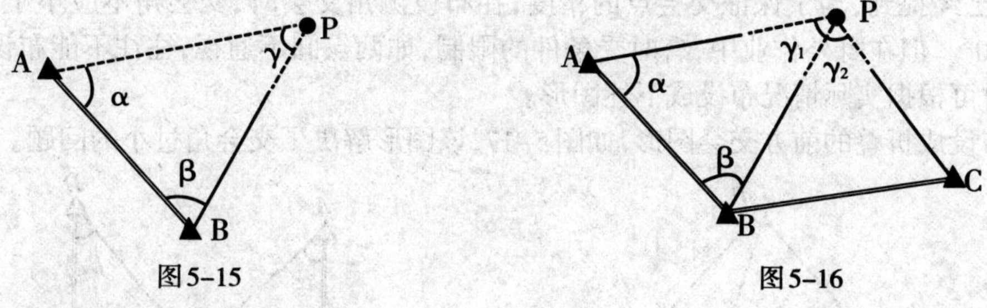


图5-15　　　　图5-16

1.前方交会法的计算方法

设已知点A、B的坐标分别为($x_A,y_A$)、($x_B,y_B$),待定点P的坐标为($x_P,y_P$)。则由坐标正算公式可得P点坐标为:

$$x_P=x_A+S_{AP}\cos\alpha_{Ap}$$

$$y_P=y_A+S_{AP}\sin\alpha_{AP}$$

将$\alpha_{AP}=\alpha_{AB}-\alpha$代入上式,并考虑:

$$\cos\alpha_{AB}=\frac{x_B-x_A}{S_{AB}},\ \sin\alpha_{AB}=\frac{y_B-y_A}{S_{AB}}$$

则有:

$$x_P-x_A=S_{AP}\frac{\sin\alpha}{S_{AB}}\{(x_B-x_A)\cot\alpha+(y_B-y_A)\}$$

$$y_P-y_A=S_{AP}\frac{\sin\alpha}{S_{AB}}\{(y_B-y_A)\cot\alpha-(x_B-x_A)\}$$

由正弦定理得:

$$\frac{S_{AP}}{S_{AB}}=\frac{sin\beta}{sin(\alpha+\beta)}$$

则

$$\frac{S_{AP}sin\alpha}{S_{AB}}=\frac{sin\alpha sin\beta}{sin(\alpha+\beta)}=\frac{1}{cot\alpha+cot\beta}$$

故

$$x_P-x_A=\frac{(x_B-x_A)\cot\alpha+(y_B-y_A)}{cot\alpha+cot\beta}$$

$$y_P-y_A=\frac{(y_B-y_A)\cot\alpha+(x_B-x_A)}{cot\alpha+cot\beta}$$

移项化简即得

$$x_P=\frac{x_A\cot\beta+x_B\cot\alpha-y_A+y_B}{cot\alpha+cot\beta}$$

$$y_P=\frac{y_A\cot\beta+y_B\cot\alpha-x_B+x_A}{cot\alpha+cot\beta} \tag{5-23}$$

以上公式称为前方交会法的余切公式,同样适用于侧方交会、后方交会以及其他类似的解算。但值得注意的是,式中A、B、C三点在图形中是按逆时针编号的,所以计算实测图形时，点名及角名的排列也要保持这种格局。

2.前方交会的特殊图形

前面已经提到，为了保证交会点的精度，在布设测角交会时，交会角不应小于30°且不应大于150°。但在野外作业中，有时受条件的限制，如两点间不通视，往往不能布设成标准图形，这时可根据实际情况布设成下述图形。

(1)布设成折叠的前方交会图形，如图5-17，该图形解决了交会角过小的问题。

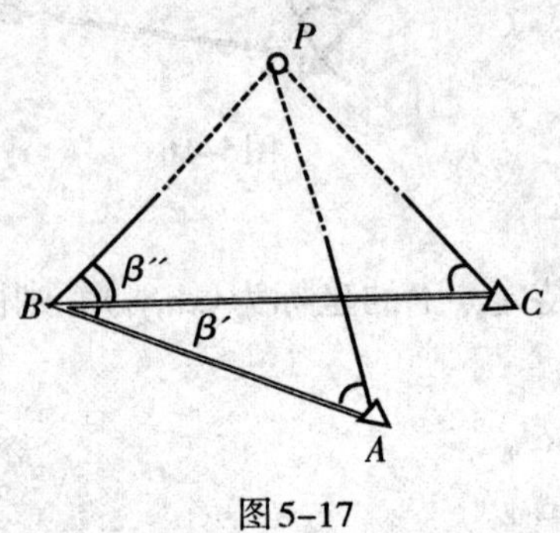


图5-17

图5-18

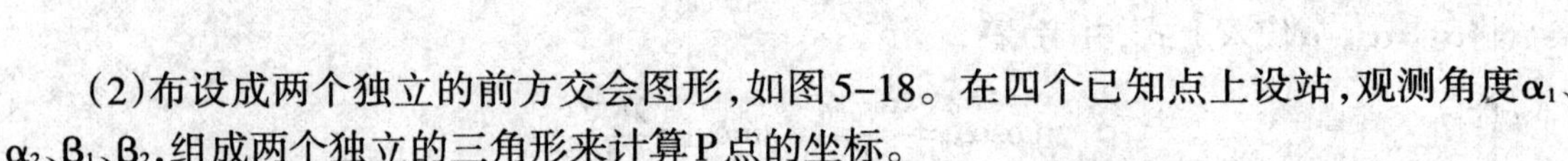

(2)布设成两个独立的前方交会图形，如图5-18。在四个已知点上设站，观测角度$\alpha_1$、$\alpha_2$、$\beta_1$、$\beta_2$，组成两个独立的三角形来计算P点的坐标。

### 5.5.2 侧方交会

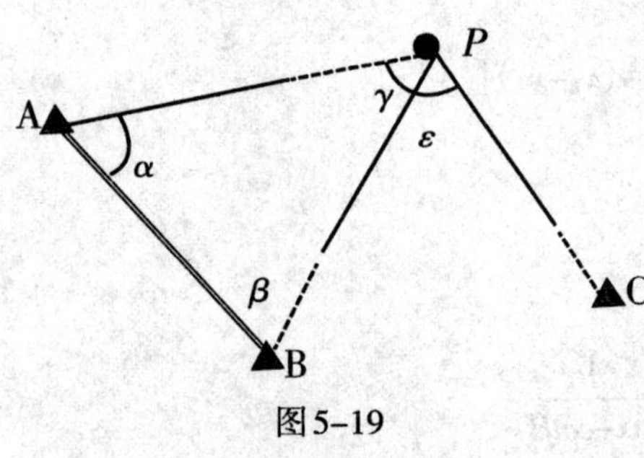


图5-19

此法实质上与前方交会法相同，也是利用两个高级控制点测定另一未知点的坐标。如图5-19所示，A、B为已知点，P为未知点。如果两已知点A、B中有一点B在高山上，或者在河的另一边，这时若仍用前方交会法，将仪器安置在已知点上测水平角，会花费很多时间，增加工作量。为此，可在一已知点A和未知点P上安置仪器，观测角α、γ，通过计算求得P点坐标，该方法就称为侧方交会法。

注意，在计算P点坐标时，先求出角β，$\beta=180°-\gamma-\alpha$，这样就和前方交会的情形一样了。于是可以用前方交会的计算公式进行计算。

为了便于检核测量精度，仪器在P点时，除了观测角γ外，还要瞄准第三个已知点C，观测角ε作为检核，因此ε也称为检验角。检核计算如下：

求得P点坐标后，根据B、C、P三点的坐标，反算得坐标方位角$\alpha_{PB}$、$\alpha_{PC}$及$S_{PC}$距离，由图5-19可知：

$$\varepsilon_{观}=\varepsilon_{算}=\alpha_{PB}-\alpha_{PC} \tag{5-24}$$

但观测含有误差，所以$\varepsilon_{观}$和$\varepsilon_{算}$二者不相等，存在一差值，即$\Delta\varepsilon=\varepsilon_{算}-\varepsilon_{观}$。若$\Delta\varepsilon$在限值以内，则坐标计算结果认为合格。

规范规定 $\Delta\varepsilon\leqslant\dfrac{M\rho}{5000S_{PC}}$

式中 $M$——测图比例尺的分母；

$\rho$——206265″；

$S_{PC}$——由P、C点坐标反算之边长。

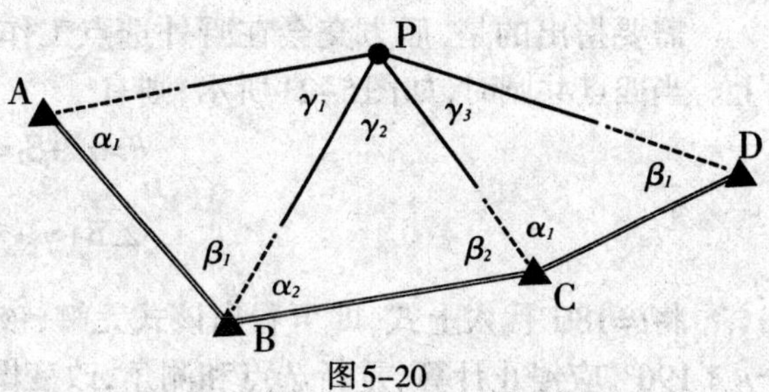

图5-20

### 5.5.3 后方交会

当测区内的高级控制点较多时，可以采用后方交会法加密控制点。其优点是只在待定点上设站观测，随选随测，外业工作十分方便。后方交会的计算方法很多，下面介绍一种较为简单的方法。

如图5-20所示，为了提高后方交会的精度并进行检核计算，后方交会图形增加了一个已知点，所以多观测了一个角度。图中A、B、C、D为已知点，在待定点P观测了$\gamma_1$、$\gamma_2$和$\gamma_3$，如果能求出角度$\alpha_i$和$\beta_i$，就可以用余切公式分别求出三组P点坐标，最后取三组坐标的平均值为待定点P的最后坐标。计算步骤如下：

1.根据坐标反算公式计算AB、BC和CD的坐标方位角和边长；

2.计算$\alpha_i$和$\beta_i$，由图5-20可以看出

$$\angle B=\beta_1+\alpha_2=\alpha_{BC}-\alpha_{BA} \tag{5-25}$$

如果令
$$\theta=\alpha_1+\beta_2$$

则有
$$\theta=\alpha_1+\beta_2=360°-(\angle B+\gamma_1+\gamma_2) \tag{5-26}$$

在三角形APB和三角形BPC中，根据正弦定理可得

$$\cot\alpha_1=\frac{S_{AB}\sin\gamma_2}{S_{BC}\sin\gamma_1\sin\theta}+\cot\theta \tag{5-27}$$

等式右端各元素均为已知或计算得到，这样就可以解出$\alpha_1$角。

又因
$$\beta_2=\theta-\alpha_1 \tag{5-28}$$

即可求得$\beta_2$角。

由图可知，$\alpha_3$和$\beta_3$可由下式计算，即

$$\alpha_3=(\alpha_{CD}-\alpha_{CB})-\beta_2=\angle C-\beta_2 \tag{5-29}$$

$$\beta_3=180°-(\alpha_3+\gamma_3)$$

角度$\alpha_i$和$\beta_i$计算出来后，为了检查其正确性，可以用下式进行检核计算，即

$$\angle B=\beta_1+\alpha_2 \qquad \angle C=\beta_2+\alpha_3 \tag{5-30}$$

3.计算P点坐标。计算出的$\alpha_i$和$\beta_i$角，经检核计算正确无误后，方可根据它们已知点的坐标，用余切公式计算P点坐标。计算出的三组P点坐标，先用两组坐标相比较，符合要求，取其平均值与第三组坐标相比较，仍符合要求时，则取三组坐标的平均值作为待定点P的最后坐标。

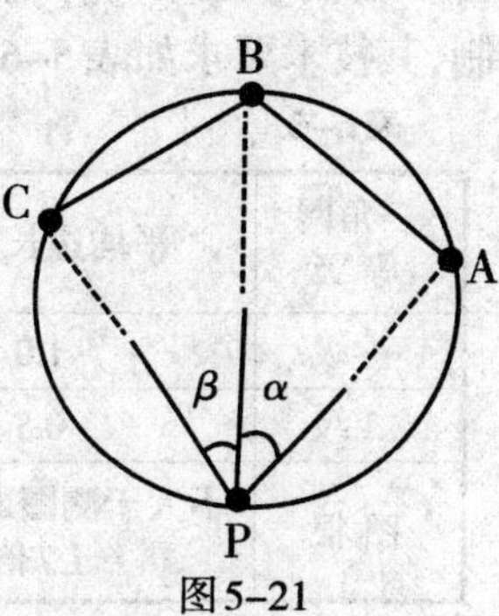

图5-21

需要指出的是，后方交会在野外选点工作中，应注意A、B、C、P四点不能选在一个圆周上。当四点共圆时，如图5-21所示，则有

$$\theta=\alpha_1+\beta_2=180° \tag{5-31}$$

$$\angle B+\gamma_1+\gamma_2=180° \tag{5-32}$$

将$\theta=180°$代入上式，即可看出该式无解，该圆称为危险圆。为此，如发现$170°<\angle B+\gamma_1+\gamma_2<190°$，应停止计算，重新选点和测角，改变图形，另行计算。

## 第六节　小三角测量

### 5.6.1 概述

所谓小三角测量，就是利用在国家控制网的基础上加密的精度较低、边长较短的局部三角网，计算时不考虑地球曲率的影响，按近似平差的方法处理观测成果的方法。

小三角测量与导线测量相比，优点是控制面积大，几何条件多，图形结构强，有利于检查角度测量质量，是山地、丘陵及通视条件较好的测区广泛采用的一种建网方法。

根据测区的地形条件、高级控制点的分布情况及工程的实际要求，小三角测量网可布设成线形锁、中点多边形、大地四边形等不同形式，如图5-22所示。

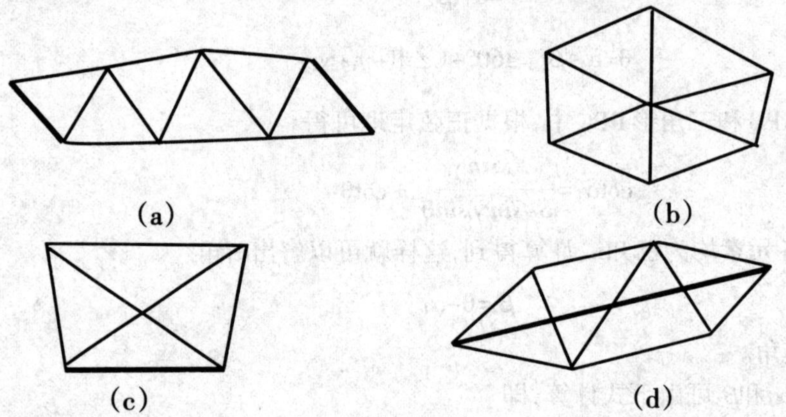


图5-22

小三角测量分成一级、二级和图根三个等级。一、二级小三角可作为国家控制网的加密。图根小三角可作为一、二级小三角的进一步加密，在小范围内也可作为测区的独立控制，其技术要求如表5-6所示：

**表5-6**

| 三角网等级 | 平均边长(km) | 测角中误差(″) | 三角形最大闭合差(″) | 起始边相对中误差 | 最弱边相对中误差 |
|---|---|---|---|---|---|
| 一级 | 1.0 | ±5 | ±15 | 1/40000 | 1/20000 |
| 二级 | 0.5 | ±10 | ±30 | 1/20000 | 1/10000 |
| 图根 | 不大于测图最大视距1.7倍 | ±20 | ±60 | 1/10000 | |

### 5.6.2 小三角测量的外业工作

小三角测量的外业工作包括踏勘选点、埋设标石和角度观测、基线丈量。

1.选点埋桩

选点前应先搜集测区内已有的地形图和控制点的成果资料。先在图上初步拟定布网方案，然后到现场踏勘、修定，最后确定点位。点位的确定既要考虑到三角测量的要求，又要照顾到测图的需要，故选点时应注意以下要求：

① 基线边应选在地势平坦、便于量距的地方(若用光电测距仪或全站仪，则不受限制)。

② 小三角点应选在土质坚实、视野开阔的高处，相邻三角点间应通视良好。

③ 三角形应尽量接近等边，在困难地形条件下，三角形的任一内角也不应大于120°或小于30°，以保证推算边长的精度。

小三角点选定后，应埋设标志。一、二级小三角点须埋设混凝土桩，图根点可以钉设木桩。为便于使用和寻找，三角点应编号及绘制“点之记”。

2.角度观测

角度观测是小三角外业测量中工作量最大的工作。当观测方向在三个及以上时，角度观测应采用方向观测法，但是，只有三个方向时可不归零。具体观测方法见第三章，观测的限差见表5-6和表5-7。

表5-7

| 项　目 | $J_2$ | $J_6$ |
|---|---|---|
| 半测回归零差 | 12″ | 18″ |
| 一测回中2C互差 | 18″ | 30″ |
| 同一方向值各测回互差 | 12″ | 24″ |

一个三角形的三内角之和与180°之差，称为三角形角度闭合差，即

$$\omega_i=(a_i+b_i+c_i)-180° \tag{5-33}$$

式中　$i=1,2,\cdots,n$为三角形序号。

表5-7中，测角中误差可按下式计算：

$$m_\rho=\pm\sqrt{\frac{[\omega\omega]}{3n}} \tag{5-34}$$

式中　$n$——三角形个数；

$\omega$——三角形角度闭合差。

测角照准用的标志，通常是用三根铅丝拉紧垂直立于测站上的花杆或细竹竿，如图5-23所示。

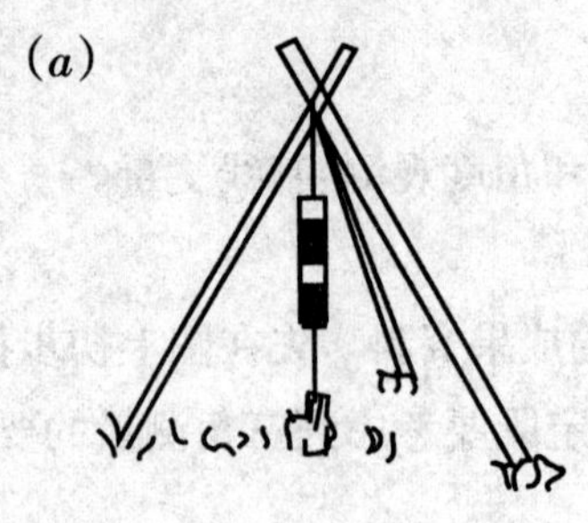


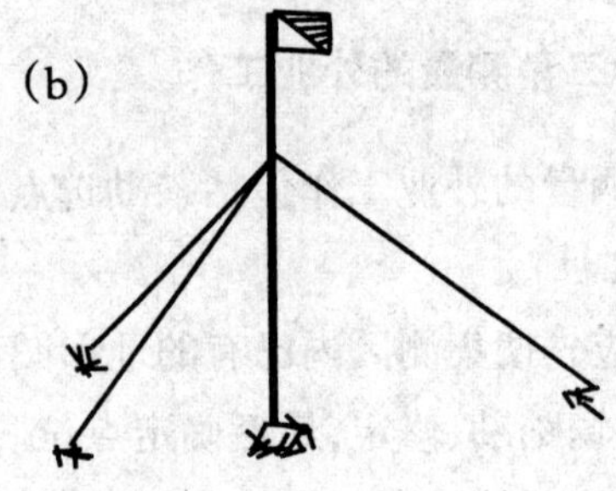


图5-23

3.基线丈量

基线是用来推算三角形边长的起算数据，因此要有较高的精度，各级小三角测量对起始边的精度要求见表5-6。

基线边的丈量，可以用检定过的钢尺采用精密丈量的方法往返测。在有条件时，最好用光电测距仪测量。

### 5.6.3 内业计算

1.小三角测量的内业计算包括外业资料的检核、三角网的平差、边长及三角点坐标的计算。由于三角网具有不同的形状，因而观测值就应满足不同的几何条件要求。但由于测量误差的存在，往往使这些条件不能满足，因而采用对观测角值进行改正的方法使几何条件满足，这种工作称为平差。平差工作分严密平差和近似平差，而小三角测量通常采用近似平差，下面以三角锁为例介绍近似平差方法。

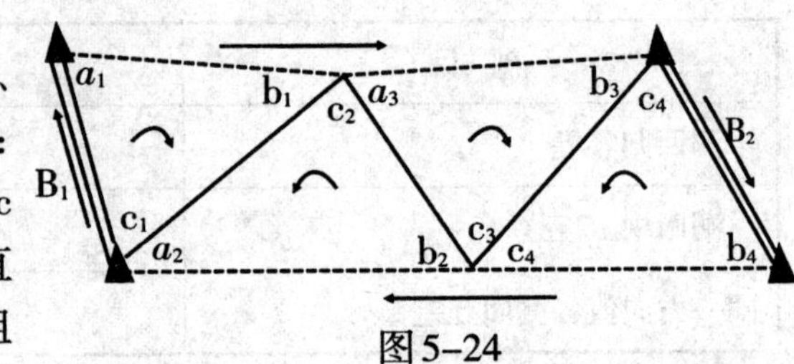


图5-24

图5-24为计算略图，$B_1$、$B_2$为基线边，$a$、b、c为观测角，在给角度编号时应遵照下述原则：$a$角对待求边，b角对已知边，$a$、b称传距角，c称间隔角。按这一原则编号，就可以方便地直接应用后面介绍的推算边长的正弦定律的组合公式。

2.应满足的几何条件及平差

(1)图形条件(又称内角和条件)。三角形的内角和应满足180°，但由于测量误差的存在，使观测角不满足图形条件，而产生角度闭合差，即

$$f_i=(a_i+b_i+c_i)-180° \tag{5-35}$$

式中　$i=1,2,\cdots,n$；$a_i$、$b_i$、$c_i$为观测值。

闭合差若在允许范围内，则按相反符号平均分配到三个角上，故各角的第一次改正数为

$$v_{ai}'=v_{bi}'=v_{ci}'=-\frac{f_i}{3} \tag{5-36}$$

改正后的角值为

$$a_i'=a_i+v_{ai}'$$

$$b_i'=b_i+v_{bi}'$$

$$c_i'=c_i+v_{ci}' \tag{5-37}$$

(2)基线条件。由基线边$B_1$用第一次改正后的传距角$a_i'$、$b_i'$，按正弦定律推算至终边$B_2'$。即

$$B_2'=B_1\frac{\sin a_1'\sin a_2'\cdots\sin a_n'}{\sin b_1'\sin b_2'\cdots\sin b_n'}=B_1\frac{\prod_{i=1}^{n}\sin a_i'}{\prod_{i=1}^{n}\sin b_i'} \tag{5-38}$$

若$B_2'\neq B_2$，则产生基线条件闭合差。为了满足基线条件，消除其闭合差，必须对$a_i'$、$b_i'$角再进行改正，设改正数分别为$v_{ai}''$、$v_{bi}''$。要求经第二次改正后的角应满足基线条件，而且使已满足的三角形内角和条件不被破坏，一般令$v_{ai}''$和$v_{bi}''$反号，经推算，各传距角的第二次改正值为：

$$v_{ai}''=-v_{bi}''=\frac{\frac{B_2-B_2'}{B_2'}\rho''}{\sum_1^n\cot a_i'+\sum_1^n\cot b_i'} \tag{5-39}$$

(3)平差后的角值。

将第一次改正后的角值再加上第二次改正数，即得改正后的各角平差角值。即

$$a_i''=a_i+v_{ai}'+v_{ai}''$$

$$b_i''=b_i+v_{bi}'+v_{bi}''$$

$$c_i''=c_i' \tag{5-40}$$

(4)边长及坐标的计算。

边长由已知基线边$B_1$开始，按正弦定律逐一推算，到终边时推算长度应与已知值$B_2$相等，这可以用来检核计算工作。

坐标计算时，可以把三角网当作闭合导线，来计算出各点的坐标。

# 第二部分　专业核心知识点

1. 导线的布设形式及外业测量方法；
2. 坐标正算和坐标反算；
3. 导线测量的内业计算方法；
4. 经纬仪交会及小三角测量方法；
5. GPS测量技术的特点。

# 第三部分　专业技能训练

## 技能一　经纬仪导线测量

1. 选点

根据选点注意事项，在测区内选定4～6个导线点组成闭合导线，在各导线点打下木桩，钉上小钉，绘出导线略图，如图5-25。

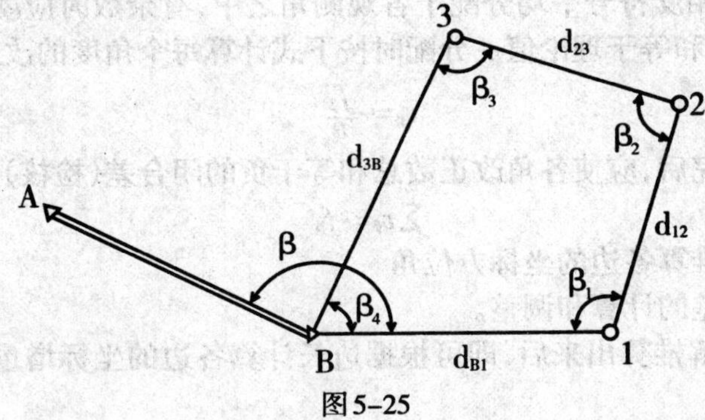


图5-25

2. 量距

用钢尺往、返丈量各导线边的边长（读至mm），若相对误差小于1/2000，则取其平均值。

3. 测角

采用经纬仪测回法观测闭合导线各转折角（内角），每角观测一个测回，若上、下半测回差不超±40″，则取平均值。

经纬仪导线外业记录手簿：

| 测点 | 盘位 | 目标 | 水平度盘读数<br>° ′ ″ | 水平角<br>半测回值<br>° ′ ″ | <br>一测回值<br>° ′ ″ | 示意图及边长 |
|---|---|---|---|---|---|---|
| | | | | | | 边长名：________<br>第一次=________m。<br>第二次=________m。<br>平　均=________m。 |
| | | | | | | |
| | | | | | | |
| | | | | | | |
| | | | | | | 边长名：________<br>第一次=________m。<br>第二次=________m。<br>平　均=________m。 |
| | | | | | | |
| | | | | | | |
| | | | | | | |
| | | | | | | 边长名：________<br>第一次=________m。<br>第二次=________m。<br>平　均=________m。 |
| | | | | | | |
| | | | | | | |
| | | | | | | |
| | | | | | | 边长名：________<br>第一次=________m。<br>第二次=________m。<br>平　均=________m。 |
| | | | | | | |
| | | | | | | |
| | | | | | | |
| 校核 | | 内角和闭合差$f$= | | | | |

**技能二　经纬仪导线内业计算**

1. 检查核对所有已知数据和外业数据资料。

2. 角度闭合差的计算和调整。

闭合导线实际上是一多边形，按几何原理，多边形的内角和应等于$(n-2)\cdot180°$，则其角度闭合差：

$$f_\beta=\sum\beta-(n-2)\cdot180°$$

角度闭合差的容许值$f_{\beta容}$不应超过下式规定：

$$f_{\beta容}=\pm40\sqrt{n}$$

3. 分配角度闭合差。

将角度闭合差以相反符号平均分配于各观测角之中，有余数时应凑整分配在短边邻角内，使改正后的角度之和等于理论值。分配时按下式计算每个角度的改正数，即

$$v_\beta=-\frac{f_\beta}{n}$$

角度闭合差分配完后，应使各角改正数总和等于负的闭合差（检核），即

$$\sum v_\beta=-f_\beta$$

以改正后的角值推算各边的坐标方位角。

4. 坐标增量闭合差的计算和调整。

各边的坐标方位解推算出来后，即可根据边长计算各边的坐标增量。则增量闭合差可用下式计算：

纵坐标增量闭合差：

$$f_X=\sum\triangle X_{测}$$

横坐标增量闭合差：

$$f_Y=\sum\triangle Y_{测}$$

导线全长绝对闭合差：

$$f=\sqrt{f_x^2+f_y^2}$$

导线全长相对闭合差：

$$K=\frac{f}{\sum D}$$

若$K<\frac{1}{2000}$，符合精度要求，可以平差。将$f_x$、$f_y$按符号相反，边长成正比例的原则分配给各边，余数分给长边。各边分配数如下：

$$V_{xi}=\frac{f_x}{\sum D}\cdot D_i$$

$$V_{yi}=\frac{f_y}{\sum D}\cdot D_i$$

分配后要符合：

$$\sum V_x=-f_x$$

$$\sum V_y=-f_y$$

5. 坐标计算。

根据已知起始点的坐标和改正后的坐标增量，可用下式推算出其他各点的坐标

$$x_{前}=x_{后}+\triangle x_{改}$$

$$y_{前}=y_{后}+\Delta y_{改}$$

由$X_A$、$Y_A$算起，应再算回$X_A$、$Y_A$，作为检核计算。

**技能三　全站仪导线测量**

1. 在实验区域内选取A、B、C、D四点，A、D通视，A、B、C相互通视，如图5-26，组成三角形，假设AD为已知方位边，A为已知点。

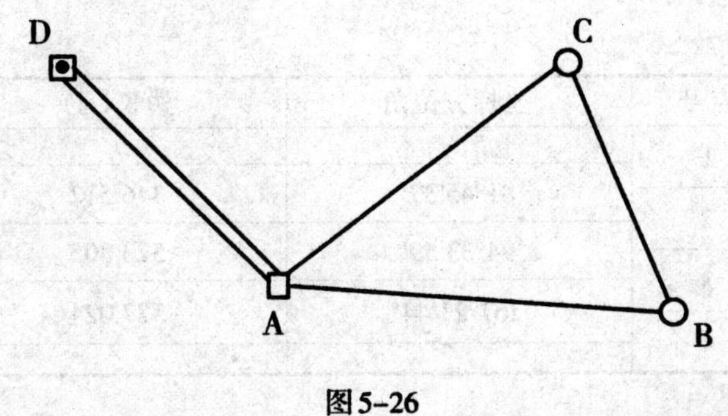


图5-26

2. 在A点架设全站仪，对中、整平后，量取仪器高，输入测站坐标、高程、仪器高。后视D点，设置后视已知方位角。

3. 依次观测C点、B点，输入各反光镜高，测量并记录其三维坐标及AB方位角。

4. 搬站至B点，以B为测站，以A为后视，观测C点，记录其三维坐标，注意各边高差应取对向观测高差的平均值，以消除球气差的影响。

5. 搬站至C点，以C为测站，以B为后视，观测A点，记录其三维坐标。

6. 计算坐标闭合差，评定导线精度。

全站仪导线测量记录手簿：

| 测站高i | 后视点号 | 后视方位角 ° ′ ″ | 测点号 | X坐标m | Y坐标m | 镜高$v$ m | 高差$h$ m | 高程$H$ m |
|---|---|---|---|---|---|---|---|---|
| A i= | D | 60 30 45 | | 1000.000 | 2000.000 | | | 78.375 |
| | | | B | | | | | |
| | | | C | | | | | |
| B | A | | | | | | | |
| | | | A | | | | | |
| | | | C | | | | | |
| C | B | | | | | | | |
| | | | B | | | | | |
| | | | A | | | | | |

## 复习题

1.什么叫控制点？什么叫控制测量？

2.试依据表5-8计算各边的坐标增量$\triangle X$和$\triangle Y$。

3.试根据表5-9数据计算12、34两条边的坐标方位角和边长。

4.经纬仪导线测量外业工作有哪几项？

**表5-8**

| 点号 | 坐标方位角 | 边长(m) |
|---|---|---|
| 1 | | |
| | 81°45'37" | 346.512 |
| 2 | | |
| | 94°33'59" | 523.805 |
| 3 | | |
| | 267°21'44" | 527.024 |
| 4 | | |

**表5-9**

| 点号 | X(m) | Y(m) |
|---|---|---|
| 1 | 9 821.071 | 4 293.387 |
| 2 | 9 590.933 | 4 043.074 |
| 3 | 9 187.419 | 2 642.792 |
| 4 | 9 310.541 | 2 931.040 |

5.按表5-10的数据，计算闭合导线各点的坐标值。已知$f_{\beta容}=\pm 40''\sqrt{n}$，$K_{容}=1/2000$。

**表5-10** 闭合导线坐标计算

| 点号 | 角度观测值（右角）° ′ ″ | 坐标方位角 ° ′ ″ | 边长(m) | 坐标 | |
|---|---|---|---|---|---|
| | | | | x(m) | y(m) |
| 1 | | | | 2000.00 | 2000.00 |
| | | 69 45 00 | 103.85 | | |
| 2 | 139 05 00 | | | | |
| | | | 114.57 | | |
| 3 | 94 15 54 | | | | |
| | | | 162.46 | | |
| 4 | 88 36 36 | | | | |
| | | | 133.54 | | |
| 5 | 122 39 30 | | | | |
| | | | 123.68 | | |
| 1 | 95 23 30 | | | | |

6.附合导线AB123CD中A、B、C、D为高级点，已知$\alpha_{AB}=48°48'48''$，$x_B=1438.38m$，$y_B=4973.66m$，$\alpha_{CD}=331°25'24''$，$x_C=1660.84m$，$y_C=5296.85m$；测得导线左角$\angle B=271°36'36''$，$\angle 1=94°18'18''$，$\angle 2=101°06'06''$，$\angle 3=267°24'24''$，$\angle C=88°12'12''$。测得导线边长：$D_{B1}=118.14m$，$D_{12}=172.36m$，$D_{23}=142.74m$，$D_{3C}=185.69m$。已知$f_{\beta容}=\pm 40''\sqrt{n}$，$K_{容}=1/2000$。计

算1、2、3点的坐标值。

7.已知 点高程 $H_A$ = 182.232m，在A点观测B点得竖直角为18°36′48"，量得A点仪器高为1.452m，B点棱镜高1.673m。在B点观测A点得竖直角为–18°34′42"，B点仪器高为1.466m，A点棱镜高为1.615m，已知 $D_{AB}$ = 486.751m，试求 $h_{AB}$ 和 $H_B$。

8.一附合水准路线，已知条件如下表5–11，计算高差改正数、改正后高差和高程。

**表5–11**

| 点号 | 路线长 $L$(km) | 观测高差 $h_i$(m) | 高差改正数 $v_{hi}$(m) | 改正后高差(m) | 高程 $H$(m) | 备注 |
|---|---|---|---|---|---|---|
| BM.A | | | | | 7.967 | 已知 |
| | 1.5 | +4.362 | | | | |
| 1 | | | | | | |
| | 0.6 | +2.413 | | | | |
| 2 | | | | | | |
| | 0.8 | –3.121 | | | | |
| 3 | | | | | | |
| | 1.0 | +1.263 | | | | |
| 4 | | | | | | |
| | 1.2 | +2.716 | | | | |
| 5 | | | | | | |
| | 1.6 | –3.715 | | | | |
| BM.B | | | | | 11.819 | 已知 |
| Σ | | | | | | |

$f_h = \sum h_{测} - (H_B - H_A) =$　　　　$f_{h容} = \pm 40\sqrt{L} =$

$V_{1km} = -\dfrac{f_h}{\sum L}$　　　　$\sum V_{hi} =$

9.在导线计算中，角度闭合差的调整原则是什么？坐标增量闭合差的调整原则是什么？

**讨论题**

1.图根控制测量中，导线布设的形式有哪几种？各适用于什么情况？选择导线点应注意哪些事项？

2.在经纬仪导线测量中，选择控制点时为什么相邻导线点间要互相通视？

3.坐标的正、反算指什么？

4.简要说明附合导线和闭合导线在内业计算上的不同点？

5.GPS全球定位系统由哪几部分组成？有什么优点？

6.交会定点有几种？什么是角度前方交会？交会角要在什么范围？

**思考题**

在经纬仪导线测量中，为什么相邻导线边长相差不易过大？

# 第六章 大比例尺地形图测绘

## 第一部分 系统理论知识

### 第一节 概述

#### 6.1.1 地形图概念

为了将地物、地貌绘到图上，理论上必须从地面各特征点向水准面作铅垂线，铅垂线与水准面的交点称为地面各特征点的垂直投影。因此，地形图是按一定的比例尺，用规定的符号和一定的表示方法表示地物、地貌平面位置和高程的正形投影图。若只表示地物，不表示地貌，且将水准面看作水平面进行正射投影的，称为平面图。

#### 6.1.2 测绘地形图的表示方法

地形图的测绘方法有常规法、航空摄影测图和数字测图等。

常规法：一般为手工测图和白纸测图。通常是先在图纸上绘制好坐标方格网和图廓线，能够根据方格网和控制点坐标，将控制点展绘到图纸上，然后以这些点为依据，在野外将地貌、地物特征点用仪器测绘在图纸上，并按测图比例尺和规定的符号绘制成图。对于小面积的大比例尺地形图测绘主要采用这种方法，如矿区生产和建设需要经常绘制大比例尺地形图。

航空摄影测图：航空摄影测量是利用航空摄影相片测绘地形图的一种方法。与手工常规测图相比，它不仅可将大量外业测量工作改到室内完成，还具有成图速度快、精度均匀、成本低、不受气候季节限制等优点。

数字测图系统：以计算机为核心，连接测量仪器的输入输出设备，在硬件、软件的支持下对地形空间数据进行采集、输入、编辑、成图、输出、绘图、管理的测绘系统。用全站仪在地面测站进行数字化测图，又称地面数字测图。由于用全站仪直接测定地物点和地形点的精度很高，所以，地面数字测图是几种数字测图方法中精度最高的一种，也是目前城市大比例尺地形图最主要的测图方法。

#### 6.1.3 地形图符号

地形是地物、地貌的总称，而地物、地貌的种类繁多，形状各异。因此，要将其准确、清晰地表示在图纸上，常用各种专用符号和注记来表示，为了在全国统一，由国家测绘部门制订并颁发了各种测图比例尺的《地形图图式》，以供测图和用图时使用。

《地形图图式》对这些符号作了统一规定。图示中规定的符号清晰、明确、便于描绘，容易记忆，又能科学地、形象地表示实物，它是测绘地形图的基本依据，又是识图和用图的重要工具。

1.地物符号

地表面上的固定物体，统称为地物。地物分为两类，一类为自然地物，如森林、湖泊等；另一类为人工形成的物体，如房屋、道路等。

地物符号一般分为比例符号、非比例符号、线状符号和注记四种。

(1)比例符号

有些地物的轮廓较大，如房屋、稻田和湖泊等，它们的形状和大小可以按测图比例尺缩小，并用规定的符号绘在图纸上，这种符号称为比例符号。

(2)非比例符号

有些地物，如三角点、水准点、独立树和里程碑等，轮廓较小，无法将其形状和大小按比例绘到图上，而该地物又很重要，必须表示出来，则可不考虑其实际大小，而采用规定的符号表示，这种符号称为非比例符号。非比例符号在地形图上的位置，必须与实物一致，而且符号的中心位置与该地物实地的中心位置关系，也随各种不同的地物而异，在地图图式上有如下规定：

| 非比例符号 | 纪念塔 | 烟囱 | 钻孔 | 通风井 |
|---|---|---|---|---|
| | 三角点 | 加油站 | 路标 | 窑洞 |

图6-1

①规则的几何图形符号(圆形、正方形、三角形等)，以图形几何中心点为实地地物的中心位置。

②底部为直角形的符号(独立树、路标等)，以符号的直角顶点为实地地物的中心位置。

③宽底符号(烟囱、岗亭等)，以符号底部中心为实地地物的中心位置。

④几种图形组合符号(路灯、消火栓等)，以符号下方图形的几何中心为实地地物的中心位置。

⑤下方无底线的符号(山洞、窑洞等)，以符号下方两端点连线的中心为实地地物的中心位置。各种符号均按直立方向描绘，即与南图廓垂直。

(3)线状符号(半依比例符号)

对于一些带状延伸地物，如道路、通讯线、管道等，其长度可按比例尺缩绘，而宽度无法按比例尺表示的符号称为线状符号，也叫半依比例符号。这种符号的中心线，即是实际地物的中心线。

(4)注记

有些地物除用相应的符号表示外,对于地物的名称和属性等还需配合一定的文字和数字加以说明,如地名、路名、单位名等。这种用文字、数字或特有符号对地物加以说明者,称为地物注记。

2.地貌符号——等高线

地貌是指地表面的高低起伏状态,它包括山地、丘陵和平原等。在图上表示地貌的方法很多,如等高线法、晕渲法、分层设色法等,在测量工作中最常用的是用等高线法表示。因为不仅能够反映地面的高低起伏,还能科学地表示地面坡度缓陡和地面高程。下面主要介绍等高线法。

(1)等高线的原理

等高线是地面上高程相等的相邻点依实地形状连接而成的连续闭合的曲线,也就是水平面(严格来说是水平面)与地面相截所形成的闭合曲线。

设想有一个山头被水淹了,如图6-2所示,开始时,该水平面的高程为75m,这时水平面和山头相交所形成的闭合曲线,就是一条高程为75m的等高线,即在这条曲线上的各点高程都是75m。如水位上涨了5m,这时水平面又和山头相交形成一条高程为80m的等高线。以此类推,水位每上涨5m,就在山头上留下一条等高线,从而得到一组高差为5m的等高线。然后再把这组等高线垂直投影到平面H上去,并按测图比例尺缩小绘在图纸上,就得到用等高线表示的地貌的地形图。

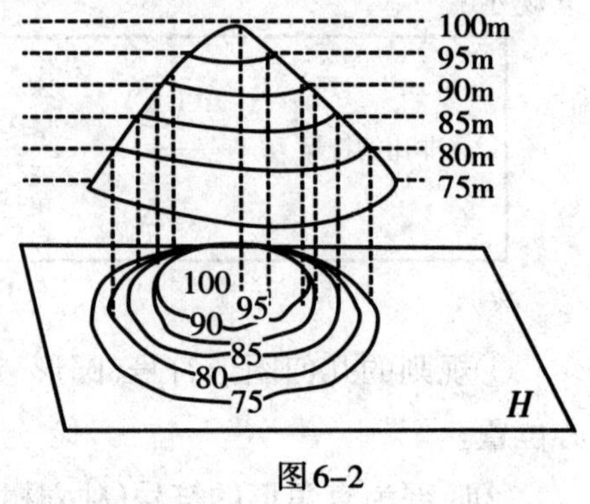

图6-2

(2)等高距和等高线平距

相邻等高线之间的高差称为等高距,常以h表示。它根据测图比例尺和地形的不同情况来决定(表6-1),等高距越小,表示地貌越详细,反之,表示地貌越粗略。同一幅地形图上,等高距是相同的。

表6-1

| 比例尺 | 地形类别 | | | |
|---|---|---|---|---|
| | 平地 | 山地 | 丘陵 | 高地 |
| 1:500 | 0.5 | 0.5或1.0 | 0.5 | 1.0 |
| 1:1000 | 0.5 | 1.0 | 0.5或1.0 | 1.0或2.0 |
| 1:2000 | 0.5或1.0 | 2.0 | 1.0 | 2.0 |

相邻等高线之间的水平距离称为等高线平距,常以$d$表示,其大小与坡度$i$有关。坡度、等高距、等高线平距三者之间的关系为:

$$i=\frac{h}{d} \tag{6-1}$$

即等高线平距越小,地面坡度就越大;平距越大,则坡度越小;坡度相同,平距相等。

(3)等高线分类

为了用图的方便,等高线按用途可分为四类:

①首曲线

在同一幅图上,按规定的等高距描绘的等高线称首曲线,也称基本等高线,它是宽度为0.15mm的细实线。

②计曲线

为了读图方便,每隔四条首曲线加粗描绘一根等高线,并注记高程,称为计曲线(或加粗等高线),计曲线用0.3mm粗实线绘出。

③间曲线

当首曲线不足以显示地貌的特征时,按二分之一基本等高距描绘的等高线称为间曲线,在图上用长虚线表示,称为半距等高线,也叫间曲线,间曲线用0.15mm的细长虚线表示。

④助曲线

有时为显示局部地貌的需要,可以按四分之一基本等高距描绘的等高线,称为助曲线,或辅助等高线,助曲线用0.15mm的细短虚线表示。

(4)典型地貌等高线

①山丘和洼地(盆地)

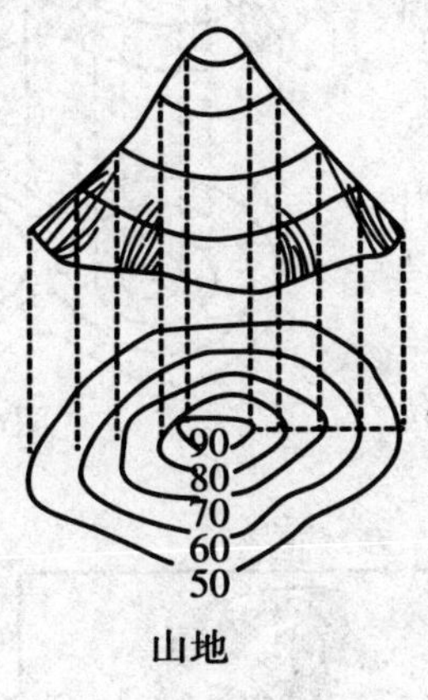

山地

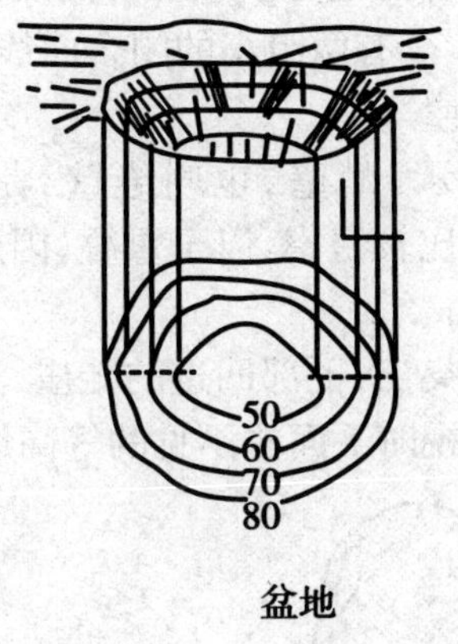

盆地

图6–3

如图6–3所示,山丘和洼地的等高线都是一组闭合的曲线,但山丘的等高线由里向外逐渐降低,而洼地的等高线由里向外逐渐升高。

此外,还可根据示坡线来区别山丘和洼地。示坡线是垂直于等高线的短线,用以指示坡度下降的方向。示坡线从内圈指向外圈,说明中间高,四周低,为山丘。示坡线从外圈指向内圈,说明四周高,中间低,故为洼地。

②山脊和山谷

如图6–4所示,山脊是沿着一个方向延伸的高地。山脊的最高点的连线称为山脊线,也叫分水线(因山脊附近的雨水以山脊线为分界线,分别流向山脊的两侧,所以山脊线又称分水线)。山脊等高线表现为一组凸向低处的曲线。

山谷是沿着一个方向延伸的洼地,位于两山脊之间。贯穿山谷最低点的连线称为山谷线,也叫合水线(在山谷中,雨水由两侧山坡流向谷底,向山谷线汇集,所以山谷线又称合水线)。山谷等高线表现为一组凸向高处的曲线。

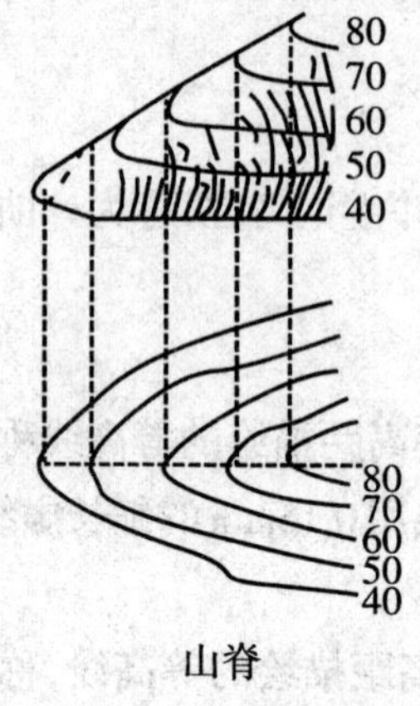


山脊

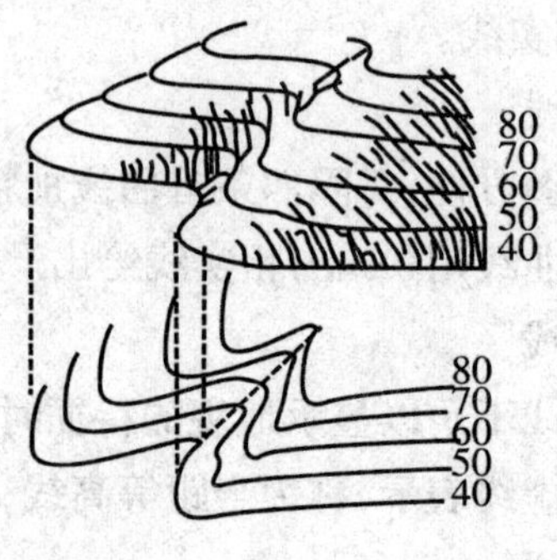


山谷

图6-4

③鞍部

如图6-5所示,鞍部是相邻两山头之间呈马鞍形的低凹部位,鞍部往往是山区道路通过的地方,也是两个山脊与两个山谷会合的地方。鞍部等高线的特点是在一圈大的闭合曲线内,套有两组小的闭合曲线。

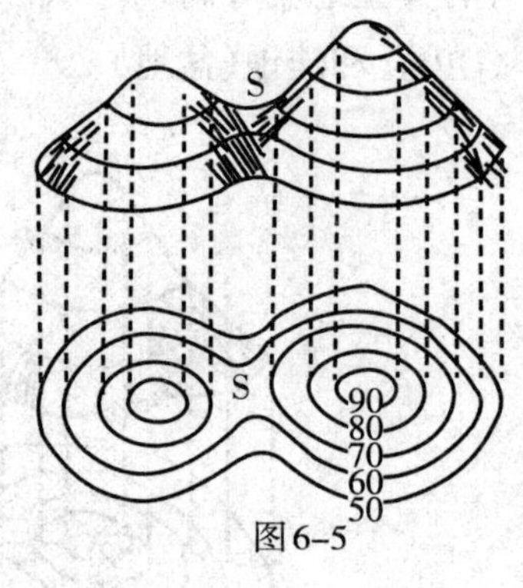


图6-5

④峭壁和悬崖

如图6-6所示,峭壁,也叫绝壁,是近于垂直的山坡。它的等高线比较密集,以至重叠,因此采用峭壁符号来表示。

悬崖是上部突出,下部凹进的陡崖,这种地貌的等高线出现相交。俯视时下面看不见的等高线用虚线表示。

90
80
70
60
50
40

峭壁

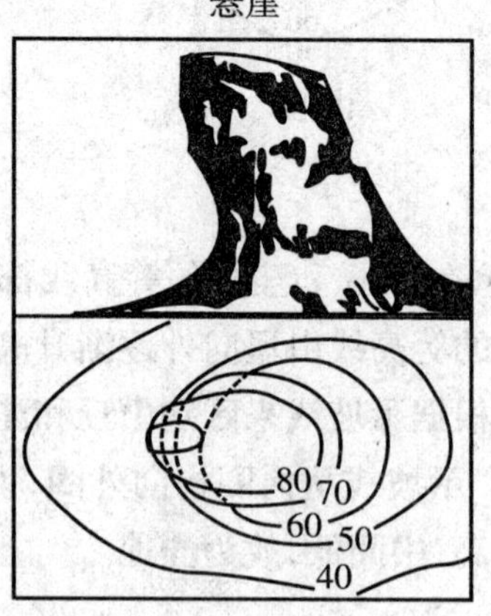


悬崖

图6-6

对各种典型地形掌握之后，我们就能运用自如地画出综合性地形的等高线了。

(5)等高线的特性

由等高线原理及上述典型地貌等高线的表示方法，可得出等高线的如下特性：

①同一条等高线上各点的高程都相等；

②等高线必定是一条闭合的曲线，由于一幅图所示的范围有限，如不在本图幅内闭合，则必在相邻或其他图幅内闭合；

③不同高程的等高线不会相交，只有在悬崖处例外，且交点有两个。由上向下看不见的部分，等高线画成虚线；

④任何一条等高线不能分叉为两条，任何两条等高线不能合成一条，只有在绝壁或悬崖处才会有几条等高线重叠；

⑤等高距相同的情况下，等高线的平距小，表示坡度陡，平距大表示坡度缓，平距相等则坡度相等；

⑥等高线经过河流时，不能直接跨越而过，应该在接近河岸时，渐渐折向上游，直到与河岸线相交处越过河流，然后再逐渐离开河岸趋向下游；

⑦等高线通过山脊线时，与山脊线正交，并凸向低处，通过山谷线时，则应与山谷线正交，并凸向高处。

(6)等高线的描绘方法

用等高线表示地貌的程序是先测定后绘图，测定对象是地貌的特征点。所谓地貌特征点是指山顶、鞍部、山脊线与山谷线上的坡度变换点和山脚点、山脚坡度变换点和山坡面倾斜变换点等。将测定的地貌特征点的平面位置按比例尺以垂直投影方法缩绘到图纸上，并在其旁注记该点高程(高程注记按图式规定)。

①连接地性线

山顶、鞍部、山脚点与地性线，这些地貌因素决定着山脉的大小、形状和走向。自山顶至山脚用细实线连接山脊线上各变坡点，用细虚线将山谷线上各变坡点连接。通常地貌形态是山脊与山谷间隔排列，即两条分水线夹一条合水线，两条山谷线夹一条山脊线。

②求等高线通过点

地性线上各点均为坡度变换点，即相邻两点之间为同一坡度。通常变坡点高程不等于基本等高线高程，需要先求出等高线通过点，再求出基本等高线的位置。在两个变坡点之间的等高线通过点的高程可按比例内差求得。

③勾绘等高线

在绘图现场图纸上连接地性线，求等高线通过点与勾绘等高线。应边测边绘等高线，对照实地勾绘等高线可逼真地显示地貌形态，并便于检查测绘中的各种错误。对照实地勾绘等高线时要运用概括原则。山坡面上小起伏与变化，按等高线总体走向进行制图综合。

如果在平坦地区测图，很大范围内绘不出一条等高线。为表示地面起伏，则需用高程碎部点表示(高程碎部点简称高程点)。平坦地区有地物时则以地物点高程为高程碎部点，无地物时则应单独测定高程碎部点。

## 第二节　测图前的准备工作

测图前，须踏勘了解测区的地形，抄录控制点的平面及高程成果，了解其完好程度，检查和校正仪器，准备工具材料，拟定作业计划以及在图纸上绘制坐标格网、图廓线和展绘控制点。

### 6.2.1 地形图的分幅与编号

一般情况下，一个测区不可能在一张图纸上测绘，而是根据比例尺的不同，把测区分成若干图幅来分别测量。为了便于测图、管理和使用，地形图应进行统一分幅和编号。地形图分幅方法分为两类，一类是梯形分幅法，另一类是矩形分幅法。

梯形分幅是按经线和纬线来划分图幅，左右以经线为界，上下以纬线为界，形状近似梯形，故称梯形分幅。矩形分幅是按平面直角坐标的纵、横坐标线为界限来分幅的。勘探区或井田大比例尺地形图测绘一般采用矩形分幅，图幅尺寸有40cm×40cm、50cm×50cm、40cm×50cm三种。下面介绍矩形分幅与编号。

**1.矩形分幅**

每幅地图的图廓都是一个矩形，相邻图幅是以直线划分的。图幅的图廓线平行于纵、横坐标轴线的直角坐标格网线。

如图6-7所示，一幅1:5000的地形图包括4幅1:2000的地形图，一幅1:2000的地形图包括4幅1:1000的地形图，一幅1:1000的地形图包括4幅1:500的地形图。

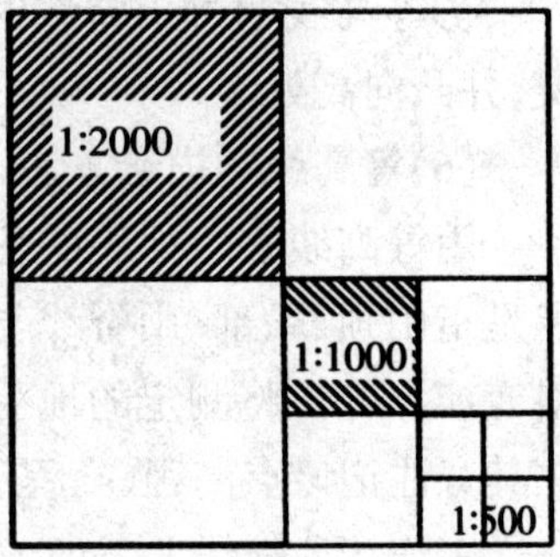

1:5000
1:2000
1:1000
1:500

图6-7

正方形图廓的规格如表6-2：

**表6-2**

| 比例尺 | 矩形分幅 | | 正方形分幅 | | |
|---|---|---|---|---|---|
| | 图幅大小(cm×cm) | 实地面积(km²) | 图幅大小(cm×cm) | 实地面积(km²) | 一幅1:5000图所含幅数 |
| 1:5000 | 50×40 | 5 | 40×40 | 4 | 1 |
| 1:2000 | 50×40 | 0.8 | 50×50 | 1 | 4 |
| 1:1000 | 50×40 | 0.2 | 50×50 | 0.25 | 16 |
| 1:500 | 50×40 | 0.05 | 50×50 | 0.0625 | 64 |

**2.编号**

矩形分幅编号的方法有以下几种：

(1)数字顺序编号

带状测区或小面积测区，图幅数量不多，可按测区统一顺序编号，一般从左到右、从上到下用阿拉伯数字1、2、3……编定。

(2)行列编号法

行列编号法一般以代号A、B、C、D……为横列，以阿拉伯数字为纵列，从左到右排列来编定，先列后行。如图6–8所示：

| A–1 | A–2 | A–3 | A–4 | A–5 |
|---|---|---|---|---|
|  | B–1 | B–2 | B–3 | B–4 |

图6–8

(3)以图廓西南角坐标表示的编号法

图号一般采用该图幅西南角坐标的公里数为编号，x坐标在前，y坐标在后，中间有短线连接。如，某图其西面角坐标为x=15.0km，y=10.0km，因此，编号为“15.0–10.0”。编号时，1:500地形图坐标取至0.01km，1:1000、1:2000地形图取至0.1km。

### 6.2.2测图板的准备

目前我国测绘系统已普遍采用聚酯薄膜代替传统的绘图纸。聚酯薄膜是一面打毛的半透明图纸，其厚度约为0.07～0.1mm，优点是伸缩性很小，且坚韧、耐湿、耐磨、耐酸，可直接在图纸上着墨，复晒蓝图。缺点是图纸高温下易变形、怕折、易燃。因此，在测图、使用和保管时应注意防折防火。

对于临时性测图，应选择质地较好的绘图纸，可直接固定在图板上进行测图。

### 6.2.3坐标格网的绘制

为了精确地将控制点展绘在测图纸上，首先要在图纸上精确地绘制10cm×10cm的直角坐标方格网。绘制坐标格网的方法有对角线法、坐标格网尺法及计算机绘制等。另外，目前常采用上面介绍的印有坐标方格网的聚酯薄膜图纸，使用更为方便。下面介绍坐标格网尺法。

1.坐标格网尺

坐标格网尺，如图6–9，是一种带有方眼的金属直尺，尺上有间隔为10厘米的六个小孔，每孔有一斜面，起始孔斜面边缘为一直线，其上刻有一细线表示该尺长度的起始点(0点)。其各孔以及末端的斜面是以零点为圆心，各以10厘米、20厘米、50厘米以及70.711厘米为半径的圆弧，70.711厘米是边长为50厘米的正方形对角线长度，可以用它直接绘制50厘米×50厘米的正方形，以及10厘米×10厘米的方格网。

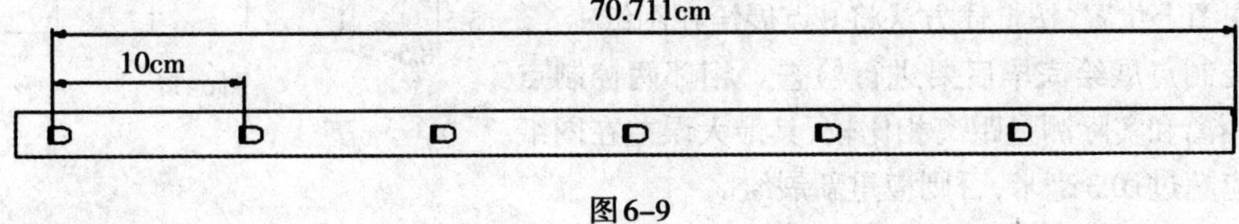


图6–9

2.绘制步骤

①在图的下方绘一条直线，左端取一点A使格网尺的零点对位A，并使尺上各孔的斜面中心通过该直线，然后沿孔斜线画短弧与直线相交定出5个点，最右端点为B，如图6–10所示；

②将尺子零点对准A，并使尺子大致与AB直线垂直，再沿各孔画短弧，定尺子各点；

③将尺子零点对准B，使尺子末端斜边缘与左边最上端弧线相交，得D点，连接AD定出各点；

④将尺子零点仍对准B点，使尺子大致与AB线垂直，再沿各孔画短弧线；

⑤将尺子零点对准A点并使尺子末端斜边缘与右边最上端弧线相交，得C点，连接BC定出各点。连接DC即得50厘米×50厘米的正方形；

⑥将上下左右相应的各点相连得10厘米×10厘米的坐标格网。

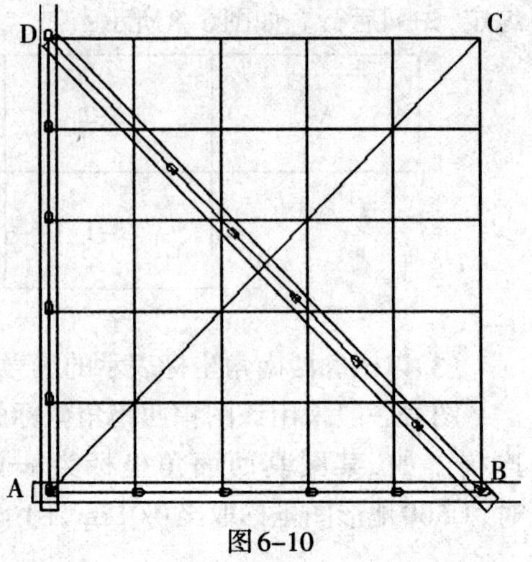

图6-10

3.坐标方格网的检查

绘制出的坐标格网的精确程度，直接影响到以后展绘各级控制点和地形测图的精度，因此，必须对所绘坐标格网进行检查。检查内容包括：

①将直尺边沿方格的对角线方向放置。各方格的角点应在一条直线上，偏离不应大于0.2毫米；

②检查各个方格的对角线，长度应为14.14厘米，容许误差为±0.2毫米；

③50×50厘米的正方形对角线长度为70.711厘米，容许误差为±0.3毫米；

④线粗0.1毫米，各个方格边长容许误差±0.2毫米。

4.控制点展绘

该项工作称为展点。展点时，先根据被展绘点的坐标确定该点所在方格，然后将该点的坐标减去此方格西南角的坐标，得其坐标差数，按比例尺将该差数换算为图上长度，分别在方格的两对边上，自下而上，自左到右，按图上长度截取距离，连接后所得“＋”字交点，即为该点在图上的位置。如图6-11所示，要展绘A、B控制点，以A点为例：

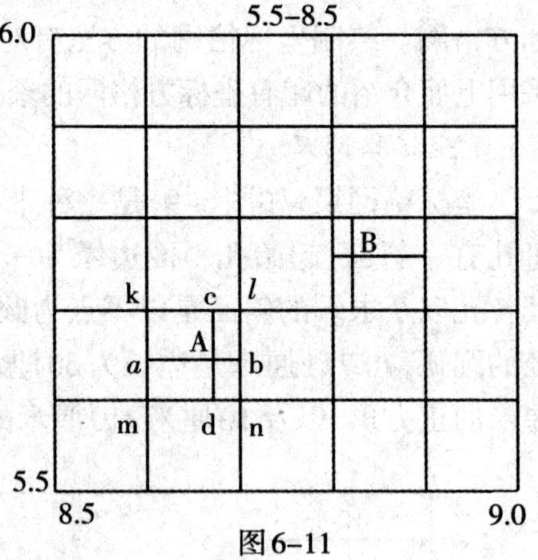

图6-11

首先，确定控制点A所在方格（依据坐标系统）；根据A点坐标与此方格西南角坐标求出坐标差；分别从m，n向上量取X坐标差，交于$a$，b；从m，k向右量取Y坐标差，交于c，d；连接$ab$，$cd$两直线，交点即为控制点A在图上位置，按上述方法将B点展绘在图纸上。

控制点展绘完毕后要进行检查。相邻两控制点之间距离和实际测量距离相比较，其最大误差在图纸上不应超过±0.3毫米，否则应重新展绘。

上述工作是测图前的准备工作，准备完毕开始测图。

## 第三节 地形图的测绘

地形测图又叫碎部测量，它的主要内容是在图幅内的高级控制点和图根点上安置仪器，测定其周围地物、地貌的碎部点（特征点）的平面位置和高程，并在图纸上根据这些碎部点描绘地物、地貌的形状，从而测绘出地形图。

### 6.3.1 碎部点的选择

碎部点的正确选择是保证成图质量和提高测图效率的关键。若碎部点选择数量不足，就不能逼真地显示地形，影响成图质量；若碎部点选择过多，不但影响测图速度，而且还会使图纸模糊不清，增加勾图难度，同样影响成图质量。所以应当合理、适当地掌握碎部点的密度。其原则是少而精，即应以最少的碎部点，全面、准确、真实地确定出地物、等高线的位置。

1.地物特征点的选择

地物特征点主要是地物轮廓的转折点，如房屋的房角，围墙的转折点，道路河岸线的转弯点、交叉点，电杆、独立树的中心点等。连接这些特征点，便可得到与实地相似的地物形状。由于地物形状极不规则，一般规定，主要地物凹凸部分在图上大于0.4mm时均应表示出来；在地形图上小于0.4mm，可以用直线连接。

2.地貌特征点的选择

地貌特征点应选在最能反映地貌特征的山脊线、山谷线等地性线上，如山顶、鞍部、山脊和山谷的地形变换处、山坡倾斜变换处和山脚地形变换的地方。

为了保证测图质量，一般在图上1cm²面积内应当选择一个碎部点，对于那些规则的几何图形、直线段以及坡度均匀地段可放宽条件。

### 6.3.2 测定碎部点的方法

测定碎部点的方法主要有极坐标法、方向交会法、距离交会法和直角坐标法等。

1.极坐标法

极坐标法是根据测站点上的一个已知方向，测定已知方向与所求点方向的角度和量测测站点至所求点的距离，以确定所求点位置的一种方法，如图6-12所示。

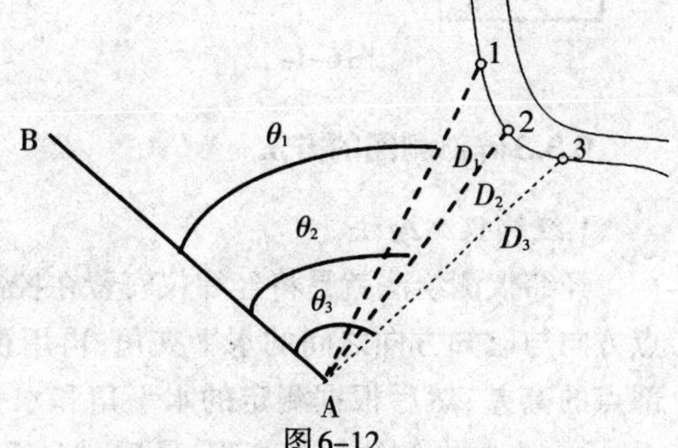

图6-12

此法适用于通视良好的开阔地区，施测的范围较大。测定地物时，绝大部分特征点的位置都是独立测定的，不会产生误差的累积。少数特征点测错时，在描绘地物、地貌时一般能从对比中发现，便于现场改正。交会法测量碎部点时，一般在应用极坐标法测量时，还配合采用距离交会法和方向交会法。

2.距离交会法

距离交会法是指从两个控制点或已测好的地物点量取至某一地物点的距离，然后在图上根据两段按比例尺缩小后的距离交会出该地物点的方法。该方法适用于较隐蔽地区且距离不长的情况，如图6-13所示。

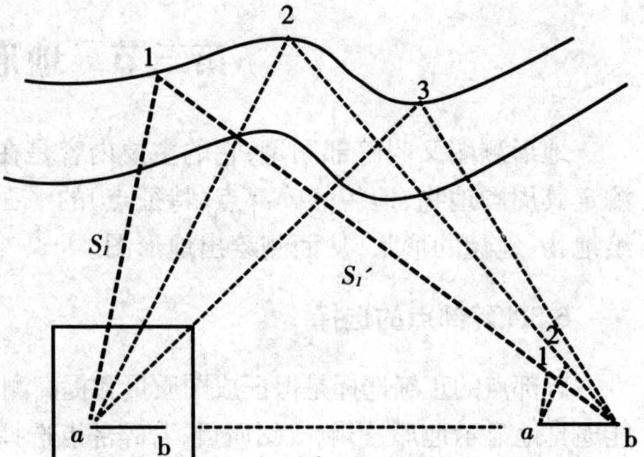

3.方向交会法

方向交会法又称角度交会法，是分别在两个已知测点上对同一个碎部点进行方向交会以确定碎部点位置的一种方法。该方法适用于通视良好、碎部点目标明显和距离较远的情况，如图6-14所示。

4.直角坐标法

直角坐标法是指从一已知线段，确定另一地物点的垂足，再从垂足分别量取至该地物点的支距及已知线段一端的距离，就可在图上确定出该地物点的方法，如图6-15所示。

图6-13

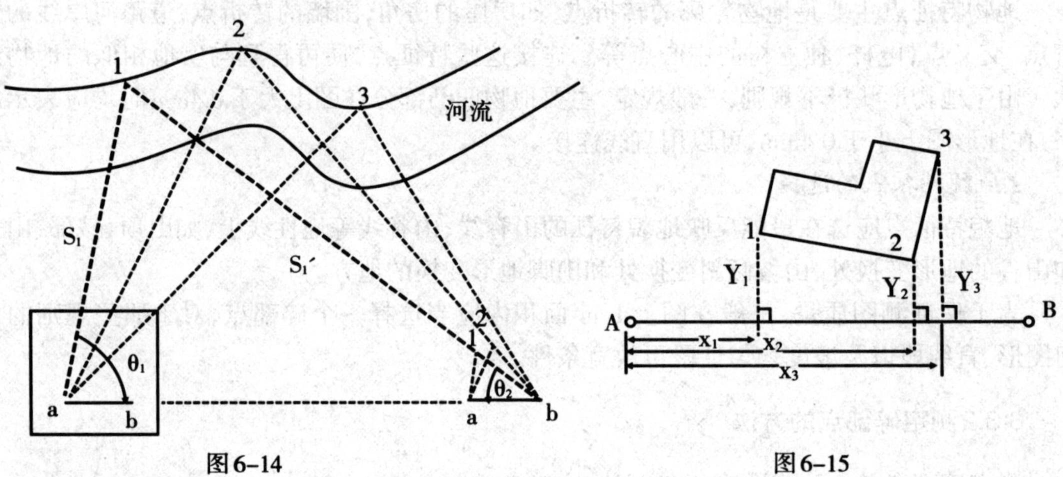


图6-14　　图6-15

### 6.3.3碎部测图的方法

1.经纬仪测绘法

经纬仪测绘法就是将经纬仪安置在控制点上，测绘板安置于测站旁，用经纬仪测出碎部点方向与已知方向之间的水平夹角；再用视距测量方法测出测站到碎部点的水平距离及碎部点的高差；然后根据测定的水平角和水平距离，用量角器和比例尺将碎部点展绘在图纸上，并在点的右侧注记其高程，最后对照实地情况，按照《地形图图式》规定的符号绘出地形图。该方法操作简单、灵活，不受地形限制，更适合于地势陡峭的山区。具体施测方法如下：

(1) 安置仪器。如图6-16所示，将经纬仪安置在控制点A上，经对中、整平后，量取仪器高，并记入碎部测量手簿表。后视另一控制点B，置水平度盘使其读数为0°00′00″，则AB称为起始方向。将小平板安置在测站附近，使图纸上控制边方向与地面上相应控制边方向大体一致，并连接图上相应控制点$a$、b，并适当延长$a$b线，则$a$b为图上起始方向线。然后用小针通过量角器圆心的小孔插在$a$点，使量角器圆心固定在$a$点。

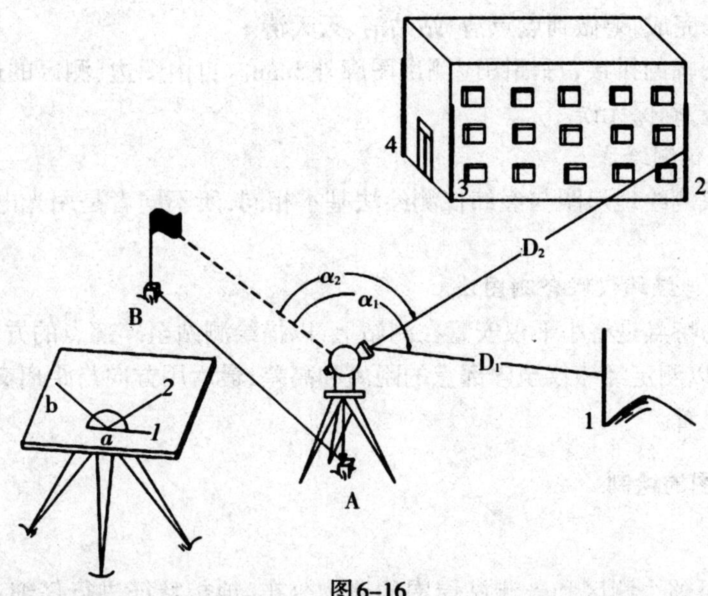


图6-16

(2) 观测。转动照准部，使望远镜照准立尺员竖立在碎部点上的标尺，读取视距间隔、中丝读数、竖盘读数及水平角，分别记入手簿。对于有特殊作用的碎部点，如房角、山顶、鞍部等，还应在备注中加以说明。

(3) 计算。依视距、竖盘读数或竖直角度，用计算器计算出碎部点的水平距离和高程。

(4) 展绘碎部点。用细针将量角器的圆心插在图上测站点A处，转动量角器，将量角器上等于水平角值的刻划线对准起始方向线，此时量角器的零方向便是碎部点方向，然后用测图比例尺按测得的水平距离在该方向上定出点的位置，并在点的右侧注明其高程。

同法，测出其余各碎部点的平面位置与高程，绘于图上。

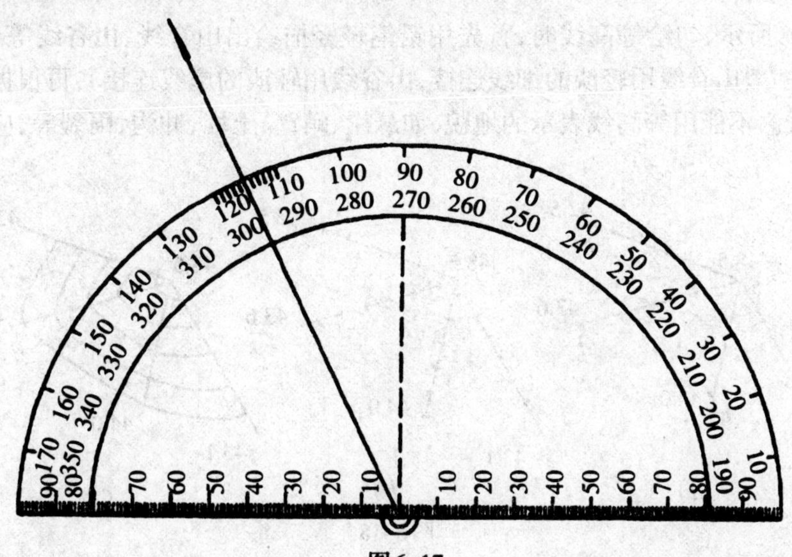

图6-17

(5) 绘图。绘图应参照实地情况，随测随绘，按《地形图图式》规定的符号将地物和等高线绘制出来，在测绘地物、地貌时，必须遵守“看不清不绘”的原则。地形图上的线划、符号和注记一般在现场完成，要做到点点清、站站清、天天清。

为了相邻图幅的拼接，每幅图应测出图廓外5mm。自由图边（测区的边界线）在测绘过程中应加强检查，确保无误。

2.光电测距仪测绘法

光电测距仪测绘地形图与经纬仪测绘法基本相同，所不同者是用光电测距来代替经纬仪视距法。

3.小平板仪与经纬仪联合测图法

这种方法的特点是将小平仪安置在测站上，以描绘测站至碎部点的方向，而将经纬仪安置在测站旁边，以测定经纬仪至碎部点的距离和高差，最后用方向与距离交会的方法定出碎部点在图上的位置。

### 6.3.4 地形图的绘制

1.地物描绘

测绘前应对整个测区和各测站周围的地物分布、地貌特征进行仔细观察，做到心中有数。绘图过程中当所测地物的特征点能够描绘出地物完整图形时，应立即勾绘地物轮廓线，并用规范的图式符号或文字标明地物类别及名称。做到随测随绘，逐渐展绘局部以至全幅的地物图。

地物的展绘的总体原则：能依比例尺表示的地物，将它们水平投影的几何形状（轮廓线）相似地描绘在地形图上，如房屋、双线向流、运动场等，或者是将它们的边界位置表示在图上，边界内再绘上相应的地物符号，如森林、草地、沙漠等。对于不能按比例表示的地物，在地形图上是以相应的地物符号、地物的中心位置表示，如水塔、烟囱、纪念碑等。

2.等高线勾绘

如图6-18所示，勾绘等高线时，首先用铅笔轻轻描绘出山脊线、山谷线等地性线，构成地貌的骨架（一般山脊线用轻淡的细线连接，山谷线用轻淡的虚线连接），再根据碎部点的高程勾绘等高线。不能用等高线表示的地貌，如悬崖、峭壁、土堆、冲沟、雨裂等，应按图式规定的符号表示。

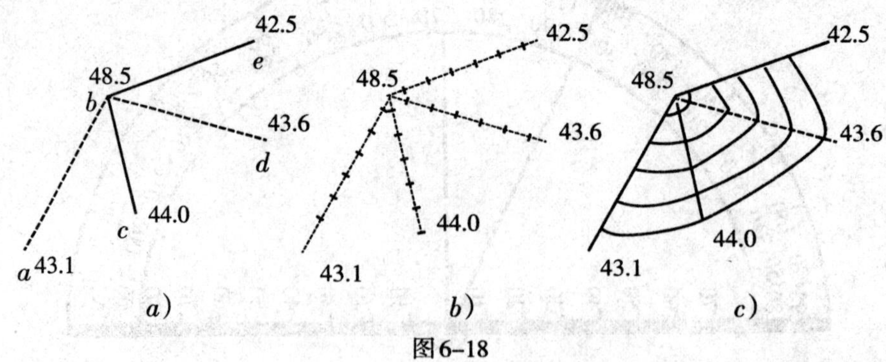


图6-18

勾绘等高线时，要对照实地情况，先画计曲线，后画首曲线，并注意等高线通过山脊线、山谷线的走向。地形图等高距的选择与测图比例尺和地面坡度有关。

### 6.3.5 碎部测量注意事项

1.观测人员在读取竖盘读数时，要注意检查竖盘指标水准管气泡是否居中；

2.每观测20~30个碎部点后，应重新瞄准起始方向检查其变化情况。经纬仪测绘法起始方向度盘读数偏差不得超过4′，小平板仪测绘时起始方向偏差在图上不得大于0.3mm。

3.立尺人员应将标尺竖直，并随时观察立尺点周围情况，弄清碎部点之间的关系，地形复杂时还需绘出草图，以协助绘图人员作好绘图工作。

4.绘图人员要注意图面正确整洁，注记清晰，并做到随测点，随展绘，随检查。

5.当每站工作结束后，应进行检查，在确认地物、地貌无测错或漏测时，方可迁站。

### 6.3.6 地形图的拼接、检查与整饰

1.地形图的拼接

地形图是分幅测绘的，各幅图相邻图边部分虽是同一地形，但因施测时测站的不同，测定碎部点的多少各异，以及描绘能力的不一致。因此，在图边结合处无论是地物轮廓线，还是等高线，都不完全吻合，如图6–19所示。

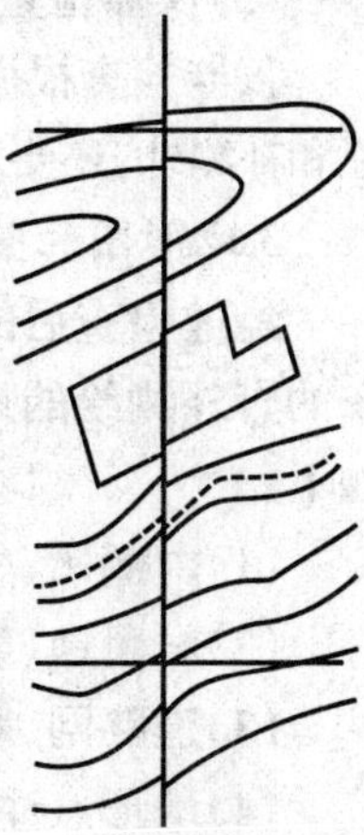

图6–19

在采用分幅测图时，为了保证相邻图幅的拼接，每幅图的四边均须测出图廓线外5mm。拼接时用一张长55cm、宽4～5cm的透明纸蒙在一幅图的接图边上，描绘出距图廓线1～1.5cm范围内的所有地物、等高线、坐标格网及图廓线，然后将此透明纸按坐标格网蒙到相邻图幅的接图边上，描下相同的内容，就可看出相应地物与等高线的吻合情况。

如果接合误差未超过《规范》规定的测图精度（如表6–3）允许误差的三倍，可按两幅图上地物、等高线的平均位置修正。根据地物、等高线的走向使两边完全接合。如果是线状地物，则以直线连接其最近的两转折点，即为改正后的位置。若超过限差时，测量员应首先检查自己所测图幅，查明原因，然后通过外业检查解决。

如用聚酯薄膜测图，可直接将相邻两幅的相应图边，按坐标格网叠合在一起进行拼接。若接合误差不超限，则取平均位置直接在图幅上改正。

**表6–3　地形图的测绘精度**

| 比例尺 | 地物点对于最近图根点平面位置中误差 | | 基本等高距（m） | 等高线高程中误差\(等高距) | | | |
|---|---|---|---|---|---|---|---|
| | 固定性地物（mm） | 一般测点（mm） | | 平地 | 丘陵 | 山地 | 高山 |
| 1:500 | 0.8 | 1.2 | 0.5 | 1/3 | 1/2 | 1 | 1.5 |
| 1:1000 | 0.6 | 0.8 | 1 | 1/4 | 1/3 | 2/3 | 1 |
| 1:2000 | 0.6 | 0.8 | 2 | 1/4 | 1/3 | 2/3 | 1 |
| 1:5000 | 0.6 | 0.8 | 5 | 1/4 | 1/3 | 2/3 | 1 |

2.地形图的检查

地形图及其有关资料的检查验收工作，是测绘生产的一个不可或缺的重要环节，是测绘生产技术管理工作的一项重要内容。在测图中，测量人员应做到随测随检查。

测图结束后，应先有测图员对地形图进行全面的自我检查，然后还应组织专人进行验收。检查的方式包括：图面检查、野外检查和仪器检查。

(1)图面检查

主要检查展绘是否符合规范；地物、地貌的位置和形状绘制得是否正确；图式符号使用是否符合规定；等高线的高程和地形点的高程是否存在矛盾；图边地物和等高线是否能准确拼接并符合精度要求；是否有遗漏或错误。一旦发现问题，先检查记录、计算和展绘有无错误，如不是由于记录、计算和展绘所造成的错误，不得随意修改，待野外检查后再确定。

(2)野外检查

野外检查是将地形图与实际地物对照，核对地物和地貌的表示是否清晰合理，检查是否存在遗漏、错误等，并对图面检查发现的疑问重点检查。如果等高线表示的与实际地貌略有差异，可立即修改，重大错误必须用仪器检查后再修改。

(3)仪器检查

仪器检查根据图面检查和野外检查发现的问题，到野外设站检查，除对发现的问题进行修正和补测外，还要对本测站所测地形进行检查，仪器检查量不应少于测图总量的10%。

3.地形图的整饰

经过检查后的地形图，必须保证铅笔底图清晰，合乎质量要求。原图整饰就是把经过检查的野外测绘的地形图，按一定的程序和规范、图式要求进行铅笔清绘。其整饰内容和顺序如下：

(1)内图廓、坐标格网及控制点；

(2)居民地、显著地物及方位物；

(3)道路网、水系及建筑物；

(4)地形点注记高程及各种注记；

(5)等高线、计曲线及注记和各种地貌符号；

(6)植被和地类界；

(7)图廓与图名整饰。

以上各项整饰的原则：位置不能更改，符号按图式规定描绘，达到清晰、易读、正确。图廓按规范要求，将所需的各项注记均按图式要求注出，最后提交一幅精确、美观、清晰、完整的地形图。

## 第四节 地形图的识读与应用

### 6.4.1 地形图的识读

如图6-20所示为一幅地形图，要使用地形图，首先必须看懂地形图。在认识图的过程中，要充分运用地形图的基本知识，全面、准确地了解一幅地形图的重要内容。

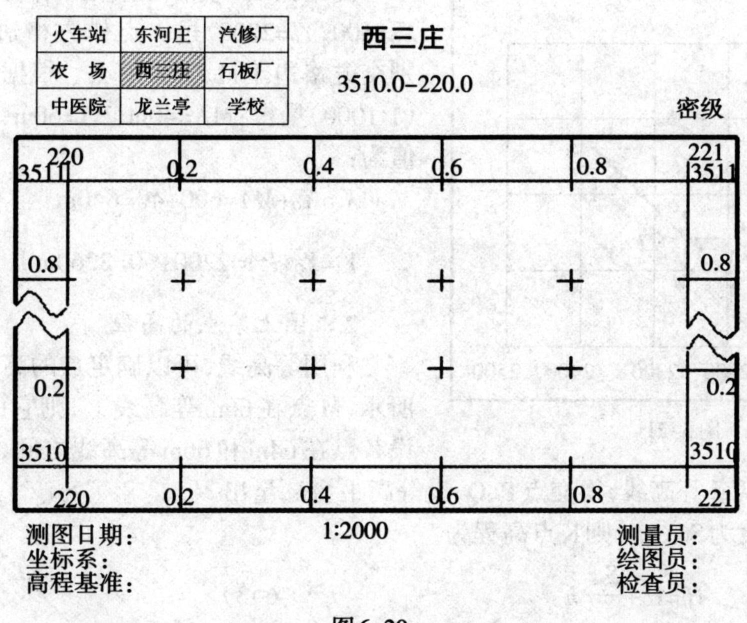


图6-20

1.图名、图号、接图表和密级的阅读

图名是本幅地形图的名称，写在图幅北外图廓线的正中央，一般用本幅图内最有名的地名或单位名表示；图号是根据本测区范围内地形图的分幅情况所编之号，注写在图名的正下方；接图表绘在北图廓线外左边，由九个小长方格组成，中间绘斜线的小格代表本幅图的位置；保密等级注写在北图廓线的右边，常见有机密和绝密两种。

2.地形图廓线的阅读

图廓是图幅四周的范围线，正方形、矩形分幅图廓有内、外之分，外图廓起装饰作用，内图廓绘有坐标网格短线。

3.图廓线注字的阅读

图廓外下方的主要注字是：测图采用的坐标系、高程系、等高距、成图时间、成图方法、版图式、测图机关等。

4.地貌识读

应根据等高线特性了解图上地貌的总体地势高低、坡度的陡缓，然后再对局部的复杂地貌进行详细分析。

5.地物识读

应了解地形图使用的是哪一种图例，并能根据地物符号和注记，识别地物、了解主要地物的分布情况。

### 6.4.2 地形图的应用

1.求图上某点的坐标

如图6-21所示，图中A点坐标，可以根据地形图上坐标格网的坐标值来确定。

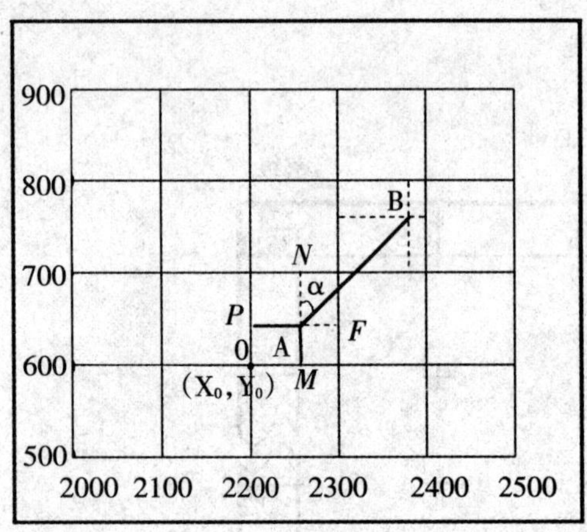


图6-21

首先找出A点所在方格西南角O点坐标为：$X_O$=600，$Y_O$=2200，过A点作方格边的平行线，分别交方格边于M、N、P、F点。根据地形图比例尺(1:1000)量得：MA=40m，PA=60m，则A点的坐标值为：

$$X_A=X_O+MA=600+40=640\text{m}$$

$$Y_A=Y_O+PA=2200+60=2260\text{m} \quad (6-2)$$

2.求图上某点的高程

利用等高线，可以确定点的高程。如图6-22所示，M点在66m等高线上，则它的高程为66m。设K点在64m和66m等高线之间，过K点作一直线基本垂直这两条等高线，得交点P、Q，设等高距为$h$，量出KQ和PQ的长度为$S_{PK}$、$S_{PQ}$，则K点高程为：

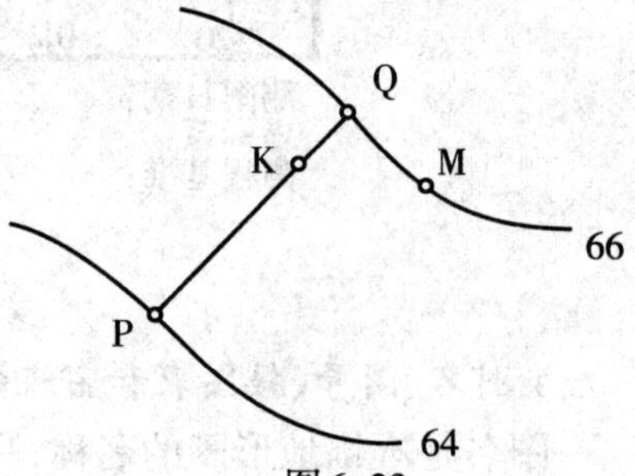

$$H_k=H_p+\frac{S_{pk}}{S_{pq}}h \quad (6-3)$$

图中，等高距$h$为2米，设$S_{PK}=7mm$，$S_{PQ}=10mm$，则

$$H_k=64+\frac{7}{10}\times2=65.4\text{m}$$

图6-22

3.求图上某直线的坐标方位角

欲求图6-23上直线的坐标方位角，有下述两种方法：

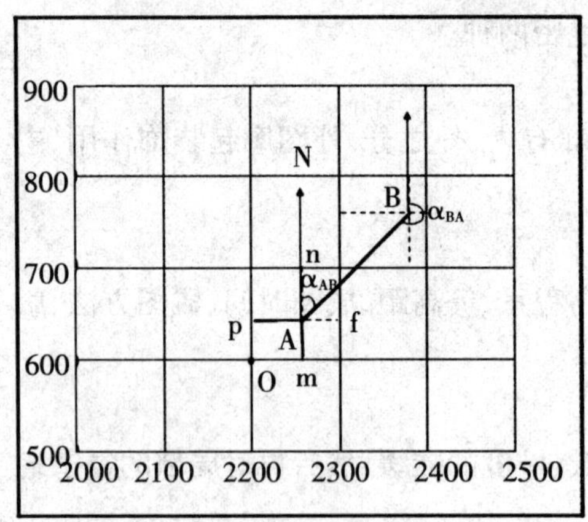


图6-23

(1)解析法

首先确定A、B两点的坐标，然后按坐标反算公式确定直线的坐标方位角。

$$\text{tg}\alpha_{AB}=\frac{\triangle y_{AB}}{\triangle x_{AB}}=\frac{y_B-y_A}{x_B-x_A} \quad (6-4)$$

$$则\alpha_{AB}=\text{arctg}\frac{y_B-y_A}{x_B-x_A} \quad (6-5)$$

(2)图解法

在图上过A、B点分别作出平行于纵坐标轴的直线，然后用量角器分别度量出直线的正、反坐标方位角$\alpha_{AB}'$和$\alpha_{BA}'$，取这两个量测值的平均值作为直线的坐标方位角，即

$$\alpha_{AB}=\frac{1}{2}(\alpha_{AB}'+\alpha_{BA}'\pm180°) \quad (6-6)$$

式中，若$\alpha_{BA}>180°$，取“-180°”；若$\alpha_{BA}'<180°$，取“+180°”。

4.确定两点间的水平距离

如图6-23，欲确定AB两点间的水平距离，可用如下两种方法：

(1)图解法

用两脚规在图上直接卡出线段长度,然后按测图比例尺计算,或与地形图上图式比例尺比较,即可得其水平距离。

(2)解析法

先求出A、B两点的坐标$(x_B,y_B)$、$(x_A,y_A)$,再根据公式计算:

$$S_{AB}=\sqrt{(x_B-x_A)^2+(y_B-y_A)^2} \quad (6-7)$$

$$或 S_{AB}=\frac{x_B-x_A}{cos\alpha}=\frac{y_B-y_A}{sin\alpha} \quad (6-8)$$

5.确定两点间直线的坡度

直线的坡度是其两端点的高差与其平距之比,用$i$表示。设A、B两点间的高差为$h_{AB}$,实际水平距离为$S_{AB}$,则

$$i=\frac{h_{AB}}{S_{AB}}=\frac{h_{AB}}{Ml} \quad (6-9)$$

式中,M为比例尺分母,$l$为图上长度,坡度一般用百分数或千分数表示。$i_{AB}>0$表示上坡;$i_{AB}<0$,表示下坡。若以坡度角表示,则

$$\alpha=arctg\frac{h_{AB}}{S_{AB}} \quad (6-10)$$

6.绘制已知方向纵断面图

纵断面图是反映指定方向地面起伏变化的剖面图。在道路、管道等工程设计中,为进行填、挖土(石)方量的概算,合理确定线路的纵坡等,均须较详细地了解沿线路方向上的地面起伏变化情况,为此常根据大比例尺地形图的等高线绘制线路的纵断面图。

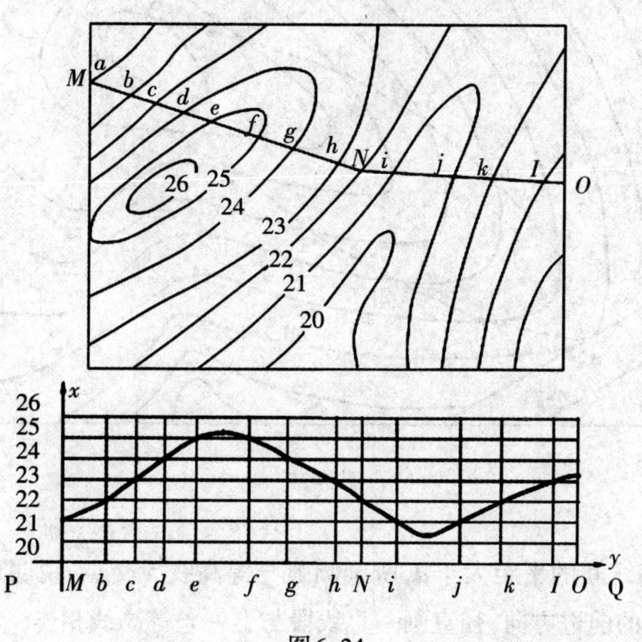


图6-24

如图6-24所示，欲绘制直线MN、NO纵断面图。具体步骤如下：

(1)在图纸上绘出表示平距的横轴PQ，过M点作垂线，作为纵轴，表示高程。平距的比例尺与地形图的比例尺一致，为了明显表示地面起伏变化情况，高程比例尺往往比平距比例尺大10～20倍。

(2)在纵轴上标注高程，在图上沿断面方向量取两相邻等高线间的平距，依次在横轴上标出，得b、c、d、…、l及O等点。

(3)从各点作横轴的垂线，在垂线上按各点的高程，对照纵轴标注的高程确定各点在剖面上的位置。

(4)用光滑的曲线连接各点，即得已知方向线M—N—O的纵断面图。

7.按规定坡度在图上选定最短路线

当设计道路或管线坡度时，往往要求在路线上不超过某一规定坡度的条件下选定一条最短路线或等坡度线。

如图6-25所示，欲在C点至D点选一条公路线，规定坡度为5%，已知等高距为1米，比例尺为1:2000。首先确定图上相邻两等高线间最短路线长度$l=\frac{h}{iM}=\frac{1}{0.05\times2000}=0.01\text{m}$。以C为圆心，以$d$=1cm为半径画圆弧，交81米等高线于1和1′；再以1和1′为圆心，1cm为半径画圆弧，交82米等高线于2和2′，以此类推，直至终点D。将这些点依次相连，可得两条方向大致相同的路线，最后通过实施踏勘选定一条最适合的路线。

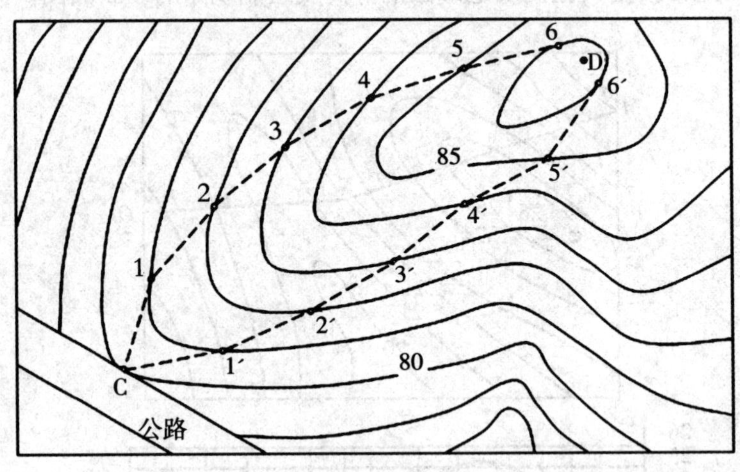


图6-25

注意，若两等高线间的平距大于$d$，所画圆弧与等高线无交点，说明地面坡度小于限制坡度，这时可按至D的前进方向，径直画一直线段与上一条等高线相连。

8.在地形图上计算面积

在煤矿建设中，常常需要根据地形图量测某一范围内的面积，如矿区面积、工业广场占地面积、地表移动和塌陷区面积、填挖土方的面积等。利用地形图所求得的面积是该区域投影到水平面上的面积,并非实地的面积。若以F表示实地水平面积,f表示图上面积,$M$为比例尺分母,则:

$$F=fM^2 \tag{6-11}$$

在图上计算面积的方法很多,下面介绍几种简单的方法。

(1)几何图形法

若图形是由直线连接的多边形,可将图形划分为若干个简单的几何图形,如三角形、矩形、梯形等,然后用比例尺量取计算所需的元素(长、宽、高),应用面积计算公式求出各个简单几何图形的面积,最后取代数和,即为多边形的面积。

(2)透明方格纸法

如图6-26所示,要计算曲线内的面积,先将毫米透明方格纸覆盖在图形上,数出图形内完整的方格数和不完整的方格数(通常把不完整的方格一律按半格记),求出总方格数后,再根据图的比例尺算出实地水平面积。计算应进行两次,以便检核,并取两次的平均值作为最终值。

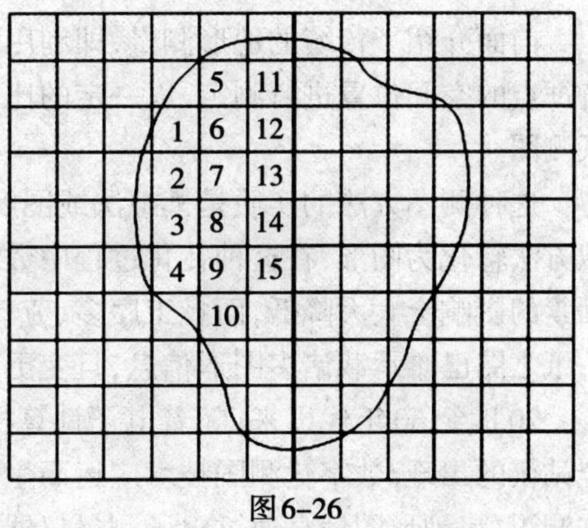

图6-26

(3)平行线法

如图6-27所示,将绘有等间距平行线的透明纸覆盖在图形上,使两条平行线与图边缘相切,则相邻两平行线间截割的图形面积可近似视为梯形。梯形的高为平行间距$h$,图形截割各平行线的长度为$C_1$、$C_2$…$C_n$,则各梯形面积即可求出,从而求得总面积。

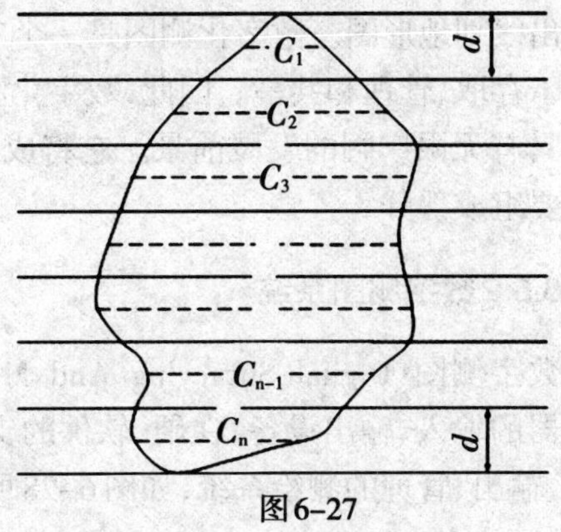

图6-27

(4)求积仪法

求积仪是一种专门测定图上面积的仪器,求积仪的优点是操作简单,速度快,适用于任意曲线图形的面积计算,且能保证一定精度。

### 九、在采煤工程中的应用

1:2000或1:5000比例尺井田区域地形图,1:5000或1:1000比例尺矿井工业广场平面图是煤矿企业必不可少的图纸。它们不仅是矿井规划、各种工程设计和施工的重要技术依据,而且还可以用来解决采煤工程中的许多技术问题,其应用非常广泛。井田地形地质图、地下煤层底板等高线图、井上下对照图、保护煤柱图等,都是根据地形图绘制成的专用图纸,以解决有关技术问题。

如绘制煤矿井上下对照图时，首先将透明的聚酯薄膜蒙在井田区域地形图上，精细描绘出地形图上的所需内容，然后对好相应的坐标格网，将相同比例尺的地下主要巷道图上的内容精细透绘上去，就得到井上下对照图。利用井上下对照图可以了解地面上的地物符号与井下的采掘巷道、采煤工作面之间的相互位置关系，为煤矿建设规划、井下开采设计和施工服务。利用井上下对照图可以了解井下采空区及其上覆岩层和地表的相对位置关系，应用岩层移动规律确定地表移动范围，避免使地表重要建筑物遭受破坏或使地面的河流湖泊之水涌入井下，造成事故。利用井上下对照图还可以确定井下开采深度，入地电缆钻孔、排水与灌浆钻孔的位置，为解决煤矿生产中的各种技术问题提供最基础的资料。

## 第五节　数字化测图概述

### 6.5.1 数字测图的产生和特点

前面介绍了传统的地形测量，即利用测量仪器对地球表面局部区域内的各种地物、地貌特征点的空间位置进行测定，以一定的比例尺并按图示符号绘制在图纸上，即通常所称的白纸测图。

这种测图方法的实质是模拟法或图解法测图，在测图过程中将测得的各类观测值，用模拟方法转化为图形，在这种转化过程中数字的精度由于受缩距、刺点、绘图、图纸伸缩变形等因素的影响会大大降低，而且工序多、劳动强度大、质量管理难。特别是在当今的信息时代，一纸之图已难承载诸多图形信息，且变更、修测也极不方便，难以适应当前经济建设的需要。

20世纪60年代以来，随着电子计算机在测绘行业中的广泛应用，电子经纬仪、测距仪、全站仪的出现，数字化测图技术应运而生，避免了传统测图存在的上述问题。其实质是解析法测图，将地形图信息通过电子测量仪器或数字化转化为数字量输入计算机，以数字形式存储在磁盘上，从而便于传输与直接获取地形的数量指标，需要时通过显示屏显示或用绘图仪绘制出线划地形图。数字化测图是一个“数—数”过程，不会降低观测数据精度，而且数据成果易于存取、管理和共享。因此，数字化测图以其特有的高自动化、全数字化、高精度的显著优势具有无限广阔的发展前景。它将成为迈向信息化时代不可缺少的地理信息系统（GIS）的重要组成部分。

### 6.5.2 数字测图系统

数字测图（Digital Surveying And Mapping，简称DSM）系统是以计算机为核心，连接测量仪器的输入、输出设备，在硬、软件的支持下，对地面地形空间数据进行采集、输入、编辑、成图、输出、管理的测绘系统，如图6-28所示。

图6-28

1.数字测图系统的基本设备

在数字测图系统中，主要用测量外业仪器进行野外数据采集，或用数字化仪采集纸质地形图上的数据，然后用计算机进行数据处理和图形编辑，用绘图仪绘制地形图。数字测图系统的基本设备由以下几部分组成：

(1)外业测量仪器

外业测量仪器是获取地形信息的基本设备，目前，最先进的为电子全站仪，也可以用电子经纬仪加测距仪或光学经纬仪加测距仪。

(2)电子计算机

电子计算机是进行数据采集、储存、处理和自动成图的基本设备。

(3)数字化仪

数字化仪用于纸质地形图的数字化，在各种数字测图系统中，数字化仪也是一种重要的图形输入设备。数字化仪可分为手扶跟踪式、半自动跟踪式和自动扫描式。由于手扶跟踪式数字化仪操作简单、价格低，且其图形输入的精度能够满足地形图精度的要求，因此，这一类数字化仪在数字测图系统中被广泛使用，目前通常指的数字化仪即手扶式数字化仪。

(4)扫描仪

扫描仪可以快速地将原有图件数字化，其速度可比手工数字化快510倍，其缺点是扫描仪价格昂贵，扫描的数据量大，且对于噪声和中间色调像元的处理较难，以及难以提取文字信息等。扫描仪分为栅格扫描仪和矢量扫描仪，栅格扫描仪扫描得到的数据为栅格数据，再利用转换程序将其转变为矢量数据；矢量扫描仪可直接跟踪原图上的直线和曲线，并直接产生矢量数据。

(5)绘图仪

绘图仪用于图的绘制，它能将计算机中编辑好的图形绘制到纸质介质上。常用的绘图仪分为滚筒式和平台式两类。

2.数据的采集

(1)地面测量仪器数据采集

应用全站仪或其他测量仪器在野外对地形信息直接进行采集，采集的数据载体为全站仪的存储器和存储卡，采集的坐标数据及图形信息可通过电缆由全站仪或电子手簿直接传输到计算机中。

(2)人机对话键盘输入

对于测量成果资料、文字注记资料等，可以通过人机对话方式由键盘输入计算机之中。

(3)数字化仪输入

利用数字化仪对收集的已有图形资料进行数字化，也是获取图形信息的一个重要途径。数字化仪主要以矢量数据形式输入各类实体的图形数据，即只需输入实体的坐标。除矢量数据外，数字化仪与适当的程序配合也可在数字化仪选择的位置上输入文本和特殊符号。

(4)扫描仪输入

对已有的纸质地形图，可以利用扫描仪进行图形输入，由专门程序把扫描获得的栅格数据转换成矢量数据，从中提取图形的点、线、面信息，然后再进行编辑处理。采用激光扫描仪扫描等高线地形图是最有效的方法。因为等高线地形图绘制精细，并且有许多闭合圈没有交叉线，故用激光扫描仪扫描时，只要将激光束引导到等高线的起点，激光束会自动沿线移动，并记录坐标，碰到环线的起始点或单线的终点就自动停止，再进行下一条等高线的数字化。其最大优点是能很快地扫描完一条线，几乎是一瞬间就完成扫描，同时，扫描得到的数据直接变成符合比例尺要求的矢量数据。

(5)航测仪器联机输入

利用大比例尺航摄像片，在航测仪器上建立地形立体模型，通过接口直接把航测仪器上量测所得的数据输入计算机；也可以利用数字摄影测量系统直接得到测区的数字影像，再经过计算机处理直接得到数字地形图。

(6)由存储介质输入

对于已存入磁盘、磁带、光盘中的图形信息，可通过相应的读取设备进行读取。

### 6.5.3 用全站仪进行数字测图

用全站仪配合计算机进行地面数字测图是目前最常用的大比例尺数字化地形测图方法，下面进行详细介绍。

1.野外数据采集

根据测区地形情况建立合适的测量控制网，一般为在高级控制点下布设导线网。用全站仪进行三维导线测量(同时测定导线点的坐标和高程)是很方便的，在进行碎部点测量过程中可根据需要随时用支导线的形式建立测站。在全站仪的“内存”模式下选取文件，建立测区坐标管理文件，手工键入或用传输电缆从微机输入控制点(已知点)坐标，准备就绪，就可到野外进行碎部点数据采集了。把全站仪安置在测站上，在仪器的程序模式下调用“坐标测量”菜单项，开始测站和后视点的定位和定向。选择“测站坐标”选项，输入测站点号，仪器即自动从工作文件中调出该点坐标并显示在屏幕上，按屏幕提示输入仪器高，检查输入数据无误后，按OK键确认。然后回到上一级菜单项选择“后视定向”，输入后视点号，瞄准后视点，输入目标高，确认无误后，按OK键，此时可以开始地形的细部测量。

进行细部测量时，瞄准细部点的棱镜中心，按“测量”键，输入细部点代码和目标高，即可得到细部点的坐标和高程，按屏幕提示输入细部点点号进行记录及确认，则细部点的观测数据及代码等被存储于当前工作文件中，然后又显示细部测量屏幕，可继续进行下一细部点的观测。对于目标点的顺序编号，可以预先设置好其起始编号，以后随着观测的进行，仪器会自动进行编号。在进行细部点测量时，应尽可能按地物的类别进行，这样便于观测人员输入编码，对细部点的坐标及代码记录。

2.数据通讯

利用数据传输电缆可将存储于全站仪中的野外测量数据传入微机中，以便利用数字化成图软件进行图形的编辑和绘制。

3.地形图图形编辑与绘制

利用成图软件，如南方测绘仪器公司开发的“南方CASS成图系统”系列软件，调用野外测量数据，生成编码文件(编码法)，或直接运用软件相应功能按点号、代码或高程方式展点，通过人机交互的方式根据现场绘制的草图(测记法)完成数字地形图的编绘成图工作。

## 第六节　地理信息系统简介

GIS是英文Geographic Information System的缩写，通常称为地理信息系统。GIS是介于信息科学、空间科学和地球科学之间的交叉学科，是一种特定而又十分重要的空间信息系统。它是采集、存储、管理、分析和描述整个或部分地球表面(包括大气层在内)与空间和地理分布有关数据的空间信息系统。

地理信息系统应用广泛，有多个分支，目前GIS在资源调查管理、环境监测与评价、城市规划、土地利用、公共交通、各类工程施工、军事国防以及商业、经营决策等方面均已得到广泛而卓有成效的应用。矿山地理信息系统(MGIS)是其分支之一，该系统主要是以计算机为基础，应用测量、摄影测量与遥感等技术采集信息，并通过机械制图和图像处理等手段，紧密结合矿山的空间与资源特征构建起来的一种信息系统。将GIS运用于指导矿山的规划、日常生产、管理、环境监测以及安全预警等各方面将有很重要的意义。我国的矿山地理信息系统起步较晚，但是经过我国矿业科技工作者的努力，在深入的理论研究和缜密的实验实践基础上，建立了初步的矿山地理信息系统，并且MGIS在一些矿山的应用中，已经或正在发挥其重要作用，所以建立与发展MGIS对我国矿业的可持续发展有着重要的意义。

### 6.6.1 矿山应用MGIS的必要性

矿山是一种特殊的地理区域。现代矿山一般规模庞大，面积较广，地质条件和矿体赋存条件差别很大，主要表现为矿床地层构造复杂，矿体厚度不稳定，倾角变化大，顶底板不稳定，有时受地下水的威胁，等等；生产方式复杂，生产矿井提升、运输方式多样；设备复杂，种类繁多，设备数量多。由此可见，矿山的信息量巨大，并且数据类型多，包括地质、采矿、测绘、分析、环保、经济、建设、生产与管理等多方面的数据。数据载体有文件资料、表格、图形图像、数据库等。

矿山数据具有重要经济价值。大量的数据不及时收集、整理、保存，一旦丢失，将给矿山造成巨大信息及经济浪费。矿山数据的保存和分析对矿山的生产、技术、安全、管理、效益、资源的有效利用及环境的保护具有重要意义。例如对地表及采空区上的构(建)筑物等的保护，对地下水及地表水、生态的保护，对采矿工程引起的塌陷区的复垦等可提供科学依据。目前，矿山工程施工、开采过程，设备、材料信息、经营管理信息等的收集和处理主要停留在手工操作上，已不适应现代企业生产、管理、办公等要求，急需具有智能化特征的方法与系统来满足企业之需求，MGIS是满足这一需求的最好方法之一。

矿山是一个复杂的动态系统，其可持续发展系统具有结构非线性、行为多样性、信息不确定性和状态不可逆性的特点，面临着非常巨大的困难，MGIS的建立将提供解决这些问题的可能性。

### 6.6.2 MGIS的特点及其功能

1.MGIS的特点

矿山地理定位数据是MGIS的基本数据，利用矿山地面和井下测量信息构建矿山的几何空间框架。矿山数据源包括地形图、测量资料、矿山土地利用图、地质图及文字报告、矿床产状图及文字报告、采掘工程平面图、井上下对照图、矿山建筑资料等,其储存形式主要有图像、图形、文字、表格等,这些为数据源静态的一面;另一方面,由于矿山生产和区域社会的不断发展,还有大量动态数据,即在生产过程中不断更新、增加的数据和信息。这部分数据是生产和管理的最新资料,是系统保持现实性所必需的。MGIS的数据具有以下主要特点:

(1)多源性。数据涉及不同的领域、不同的来源、不同的载体。

(2)时空特性。数据具有时空四维的几何和属性信息,并且随着生产的进行,数据处在不断的更新、增删之中。

(3)多时相性。矿山信息涵盖矿山生产和建设的各个阶段。

(4)不确定性。各种空间、资源和环境数据具有不确定性或模糊性。

2.MGIS的基本功能

MGIS是在矿业信息数据仓库基础上,充分利用现代空间分析、数据采矿、知识挖掘、虚拟现实、可视化、网络、多媒体和科学计算技术,为矿产资源评估、矿山规划、开拓设计、生产安全和决策管理进行模拟、仿真和过程分析提供新的技术平台和强大工具。MGIS具备如下功能:

(1)监测矿区环境状况及其演变。

(2)采集、管理、处理、分析一切与矿区经济、社会、环境和资源相关的时空信息。

(3)利用3D建模与可视化技术来动态模拟、再现与仿真矿山开采活动及给环境带来的相关影响。

(4)辅助矿井开拓设计、矿井生产管理,支持矿山防灾、减灾与救灾指挥。

(5)进行人机协同的矿区可持续发展规划与指标评估,其核心是矿区多目标动态规划模型库、决策知识库及中间关联的逻辑解译等子系统。

### 6.6.3 GIS矿山应用现状

地理信息系统用于矿山必将引起矿山数据管理和应用的一场革命,发展矿山地理信息系统已成为一种必然趋势。矿山地理信息系统目前在矿山中主要应用于以下几个方面:

(1)矿床地质勘探及矿山设计。MGIS存储有大量的矿山地理信息数据,利用GIS的强大功能进行勘探设计、地质施工、报告编制及矿山设计,可以极大地提高工作效率,减少设计失误,优化设计成果。

(2)编制生产计划。依赖矿山地理信息数据也可以制定生产计划,通过对其空间关系的实时分析,可以使生产计划的制定建立在客观、合理、有效的基础之上,通过模拟,还可以进一步检验生产计划的科学合理性和可操作性。

(3)日常生产管理。矿山日常生产过程中会遇到各种各样的问题,会揭露出许多新的地质现象,这些新的资料要及时地输入到MGIS中,通过其强大的分析功能,科学及时有效地调制生产计划,提高生产计划实施效率。同时,利用GIS的强大功能各种生产数据也可以及时准确地统计出来,供领导实施决策时参考。

(4)矿山生产安全。矿山生产中有许多因素会影响生产安全,如随着开挖的进行,矿山地压的变化及冒顶片帮规律的变化、断层裂隙带、地下水、粉尘及有害气体等等。这些因素与矿山生产部位的空间关系如何是矿山生产安全所要考虑的首要问题。GIS所具有的空间分析功能和空间模拟功能，能使这种关系可视化，能提高管理者的判断能力，从而保证矿山的安全生产。

(5)生产监督检查。矿山生产要接受上级部门和地矿管理部门的监督检查，如矿山生产安全方面和资源回收方面的检查等。这些部门通过MGIS对矿山生产的检查，会更及时、更客观、更有效。

(6)矿山环境保护。矿山生产会造成许多环保问题，如采矿塌陷、矿区周边环境破坏、矿山需重新绿化等等，利用MGIS和专家系统相结合，可以有效地预测这些环保问题，以便及时地采取措施加以解决。

(7)经济评价及预测。在矿山中还可以使用MGIS来对矿山进行经济评价，对未来的生产经营状况进行预测等。矿山经营的各个方面可以使用MGIS来提高工作效率，降低生产成本，提高决策的科学合理性。

### 6.6.4 MGIS研究所面临问题及发展趋势

1.MGIS所面临的问题

建立矿区地理信息系统是一项复杂的、工程量巨大的系统工程，需要从数据、功能、应用各方面对系统进行设计、研究与开发，综合应用信息、地理、采矿、计算机、数学、测绘、地球空间信息科学等学科的知识和技术。随着现代科学技术的发展，建立能对矿区多源信息进行管理和处理的计算机技术系统已成为实现矿区可持续发展的必然要求。但是，对复杂的矿区系统，运用这些知识和技术建立MGIS时面临很多问题。

(1)MGIS数据的采集及质量

数据是MGIS中重要的组成部分，建立MGIS的一个关键问题就是数据的采集输入与数据的质量保证。数据是MGIS进行规划、管理和决策的基础。MGIS中的数据主要是指与矿产资源条件有关的描述和分析。由于各种数据获取的方法、采用的设备不尽相同，其可靠度、精度也不一致。此外，由于自然界各种空间现象本身客观存在着多种不确定性，以及人类对自然现象本身认识的不完备性，使得所有的空间数据都是对空间现象的近似表达。因此，MGIS中的数据存在多种不确定性。为了发挥MGIS的性能，需要针对各种数据类型的特征深入研究处理数据不确定性的方法。

(2)MGIS数据的表达显示及分析

通过各种有效手段采集到的空间数据及其导出信息，如何利用可视化技术和符号化表示方式来形象、直观、生动地表达和显示。如何根据所要解决的问题，连接GIS数据库、方法库和知识库，实现GIS的目标、空间建模，将复杂现象及过程可视化显示。

(3)MGIS应用模型的开发

模型是将现实的矿山世界的数据组织为有用的且能反映真实信息的数据集，对MGIS来说，数据建模就是GIS与矿山生产与管理应用专业模型的结合，建立起矿山开发过程实践的各种应用模型库。建立MGIS的应用模型库是MGIS系统集成十分重要的一环。

(4)矿山三维GIS数据模型及其三维可视化

目前,大部分GIS系统为二维,各行各业对三维GIS要求日益迫切。矿山由地表、地下等多层三维或四维(含时间)立体空间构成,实现这些立体空间的真三维操作,是GIS行业目前关注较多的研究课题。

2.MGIS的发展趋势

矿山地理信息系统的建立、发展和广泛应用,必将促使我国矿山工业的生产管理向信息化、科学化的方向迈进。通过对各种地质、矿山测量、经济、技术参数的分析和处理,可使矿山企业的各级主管人员迅速、及时且直观地查询有关技术数据。

通过分析研究,矿山地理信息系统的近期发展重点:MGIS应用技术的开发,以矿山空间数据的采集、处理、加工为突破口,实现数据信息的滚动开发,从而提高MGIS的应用水平。它的发展远景趋向则是与遥感、全球定位系统以及专家系统相结合,成为智能化的高度集成的矿山地理信息系统,并向着规范化、标准化和信息共享等方面发展。

GIS技术的日趋成熟和广泛应用,为矿产资源开发中的规划、管理、设计与决策提供了崭新的技术手段。现代矿山是一个多介质的复杂系统,而且规模较大,可视化表达矿山信息是MGIS的优势所在。对于矿山生产管理、规划、消除安全隐患以及及时了解矿山各个区域的情况,原始的方法已经不适用。随着现代化矿山建设的发展,以及矿山可持续发展的要求,建立矿山地理信息系统处理数据,可视化管理矿山意义重大,将给矿山带来巨大的经济效益和社会效益。

# 第二部分　专业核心知识点

1. 地物、地貌的表示方法；
2. 等高线原理、特性及典型地貌等高线的表示方法；
3. 碎部测量的方法；
4. 地形图的应用。

# 第三部分 专业技能训练

## 技能一 地形图测绘

1. 绘制坐标格网

为了准确展绘控制点，要在图纸上绘制直角坐标格网。大比例尺地形图的正方形格网的边长均规定为10cm。

2. 控制点的展绘

控制点展绘，首先要根据控制点的坐标确定该点所在的方格，然后从该点的坐标值中减去所在方格西南角点的坐标值，最后按其坐标差值，依据比例将控制点展绘在图纸上。

检核：量取各相邻控制点间的距离来检查，其距离与相应的实地距离的误差不应超过图上0.3mm。

3. 野外测图(传统的经纬仪测图)

(1)仪器的安置。

经纬仪安置在测站A上，如图6-29所示，丈量经纬仪仪器高，计算仪器高程，记入手簿。图板平放在一个便于绘图的平台上，方向尽可能与实地一致。

(2)定向。

用望远镜照准另一控制点B上的标杆，使水平度盘读数为0°00′00″。

(3)立尺。

立尺员依次将尺子立在地物、地貌特征点上。

(4)观测。

转动照准部瞄准C点的尺子，读尺间隔、中丝读数、竖盘读数和水平角，记入手簿。

(5)计算。

根据视距、竖盘读数或竖直角，用计算器计算，得到各碎部点的水平距离和高差。

(6)展绘碎部点。

将量角器的中心圆孔用细针固定在图板上的A点(测站点)，按经纬仪所测的角∠CAB的角值放置量角器，并按量角器直径刻划，根据测站点至地形点的水平距离量取图上长度，从而定出地形点C在图上的位置，并在点位旁注记C点的高程。

(7)用相同的方法可测出附近其他各地形点的点位，并随测随绘。

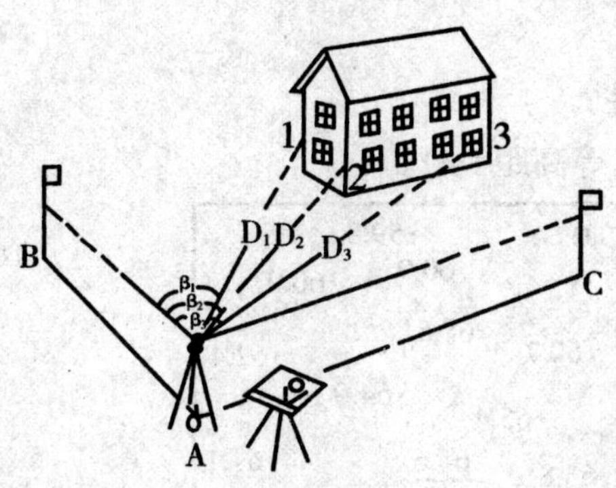


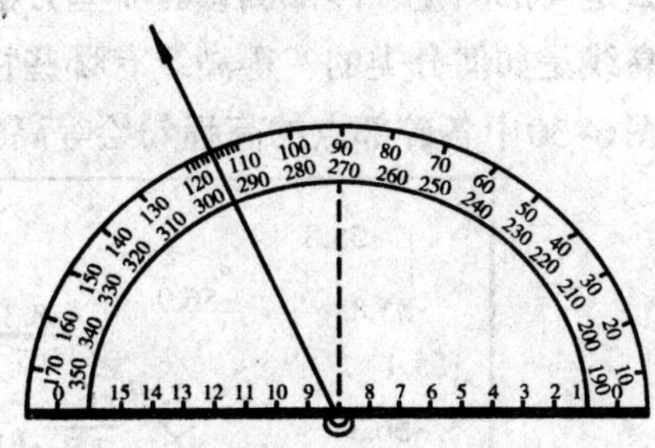

图6-29

★注：技术设计的一般原则见附录二

**技能二　地形图的接边、整饰和检查**

野外测图完成后，往往是图面污点斑斑，痕迹累累，线条和符号不规范，甚至存在错误。为了使图纸成为可以使用的地形图，必须予以清洁整理，因此该项内容是测图中不可缺少的。

1. 接边

接边时，用长50cm、宽3~4cm的透明纸条，分别把需要接边的两幅图的同名方格网线、同一地物及等高线描下来。检查同一地物及标高相等的等高线在两幅图上的差异和错位。当不超限时，先在透明纸上按平均位置改正，再根据透明纸上的位置透到原图上，把原图上原来的线条擦掉。错位超限时，必须到野外重测。

2. 图面整饰

地形图拼接及检查完成后需要用铅笔进行整饰。整饰应按照"先注记，后符号；先地物，后地貌；先图内，后图外"的原则进行。注记的字形、字号应严格按照《地形图图式》的要求选择。各类符号应使用绘图模板按《地形图图式》规定的尺寸规范绘制，注记及符号应坐南朝北。不要让线条随意穿过已绘制的内容。按照整饰原则后绘制的地物和等高线在遇到已绘出的符号及地物时，应自动断开。

3. 检查

为了提交合格成果，地形图经过整饰后还需进行内业检查和外业检查。

内业检查。检查观测及绘图资料是否齐全；抽查各项观测记录及计算是否满足要求；图纸整饰是否达到要求；接边情况是否正常；等高线勾绘有无问题。

外业检查。将图纸带到测区与实地对照进行检查，检查地物、地貌的取舍是否正确，有无遗漏，使用图式和注记是否正确，发现问题应及时纠正；在图纸上随机地选择一些测点，将仪器带到实地，实测检查，重点放在图边。检查中发现的错误和遗漏，应进行纠正和补漏。

**复习题**

1.地物符号有几种？各有何特点？

2.什么是数字测图系统？其基本设备由哪几部分组成？

3.地形图应用有哪些基本内容？

4.什么是碎部测量？碎部测量有哪些方法？

5.等高线是如何分类的？等高线有哪些特性？

6.按图6-30中各碎部点的高程勾绘等高线(等高距1m)。

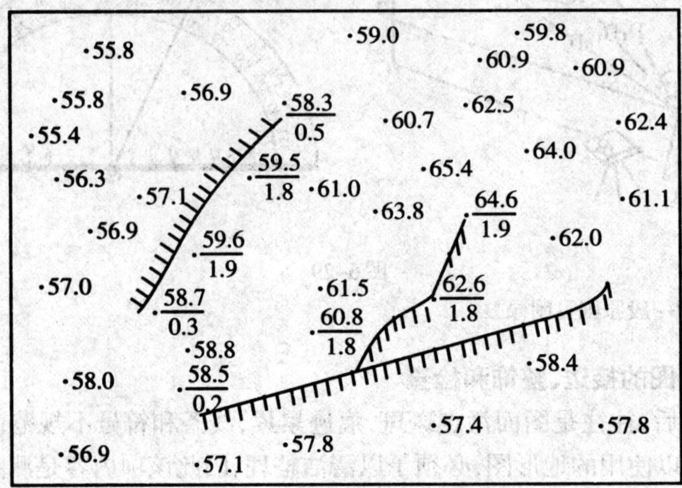

图6-30

7.图6-31为1:1000比例尺地形图,试完成以下工作:

(1)求A、B两点的高程及AB连线的平均坡度。

(2)沿M、N绘制一纵断面图。

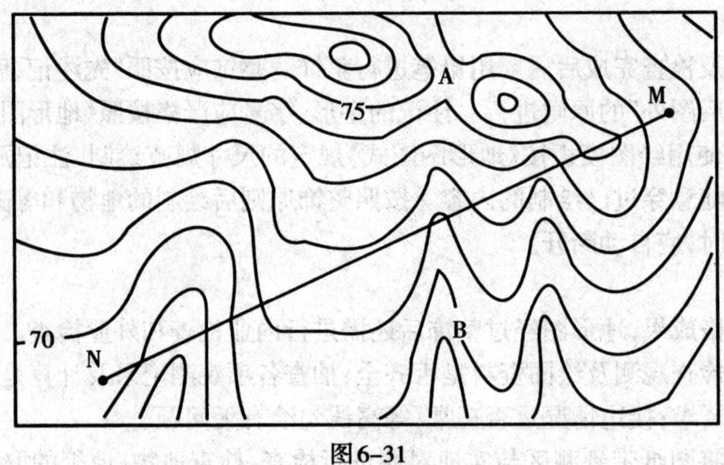


图6-31

8.在图6-32中完成如下作业:

(1)用图解法求定A、B两点的坐标。

(2)求定A、B两点间的水平距离。

(3)求定AB连线的坐标方位角。

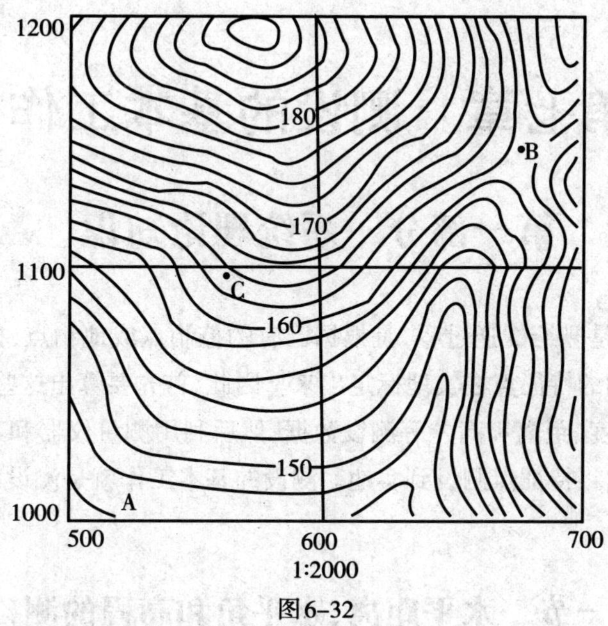


图6-32

**讨论题**

1.什么是地形图？地形图的测绘方法有哪几种？

2.如何正确选择地物特征点和地貌特征点？

3.地形测图时应怎样选择碎部点？测图的准备工作有哪些？

4.何谓等高线？在同一幅图上，等高距、等高线平距与地面坡度三者之间的关系如何？

5.在一幅地形图内，已知最高的地面点高程为99.9m，最低的地面点高程为50.1m，今用2m的等高距勾绘等高线，图内共有哪几条计曲线通过？若改为5m等高距勾绘等高线，又有哪几条计曲线通过？

6.什么是GIS？试讨论GIS在矿山应用的必要性及发展趋势？

**思考题**

测图前，如何绘制坐标格网和展绘控制点？应进行哪些检核和检查？

# 第七章　测设的基本工作

## 第一部分　系统理论知识

测设，又称放样，是测绘的逆过程，是根据已有的控制点或地物点，按工程设计要求，将待建的建筑物、构筑物的特征点在实地标定出来。因此，首先要算出这些特征点与控制点或原有建筑物之间的角度、距离和高差等测设数据，然后利用测量仪器和工具，按照一定的测量方法，根据测设数据将特征点测设到实地。测设的基本工作就是测设已知水平距离、已知水平角和已知高程。

### 第一节　水平距离、水平角和高程的测设

#### 7.1.1 测设已知水平距离

测设已知水平距离，是从地面上一个已知点出发，沿给定的方向，量出已知（设计）的水平距离，在地面上定出这段距离另一端点的位置。根据精度要求的不同，测设的方法也不同。

1.一般方法

当测设精度要求比较低时，可在给定的方向上，根据给定的水平距离，从起点用钢尺丈量的一般方法进行量测。为了检核，当测设完毕后，应当往返丈量所测的长度，最后取平均值，并依丈量结果调整终点点位。

2.精确方法

当测设精度要求较高时，应使用检定过的钢尺，用经纬仪定线，根据已知水平距离，经过尺长改正、温度改正和倾斜改正后，用下式计算出实地测设长度

$$l'=l-\Delta l_d-\Delta l_t-\Delta l_h$$

然后根据计算结果，用钢尺进行测设。

如图7-1所示，设从A点沿AC方向测设B点，已知水平距离$l$=24.000m，钢卷尺长30m，比长改正数为+0.004$m$/30$m$，测设时温度比标准温度高5℃。设标定时的拉力为钢尺检定时的拉力，因此不需要考虑拉力改正数。

(1)测设之前先通过概量定出终点B′，并测得

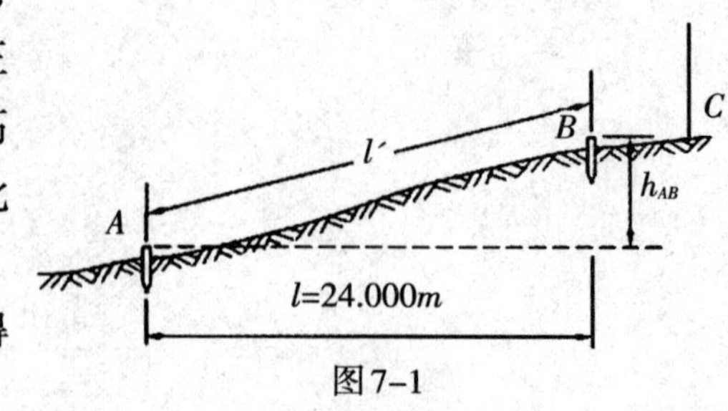

图7-1

A、B两点之间的高差$h_{AB}$=+1.000$m$；

(2)计算$l'$的长度

$$\Delta l_d=\frac{\Delta l}{l_0}l=\frac{0.004}{30}\times 24=+0.003m$$

$$\Delta l_t=\alpha(t-t_0)l=1.25\times 10^{-5}\times 5\times 24=+0.002m$$

$$\Delta l_h=-\frac{h^2}{2l}=-\frac{(+1.000)^2}{2\times 24}=-0.021$$

$$l'=l-\Delta l_d-\Delta l_t-\Delta l_h=24-0.003-0.002+0.021=24.016m$$

(3)在地面上从A点沿AC方向用钢尺实量24.016$m$定出B点，则AB两点间的水平距离正好是已知值24.000$m$。

3.归化方法

归化方法属精确测设已知水平距离的方法中的一种。先用前述直接测设法概略测设一点B′，然后用检定过的钢尺或短程红外光电测距仪或全站仪精密测定AB′之间的距离(注意，此时是测量未知距离，不是测设)，并加尺长改正、温度改正、倾斜改正数，其值设为$l'$，将$l'$与设计距离$l$比较，得出较差$q=l'-l$，即以此为依据进行改正，以确定B点位置。改正时，从B点起沿AB方向补量水平距离$q$。当$q>0$时，应向AB′延长线方向补量，即向外改正；反之，则缩短所量距离，向内改正。

### 7.1.2测设已知水平角

设OA为地面上的已知方向，$\beta$为设计的角度，今求设计方向OC。

1.一般方法

如图7-2所示，测设时，在O点安置经纬仪，盘左时，置水平度盘读数为0°00′00″，瞄准A点。然后转动照准部，使水平度盘读数为$\beta$，在视线方向上标定C′点；用盘右位置再测设$\beta$角，标定C″点；由于存在测量误差，C′与C″点往往不重合，取中点C，则∠AOC即为$\beta$，OC方向就是要标定于地面上的设计方向。

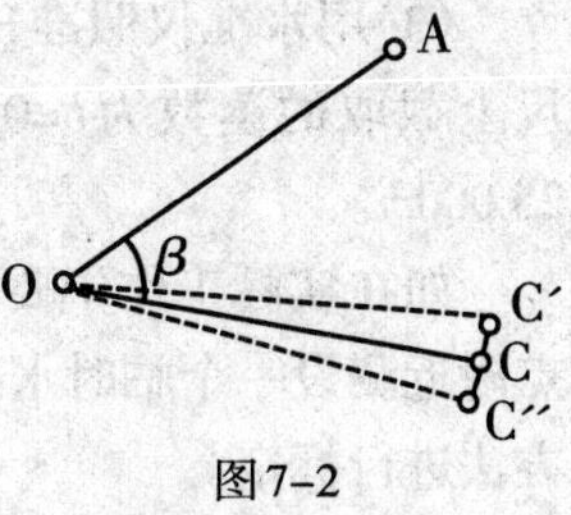

图7-2

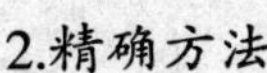
2.精确方法

如图7-3所示，测设步骤如下:

(1)先用一般方法测设出C′点；

(2)用测回法对∠AOC′观测多个测回(测回数根据要求的精度而定)，求出各测回平均值$\beta_1$，并计算出

$$\Delta\beta=\beta-\beta_1 \tag{7-1}$$

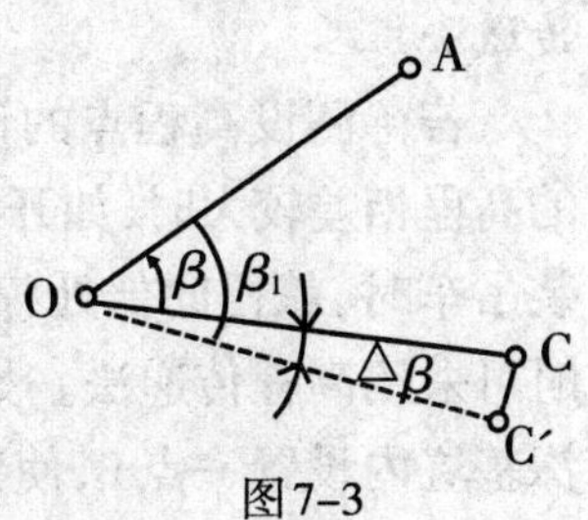

图7-3

(3)量取OC′的水平距离；

(4)用下式计算改正距离

$$CC' = OC' \cdot tan\Delta\beta \approx OC' \cdot \frac{\Delta\beta}{\rho} \qquad (7\text{-}2)$$

式中 $\rho=206265''$；

(5)自C′点沿OC′的垂直方向量出距离CC′，定出C点，则∠AOC就是要测设的角度。

量取改正距离时，如$\Delta\beta$为正，则沿OC′的垂直方向向外量取；如$\Delta\beta$为负，则沿OC′的垂直方向向内量取。

### 7.1.3测设已知高程

在施工测量中，除需要标定点的平面位置外，还要根据地面已知高程点标定点的设计高程位置。将点的设计高程标定到实地上去，是根据一个已知高程点来测设另一个点，使其高程为设计所指定的数值，一般用水准测量方法进行。

1.一般方法

如图7-4所示，欲将设计高程为$H_B$=25.000m标定于B处一木桩上。设附近有一水准点A，其高程已知，$H_A$=24.380m。测设方法如下：

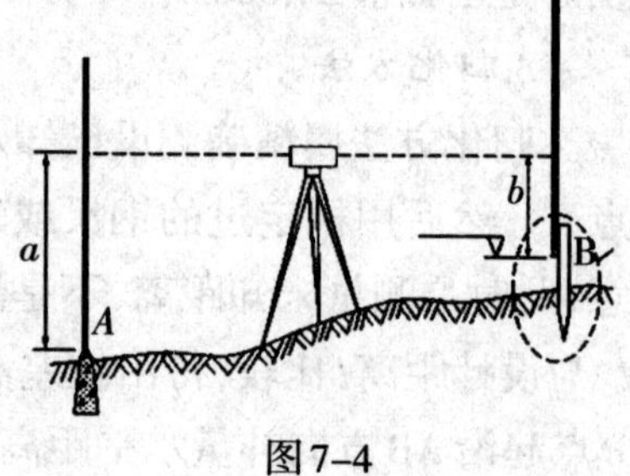

图7-4

(1)在水准点A和木桩B之间安置水准仪，在A点立水准尺，用水准仪的水平视线测得后视读数为$a$=1.422m，此时水准视线高程$H_视$为：

$$H_视=H_A+a = 24.380 + 1.422 = 25.802m$$

(2)根据视线高程计算B点水准尺上读数$b$为：

$$b = H_视 - H_B = 25.082 - 25.000 = 0.082m$$

(3)用水准仪照准B点水准尺，使尺紧贴木桩侧面上下移动，直至水准仪的水平视线在尺上截取的读数为$b$=0.082m时，紧靠尺底在木桩上画一水平线，此线即为B点设计高程25.000$m$。

如在实际工作中要测设的点距已知水准点较远时，可用一般水准测量的方法在欲测设点附近测设一个临时水准点，然后再用上述方法进行标定。

2.点的高低位置的测设方法(高程上下传递法)

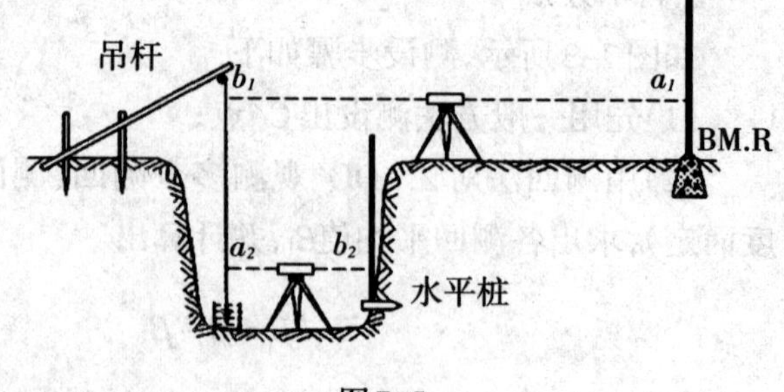

图7-5

若待测设高程点的设计高程与水准点的高程相差较大时，如开挖较深的基槽或安装吊车时，就得向低处(高处)引测高程，这时可采用高程传递法。如图7-5所示，欲在深基坑内设置一点B，使其高程为$H_设$，地面附近有一水准点R，其高程为$H_R$。测设方法如下：

(1)在基坑一边架设吊杆,杆上吊一根零点向下的钢尺,尺的下端挂上10kg的重锤,放入油桶中。

(2)在地面安置一台水准仪,设水准仪在$R$点所立水准尺上读数为$a_1$,在钢尺上读数为$b_1$。

(3)在坑底安置另一台水准仪,设水准仪在钢尺上读数为$a_2$。

(4)计算$B$点水准尺的高程为$H_设$时,$B$点处水准尺的读数应为$b$:

$$b=(H_R+a_1)-(b_1-a_2)-H_{设} \tag{7-3}$$

用同样的方法,亦可从低处向高处测设已知高程的点。

## 第二节　点的平面位置的测设方法

点的平面位置的测设方法有直角坐标法、极坐标法、角度交会法和距离交会法。采用哪种方法,应根据控制网的形式、地形情况、现场条件及精度要求等因素确定。

### 7.2.1 直角坐标法

直角坐标法标定是根据两条与坐标轴平行的控制线进行的。该方法只需量测和测设直角,工作比较简单,适用于建筑物附近已有彼此垂直的主轴线或建筑方格的情况。

如图7-6所示,Ⅰ、Ⅱ、Ⅲ、Ⅳ为某厂房的四个角点,$a$、$b$、$c$、$d$为欲测设某车间的四个角点,根据设计图上各点坐标值,可求出建筑物的长度、宽度及测设数据。现以Ⅰ点和$a$点为例,说明其测设步骤:

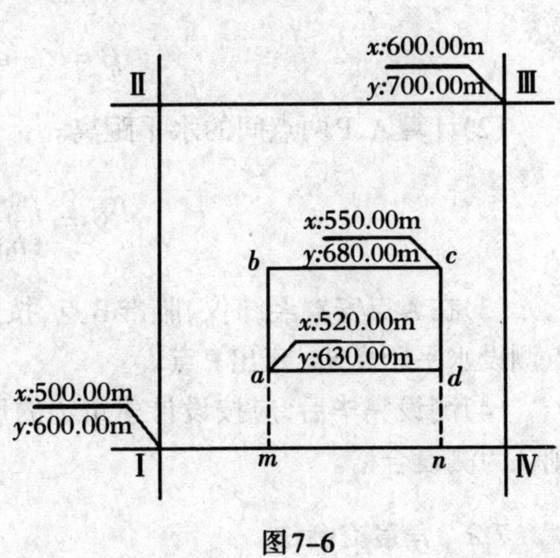

图7-6

(1)先算出Ⅰ点和$a$点的坐标差;

$$\Delta x=x_a-x_Ⅰ=520.00-500.00=20.00m$$

$$\Delta y=y_a-y_Ⅰ=630.00-600.00=30.00m$$

(2)在Ⅰ点安置经纬仪,瞄准Ⅳ点,沿视线方向测设距离$\Delta y$=30.00$m$,定出$m$点,继续向前测设50.00$m$,定出$n$点;

(3)在$m$点安置经纬仪,瞄准Ⅳ点,按逆时针方向测设90°角,由$m$点沿视线方向测设距离$\Delta x$=20.00$m$,定出$a$点,再向前测设30.00m,定出$b$点;

(4)在$n$点安置经纬仪,瞄准Ⅰ点,按顺时针方向测设90°角,由$n$点沿视线方向测设距离20.00m,定出$d$点,再向前测设30.00m,定出$c$点;

(5)检查车间四角是否等于90°,各边长是否等于设计长度,其误差在允许限差以内,则认为测设合格。

### 7.2.2 极坐标法

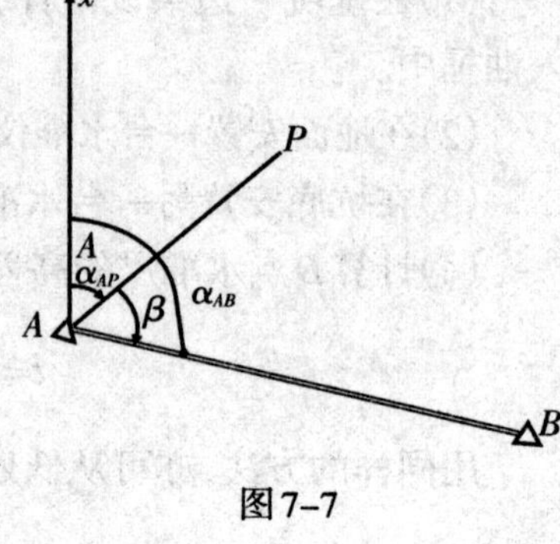

图7-7

极坐标法是根据一个角度和一段距离来测设一点平面位置的方法，适用于测设距离较短且便于量距的点位。

如图7-7所示，A、B为已知平面控制点，其坐标值分别为A$(x_A, y_A)$、B$(x_B、y_B)$，P点为建筑物的一个角点，其坐标为P$(x_P、y_P)$。现根据A、B两点，用极坐标法测设P点，其测设方法如下：

(1)根据坐标反算公式求出边AB和AP的坐标方位角，再根据两条边的坐标方位角求出其夹角。

$$\alpha_{AB}=arctan\frac{\Delta y_{AB}}{\Delta x_{AB}} \tag{7-4}$$

$$\alpha_{AP}=arctan\frac{\Delta y_{AP}}{\Delta x_{AP}} \tag{7-5}$$

$$\beta=\alpha_{AB}-\alpha_{AP} \tag{7-6}$$

(2)计算A、P两点间的水平距离。

$$S_{AP}=\frac{y_P - y_A}{sin\alpha_{AP}} \tag{7-7}$$

(3)在A点安置经纬仪，瞄准B点，按逆时针方向测设$\beta$角，定出AP方向，沿AP方向自A点测设水平距离$S_{AP}$，定出P点。

(4)测设完毕后，应按设计建筑物的形状、尺寸检核角度和长度误差，若在允许范围内，则认为测设合格。

### 7.2.3 角度交会法

角度交会法是通过测设两个已知角度而交会出点的平面位置，适用于待定点离控制点较远或量距较困难地区。

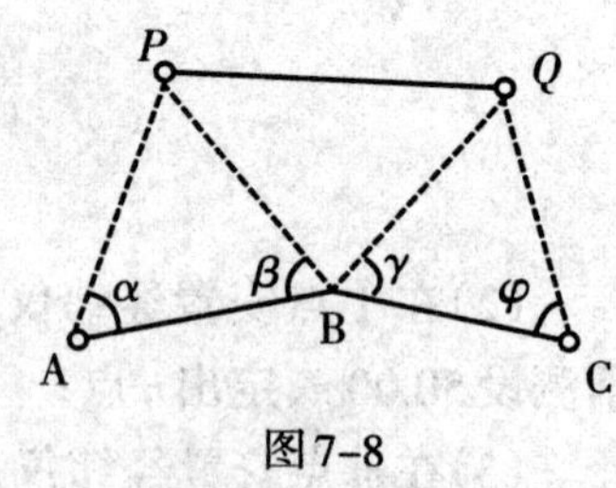

图7-8

如图7-8所示，控制点A、B、C已知，P、Q两点是要标定的点，其设计坐标已知。首先根据已知坐标进行反算，求出方位角，然后计算出交会角$\alpha$、$\beta$和$\gamma$、$\varphi$。将经纬仪置于A、B、C等控制点上，分别测设角度$\alpha$、$\beta$和$\gamma$、$\varphi$，其交点就是P、Q点的位置。为了检核，应丈量PQ的长度，其误差应在允许范围内。

### 7.2.4 距离交会法

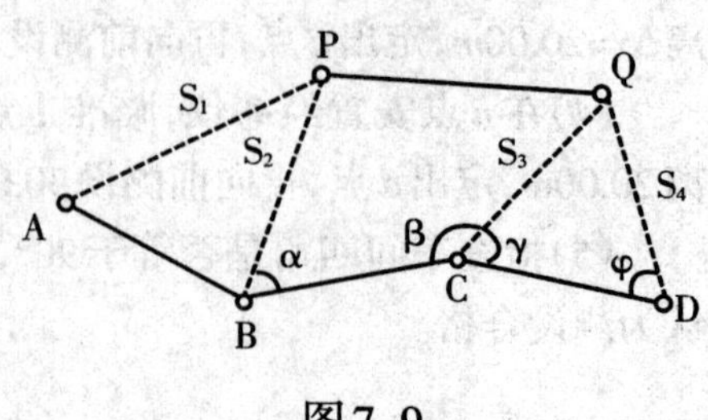

图7-9

距离交会法是用测设两段已知距离来交会出点的平面位置的方法。适用于建筑场地平坦而没有障碍物，且控制点离测设点不超过一个尺段的情况。

如图7-9所示，P、Q是要测设的点，其坐标设计中已给出，由坐标反算知P、Q距附近控制点的距离分别为$S_1$、$S_2$、$S_3$、$S_4$。用钢尺分别从控制点A、B量取$S_1$、$S_2$，其交点即为P点的位置。同理从C、D用$S_3$、$S_4$定出Q点的位置。为了检核，还应量PQ的长度与设计长度比较，其误差应在允许范围之内。

# 第二部分　专业核心知识点

1. 距离、角度、高差的测设方法；
2. 点的平面位置的测设方法。

## 复习题

1.要在坡度一致的倾斜地面上设置水平距离为126.000m的线段，已知线段两端的高差为3.60m（预先测定），所用30m钢尺的检定长度是29.993m，测设时的温度$t$=10℃，检定时的温度$t_0$=20℃，试计算用这根钢尺在实地沿倾斜地面应量的长度。

2.已测设直角∠AOB，并用多个测回测得其平均角值为90°00′48″，又知OB的长度为150.000m，问在垂直于OB的方向上，B点应该向何方向移动多少距离才能得到90°00′00″的角？

## 讨论题

1.测设的基本工作有哪几项？结合第一章谈谈测设和测量有什么区别？
2.测设点的平面位置有哪几种方法？各适用于什么情况？
3.如何用一般方法测设已知数值的水平角？
4.试阐述测设已知高程点的方法和步骤？

## 思考题

测设时，归化法与精确法有何异同？

# 第八章　矿井联系测量

## 第一部分　系统理论知识

### 第一节　概述

为了满足矿井日常生产、管理和安全等需要，要将矿井地面测量和井下测量联系起来，建立统一坐标系统。这种把井上、井下坐标系统统一起来所进行的测量工作就称为矿井联系测量。联系测量包括平面联系测量与高程联系测量两部分，前者称为定向测量，后者称为导入高程(标高)。

联系测量的任务包括：

1.确定井下经纬仪导线的一条起始边的坐标方位角；

2.确定井下经纬仪导线一个起始点的坐标；

3.确定井下一个水准基点的高程，也叫导入标高。

其中，前两项任务是通过矿井平面联系测量来完成，后一项任务通过高程联系测量来实现。由于起始边坐标方位角误差对井下导线的影响比起始点坐标误差对井下导线的影响大得多，因此，把确定井下导线起始边坐标方位角的误差大小作为衡量平面联系测量的精度标准，这就是我们把平面联系测量简称为矿井定向的原因，这将在第二节进行介绍。

此外，为了满足矿井建设和生产的需要，建立矿井井上、井下统一系统，还需在矿井工业广场、井筒附近布设平面控制点和高程控制点，即我们通常所说的近井点和井口水准基点。近井点和高程水准基点的布设还要满足以下要求：

①尽可能埋设在便于观测、保存和不受开采影响的地点；

②近井点到井口的连测导线边数应不超过3条；

③高程水准基点应不少于2个(近井点可作为高程水准基点)。

联系测量对正确合理进行采矿工作具有十分重要的意义。一方面，在开采地下矿藏时，必须知道井下各巷道和采空区与地面建筑物、铁路、湖泊等井上、下之间的相对位置，从而采取一系列措施，以保护地面建筑物的塌陷和矿井的生产安全；另一方面，当确定相邻矿井的各巷道间及巷道与采空区间的相互关系，正确地规划两相邻矿井间的安全矿柱等时，都需要在井上、下采用统一坐标系统。因此，联系测量是安全地、有计划地进行采矿的重要保证。

## 第二节　矿井平面联系测量

前一节已经介绍，矿井平面联系测量的任务是根据地面已知点的平面坐标和已知边的方位角，确定井下导线起算点的平面坐标和起算边的方位角。进行矿井平面联系测量时，传递坐标的误差和传递方位角的误差对井下测量的影响过程大致可用图8-1来说明。

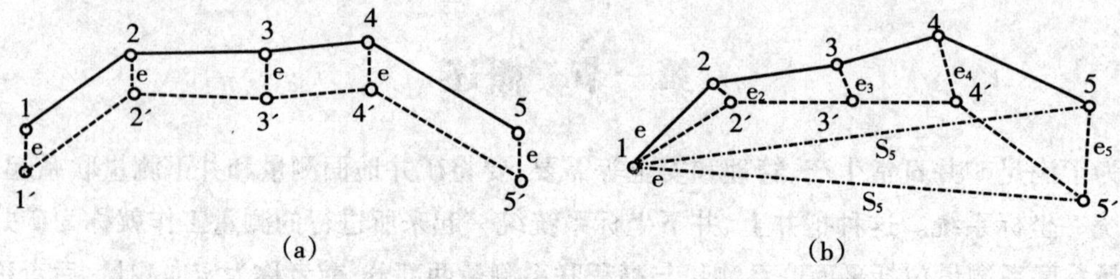


图8-1

由图可知，起始点的位置误差对其他各点的影响是不随导线的延伸而增大的，恒为一常数。而起始边方位角的误差所引起的各点点位误差，离起始点越远，误差越大，充分说明平面联系测量中传递方位角是主要的。

平面联系测量的方法主要分为几何定向和物理定向两种。几何定向包括一井定向和两井定向两种；物理定向即陀螺定向。

### 8.2.1 一井定向

一井定向是在一个井筒内悬挂两根钢丝，钢丝的一端固定在地面，另一端系上重锤后悬挂在定向水平上，再按地面坐标系统求出两根钢丝的平面坐标及其连线的方位角，同时在井下与永久控制点连接，这样便能将地面的坐标和方向传递到井下，从而达到定向的目的。一井定向工作分为投点和连接两个部分。

1.投点

投点，就是在井筒中悬挂重锤线的工作，以便将井上的点位和方位角传递到井下。投点时，将两钢丝一端绕在井口边的小型手摇绞车上，开始工作前，先在钢丝上挂2~3kg的悬垂（或沙袋），使之经滑轮从井口徐徐放入井筒中，等到达定向水平后再换上工作用的重锤（其重量随井深而异，井深小于100m，重锤为30～50kg，大于100m，重锤为50～100kg），并置于盛有稳定液的桶内，使其稳定。

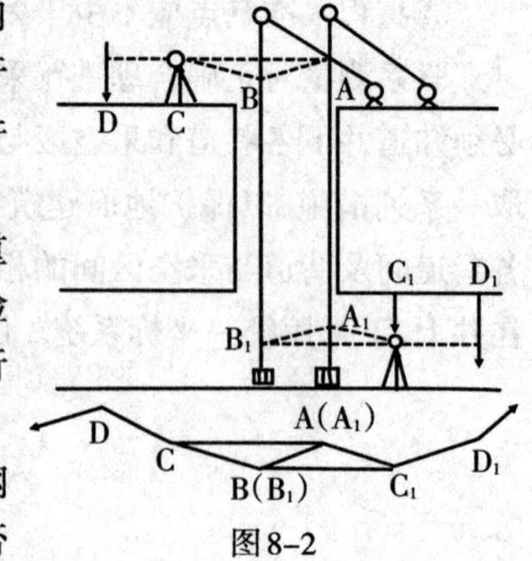


图8-2

为了检查钢丝是否自由悬挂，钢丝放下后，必须检查重锤与桶壁、桶底及钢丝与井壁、井筒设备有无接触之处。检查方法有信号圈法和比距法两种，当确认无接触后方可进行下一步工作。

①信号圈法：在井上用直径2～3cm的小铁丝圈套在钢丝上往下放，每隔一段时间放一个，放3～5个，看它们能否

顺利滑下，来检查钢丝是否自由悬挂。投放信号圈时，要保持钢丝不摆动，信号圈的质量也不应太大。此外，投放前应将钢丝上的油垢擦去，以免粘住信号圈。

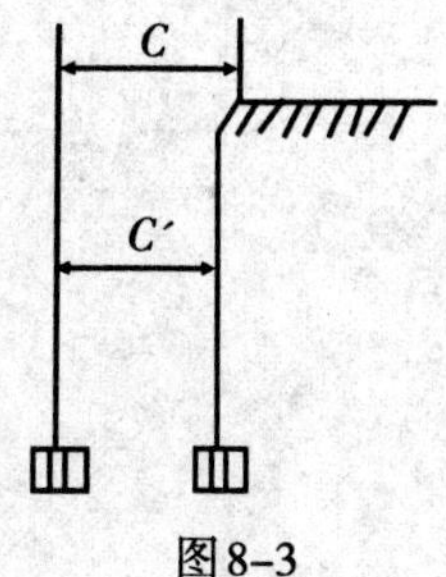

图8-3

②比距法：用对比井上、井下两重锤之间的间距来检查。如图8-3中边长$c$与$c'$之差规定不应大于2mm，否则必须查明此差发生的原因。在经上述检查后，确认重锤线完全自由悬挂，才能在井下求重锤的稳定位置。

此外，投点时，由于井筒内风流、滴水等的影响，致使悬挂钢丝偏斜，使得井下的平面位置$O_1'$、$O_2'$与$O_1$、$O_2$不重合，产生偏差$e_{O1}$、$e_{O2}$，$e_{O1}$、$e_{O2}$称为投点误差。由投点误差引起$O_1O_2$的方向误差$\theta$，称为投向误差。如图8-4所示，两根钢丝偏离的方向相反时（影响最大的情况），则投点误差随定向方位角的影响可按下式计算：

$$tg\theta=\frac{e_{O1}+e_{O2}}{O_1O_2} \tag{8-1}$$

因$\theta$角很小，则上式可简化为：

$$\theta=\frac{e_{O1}+e_{O2}}{O_1O_2}\rho'' \tag{8-2}$$

式中　　$\rho''=206265''$（一弧度对应的秒）

由上式可看出，要减少投向误差，必须加大两钢丝间的距离和减小投点误差，但由于井筒直径有限，两钢丝间的距离不能很大，一般也不过3～5m，因此，在投点时，必须通过采取一切有效措施减少投点误差来提高投点的精度，其方法主要有：

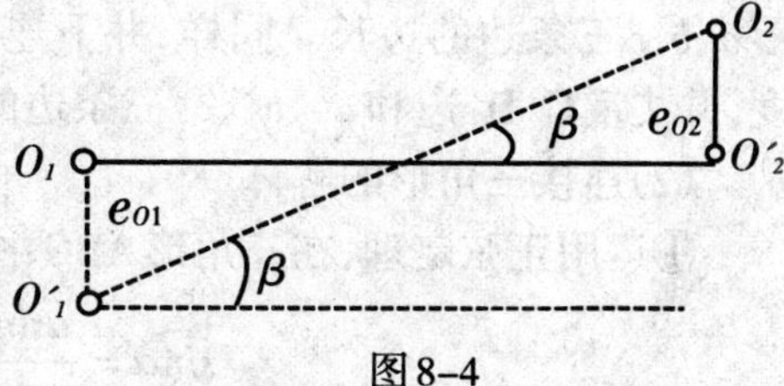

图8-4

①为了减少风流的影响，定向时最好暂时关闭风机；

②采用直径小、抗拉强度高的钢丝；

③适当增加垂球的重量并将之浸入液体中，以减少钢丝的摆动。

2.连接

当投点工作完成以后，即在地面及井下同时进行连接测量。连接测量分为地面连接测量和井下连接测量两部分。地面连接测量是在地面测定两钢丝的坐标及其连线的方位角；井下连接测量是在定向水平根据两钢丝的坐标及其连线的方位角确定井下导线起始点的坐标与起始边的方位角。

连接测量的方法很多，这里主要介绍其中最常用且精度较高的连接三角形法。

如图8-5所示，连接三角形是在井上、下井筒附近选定临时点C和C′，形成以两垂线连线AB为公共边的两个三角形ABC和ABC′，这两个三角形称为连接三角形。为了提高精度，连接三角形应布设成延伸三角形。即应满足以下条件：

①点C与D及点C′与D′要彼此通视，且CD与C′D′的边长要大于20m；

②三角形的锐角$\gamma$和$\gamma'$要小于2°；

③$a/c$与$a'/c'$的值要尽量小一些，一般应小于1.5。

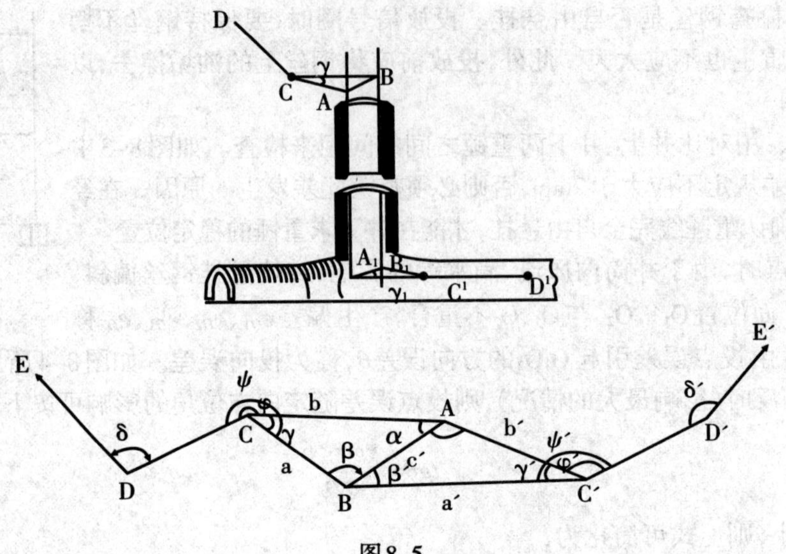


图8-5

(1)连接三角形法的外业

地面连接测量是在C点安置经纬仪测量出$\psi$、$\varphi$和$\gamma$三个角度，并丈量CD边和延伸三角形$a$、$b$、$c$三条边的边长。同样，井下连接测量是在C´点安置仪器测量出$\psi'$、$\varphi'$和$\gamma'$三个角度，并丈量C´D´边和$a'$、$b'$、$c'$三条边的边长。

(2)连接三角形的解算

①运用正弦定理，在三角形ABC中，解算出$\alpha$、$\beta$

$$sin\alpha = \frac{asin\gamma}{c}, sin\beta = \frac{bsin\gamma}{c} \tag{8-3}$$

当$\alpha < 2°$及$\beta > 178°$时，可用下列近似公式计算：

$$\alpha'' = \frac{a}{c}\gamma''; \beta'' = \frac{b}{c}\gamma'' \tag{8-4}$$

同理，可在三角形$ABC'$中，计算出井下三角形中的$\alpha'$、$\beta'$角。

②检查测量和计算成果

首先，连接三角形的三个内角$\alpha$、$\beta$、$\gamma$以及$\alpha'$、$\beta'$、$\gamma'$的和均应为180°。一般均能闭合，若有少量残差可平均分配到$\alpha$、$\beta$或$\alpha'$、$\beta'$上。

其次，两锤球线间距离的检查。设$C_{丈}$为井上丈量所得的两钢丝间的实际丈量值，$C_{计}$为按余弦定理算出的计算值，则

$$d=C_{丈}-C_{计} \tag{8-5}$$

式中　$C_{计}$可按余弦公式计算，即

$$C^2_{计} = a^2+b^2-2abcos\gamma \tag{8-6}$$

当井上连接三角形$d$不大于2mm，井下连接三角形$d'$不大于4mm且符合《煤矿测量规程》要求时，可在丈量的$a$、$b$、$c$以及$a'$、$b'$、$c'$中加入改正数$V_a$、$V_b$、$V_c$及$V_{a'}$、$V_{b'}$、$V_{c'}$：

$$V_a = V_c = -\frac{c_{丈} - c_{计}}{3}, V_b = \frac{c_{丈} - c_{计}}{3}$$

$$V_{a'}=V_{c'}=-\frac{c'_{丈}-c'_{计}}{3},V_{b'}=\frac{c'_{丈}-c'_{计}}{3} \tag{8-7}$$

③将井上、井下连接图形视为一条导线，如D—C—A—B—C′—D′，按照导线的计算方法求出井下起始点C′的坐标及井下起始边C′D′的方位角。

### 8.2.2两井定向

当矿区有两个相邻的矿井，且井下巷道相互连通，并能进行测量时，即可用两井定向。在这种情况下，每一井筒中只需悬挂一根钢丝，然后在地面、井下定向水平上用导线测量的方法，对两根钢丝位置进行连测，从而把地面坐标系统中的平面坐标和方位角传递到井下。

两井定向与一井定向类似，不同的是，相对于一井定向来说，两井定向两钢丝间的距离增大，会减小投点产生的投向误差，从而可提高井下导线起始边的方位角的精度。因此，在选择定向测量时，应首先考虑采用两井定向。

两井定向的外业也包括投点、连接，其井上、井下连接测量的示意图见图8-6。

1.投点

在两个竖井中各挂一根钢丝，其方法与一井定向相同，但比一井定向简单。一方面，由于在井筒内只用悬挂一根钢丝，所以能选择最好的位置悬挂；且由于井上、下观测时间不同时进行，占用时间少，不影响生产。另一方面，相对于一井定向来说，两井定向两钢丝间的距离会增大，便于减小投点产生的投向误差，从而可提高井下导线起始边的方位角的精度。

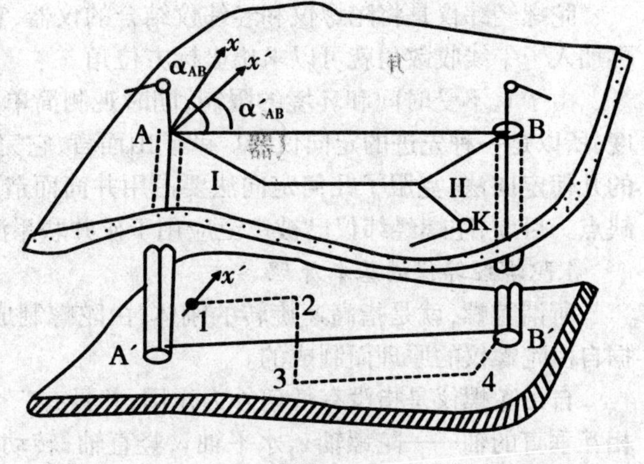


图8-6

2.连接

地面连接测量：从近井点K分别向两锤球线A、B测设连接导线*K*–Ⅱ–Ⅰ–*A*及*K*–Ⅱ–*B*，以确定A、B的坐标和AB的坐标方位角。连接导线辅设时，应使其具有最短的长度并尽可能沿两锤球线连线的方向延伸。因为此时量边误差对连线的方向不产生影响，导线可采用一级或二级导线。

井下连接测量：在井下定向水平，测设经纬仪导线A′–1–2–3–4–B′，导线可采用7″或15″基本控制导线。

3.两井定向的内业计算

由于在一个井筒内仅投下一个点，因此，井下导线边的方位角就不能像一井定向那样直接推算出来。为此，须在井下采用假定坐标系统的方法，并经过换算，才能获得与地面坐标系统一致的方位角。具体计算步骤如下：

(1)根据地面连接测量的成果，按照导线的计算方法，计算出地面两钢丝A、B的平面坐标$(x_A,y_A)$、$(x_B,y_B)$。

(2)计算两钢丝点A、B的连线在地面坐标系统中的方位角$\alpha_{AB}$:

$$\tan\alpha_{AB}=\frac{y_B-y_A}{x_B-x_A} \tag{8-8}$$

(3)以井下导线起始边A1为$x'$轴,A点为坐标原点建立假定坐标系,计算井下导线各连接点在此假定坐标系中的平面坐标,设B点的假定坐标为($x'_B$,$y'_B$)。

(4)计算A、B连线在假定坐标系中的方位角$\alpha'_{AB}$:

$$\tan\alpha'_{AB}=\frac{y'_B-y'_A}{x'_B-x'_A} \tag{8-9}$$

(5)计算井下起始边在地面坐标系统中的方位角$\alpha_{A1}$:

$$\alpha_{A1}=\alpha_{AB}-\alpha'_{AB} \tag{8-10}$$

(6)根据A点的坐标($x_A$,$y_A$)和计算出的A1边的方位角$\alpha_{A1}$,计算出井下导线各点在地面坐标系统中的坐标方位。

### 8.2.3 陀螺定向

陀螺经纬仪是将陀螺仪和经纬仪结合的仪器,它可以精确地测出某一边的天文方位角,再加入子午线收敛角就可以求出坐标方位角。

由于它不受时间和环境的限制,同时观测简单方便、效率高,而且能保证较高的定向精度,所以是一种先进的定向仪器。就矿山而言,它完全可以取代国内矿山测量沿用百年之久的几何定向法,克服了几何定向法要占用井筒而造成停产,要耗费大量人力、物力和时间等缺点。目前,陀螺经纬仪已被广泛应用于矿井联系测量和控制井下导线方向误差的积累中。

1.陀螺经纬仪的基本原理

所谓陀螺,就是指高速旋转的刚体,由陀螺制成的仪器称为陀螺仪,而陀螺经纬仪是根据自由陀螺仪的原理而制成的。

自由陀螺仪是指没有任何外力作用,并具有三个自由度的陀螺仪,即陀螺转子可绕三个相互垂直的轴——陀螺轴$x$,水平轴$y$,竖直轴$z$转动,其模型及原理示意图如图8-7。三轴交点O称为陀螺中心,自由陀螺仪的中心与重心重合。自由陀螺仪具有以下两个特性:□

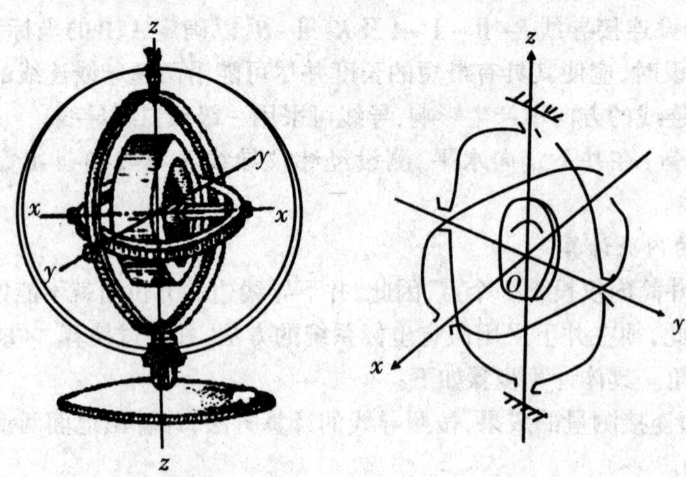


图8-7

(1)定轴性。陀螺轴在不受外力矩作用时,它的方向始终指向初始恒定方位。□

(2)进动性。陀螺轴在受外力作用时,将产生有规律的偏转效应。

目前,常用的陀螺仪是采用两个完全自由度和一个不完全自由度的钟摆式陀螺仪。它是根据上述陀螺仪的定轴性和进动性两个基本特性,并考虑到陀螺仪对地球自转的相对运动,使陀螺轴在测站子午线附近作角简谐摆动的原理而制成的。

### 2.矿用陀螺经纬仪的基本结构

陀螺经纬仪是陀螺经纬仪和定向经纬仪组合而成的定向仪器。根据其连接形式不同主要可分为上架式陀螺经纬仪和下架式陀螺经纬仪两大类。上架式陀螺经纬仪,即陀螺仪安放在经纬仪之上,下架式陀螺经纬仪即陀螺仪安放在经纬仪之下。现在常用的矿用陀螺经纬仪大都是上架式陀螺经纬仪,如图8-8所示。

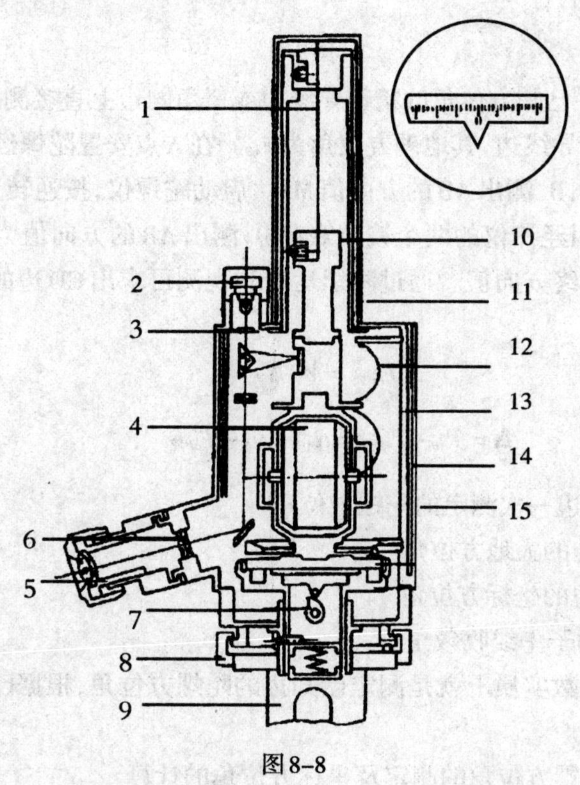


图8-8

1——悬挂带;2——光源;3——光标镜;4——陀螺马达;5——分划板;6——目镜;7——凸轮;8——限幅盘;9——连接支架;10——上套筒;11——支架;12——导流丝;13——磁屏蔽;14——支架;15——悬挂柱

### 3.陀螺经纬仪定向的方法

(1)在地面已知边上测定仪器常数

由于仪器结构本身的误差,致使陀螺经纬仪所测定的陀螺子午线与地理子午线不重合,二者的夹角称为仪器常数,一般用Δ表示。如果陀螺子午线位于地理子午线的东边,Δ为正,反之,则为负。要在地面已知边上测定Δ,关键是要测定已知边的陀螺方位角$T_{AB陀}$。一般情况下,在井下定向测量前和测量后,应在地面同一已知边(一般是近井点的后视边)上各测三次仪器常数。

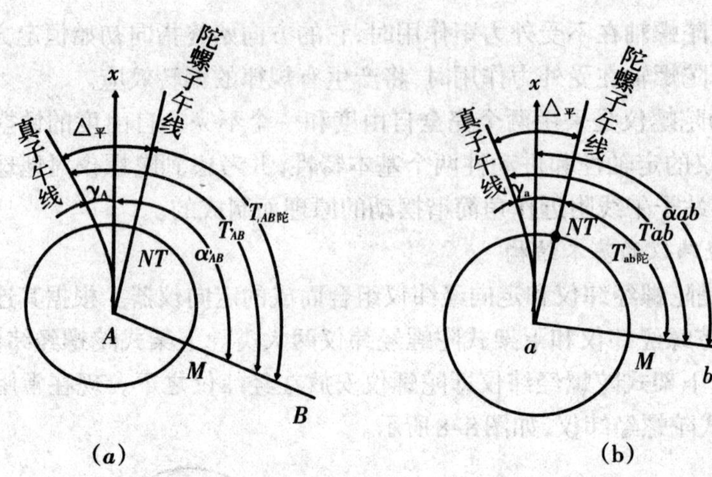


图8-9

仪器常数Δ可以在已知方位角的精密导线边或三角网边上直接测出来。测定方法如图8-9(a)所示，AB为已知导线边，其地理方位角为$\alpha_{AB}$。在A点安置陀螺经纬仪，对中、整平后，以经纬仪两个镜位观测B，测出AB的方向值M1。启动陀螺仪，按逆转点法(后面介绍)测定陀螺北方向值NT，再用经纬仪的两个镜位观测B，测出AB的方向值为M2。取M1和M2的平均值M为AB线的最终方向值。通过陀螺运转和观测可求出CD边的陀螺方位角$\alpha_T$，可按下式求出仪器常数：

$$T_{AB陀}=M-N_T \tag{8-11}$$

$$\Delta=T_{AB}-T_{AB陀}=\alpha_{AB}+\gamma_A-T_{AB陀} \tag{8-12}$$

式中　$T_{AB陀}$——AB边一次测定的陀螺方位角

$T_{AB}$——AB边的大地方位角

$\alpha_{AB}$——AB边的坐标方位角

$\gamma_A$——A点的子午线收敛角

可知，测定仪器常数实质上就是测定已知边的陀螺方位角，根据已知边陀螺方位角，便可求出仪器常数Δ。

(2)井下定向边陀螺方位角的测定及坐标方位角的计算

按与地面同样的方法，在井下定向边上测出$ab$边的陀螺方位角$T_{ab陀}$，如图8-9(b)，则该边的坐标方位角

$$\alpha_{ab}=T_{ab陀}+\Delta_{平}-\gamma_a \tag{8-13}$$

式中　$T_{ab陀}$——$ab$边的陀螺方位角，$T_{ab陀}=M-N_T$

$\gamma_a$——$a$点的子午线收敛角

$\Delta_{平}$——仪器常数的平均值

4.粗略定向

在测定已知边和定向边的陀螺方位角之前，必须把经纬仪望远镜视准轴置于近似北方，

也就是所谓粗略定向。配有粗定向罗盘的陀螺仪,可用罗盘来达到粗略定向的目的。如在已知边上测定仪器常数时,可利用已知边的坐标方位角及仪器站的子午线收敛角来直接寻找近似北方。当在未知边上定向,且仪器本身又无粗定向罗盘附件时,则可利用仪器本身来寻找北方。

粗略定向最常用的方法为两个逆转点法。仪器在测站安置好后,将经纬仪视准轴大致摆在北方向后,启动陀螺马达,达到额定转速后,下放陀螺灵敏部,松开经纬仪水平制动螺旋,用手转动照准部跟踪灵敏部的摆动,使陀螺仪目镜视场中移动着的光标像与分划板零刻划线随时重合。当接近摆动逆转点时,光标像移动慢下来,此时制动照准部,改用水平微动螺旋继续跟踪,达到逆转点时,读取水平度盘读数 $U_1$;松开制动螺旋,按上述方法继续向反方向跟踪,到达另一逆转点时,再读取水平度盘读数 $U_2$。锁紧灵敏部,制动陀螺马达,按下式计算近似北方在水平度盘上的读数:

$$N' = \frac{1}{2}(u_1+u_2) \tag{8-14}$$

转动照准部,把望远镜摆在N′读数位置,再加上仪器常数和子午线收敛角,这时视准轴就指向了近似北方。此法大约在10Min内完成,指北精度可达到±3′。

5.精密定向

精密定向就是精确测定已知边和定向边的陀螺方位角。精密定向方法可分为两大类:一类是仪器照准部处于跟踪状态,即多年来国内外都采用的逆转点法;另一类是仪器照准部固定不动,国内外研究和提出的方法很多,如中天法、时差法、摆幅法等。这里只介绍逆转点法。

逆转点,是指陀螺绕子午线摆动时偏离子午线最远处的东西两个位置,分别称为东、西逆转点。采用逆转点法观测时,方法如下:

在测站上安置仪器,观测前将水平微动螺旋调至行程中间位置,并于正镜位置将经纬仪照准部对准近似北方向,然后启动陀螺。此时在陀螺仪目镜视场中可以看到光标线在摆动。用水平微动螺旋使经纬仪照准部转动,平稳匀速地跟踪光标线的摆动,使目镜视场中分划板上的零刻度线与光标线随时重合。当光标达到东、西逆转点时,读取经纬仪水平度盘上的读数。连续读取5个逆转点时的读数,便可按以下公式求得陀螺子午线的方向值 $N_T$。

$$N_1 = \frac{1}{2}\left(\frac{u_1+u_3}{2}+u_2\right)$$

$$N_2 = \frac{1}{2}\left(\frac{u_2+u_4}{2}+u_3\right)$$

$$N_3 = \frac{1}{2}\left(\frac{u_3+u_5}{2}+u_4\right)$$

$$N_T = \frac{1}{3}(N_1+N_2+N_3) \tag{8-15}$$

式中　$N_1$、$N_2$、$N_3$——摆动中值。

## 第三节　矿井高程联系测量

矿井高程联系测量又称导入标高,它的任务在于把地面坐标系统中的高程传递到井下高程测量起始点上,使井上、井下采用同一高程系统。

导入标高的方法有多种:一是通过平硐和斜井导入标高,可用水准测量和三角高程测量来实现;二是通过竖井导入标高,要采用一些专门的方法来实现。常用的竖井导入标高的方法有钢尺法、钢丝法和光电测距仪法,下面重点介绍这3种方法。

### 8.3.1 钢尺法导入标高

如图8-10所示,将钢尺由地面挂至井下,钢尺零端在下,其上挂一锤球,其重等于钢尺检定时的拉力,并在地面、井下分别安置水准仪,分别在A、B水准尺上读数为$a$和$b$。然后将水准仪对准钢尺,在钢尺上读数分别为$m$和$n$(当钢尺挂上重锤并稳定后,开始读数)。最后再在水准尺上读数,以检查仪器高是否有变化。因为温度对钢尺长度有影响,所以应测出观测时井上、下的温度,设分别为$t_1$、$t_2$。

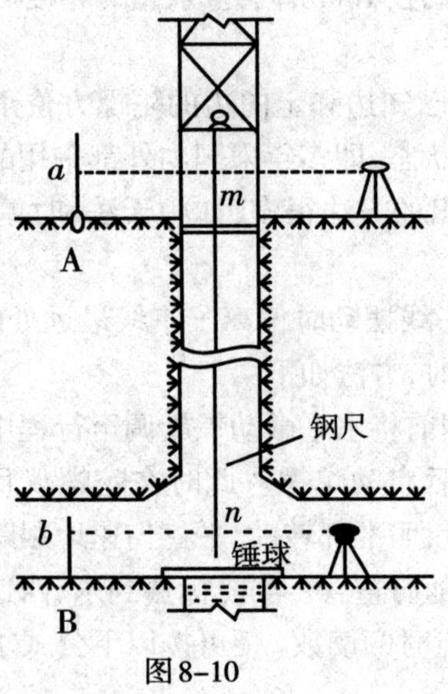

图8-10

由图可知,井下水准基点B的高程为:

$$H_B=H_A-h \tag{8-16}$$

其中$h=(m-n)-a+b+\Sigma\Delta L$

$\Sigma\Delta L$为钢尺的比长、拉力、温度和自重改正数{$\Delta Lc=\dfrac{\gamma l(L-l/2)}{E}$}之和($l$—钢尺长度,$L$—钢尺悬挂全长;$\gamma$—钢尺的相对密度,为7.8g/cm$^2$;$E$—钢尺的弹性系数,为$2\times10^6$kg/cm$^2$)。

为了检核和提高精度,导入标高应进行两次,两次之差不得大于1/8000。

要注意的是,用长钢尺导入标高比较简单,但必须具备大于井深的钢尺。当不具备长钢尺时,可将几根短钢尺牢固地连接起来当长钢尺用,效果也很好。如果井深较大时,则应用钢丝来实现。

### 8.3.2 钢丝法导入标高

采用钢丝法导入标高时，原理与钢尺相同。不同的是钢丝上没有刻度，故应在测量时做好标记。

如图8-11，首先应在井筒中部悬挂一钢丝，在井下一端悬挂一重锤，使其处于自由悬挂状态；然后，在井上、井下同时用水准仪测得$A$、$B$处水准尺上的读数$a$和$b$，并用水准仪瞄准钢丝，在钢丝上作标记（$I$为钢丝上两标志间的长度）。井下水准基点$B$的高程$H$可通过下式求得：

$$H_B = H_A - I + (a - b) \tag{8-17}$$

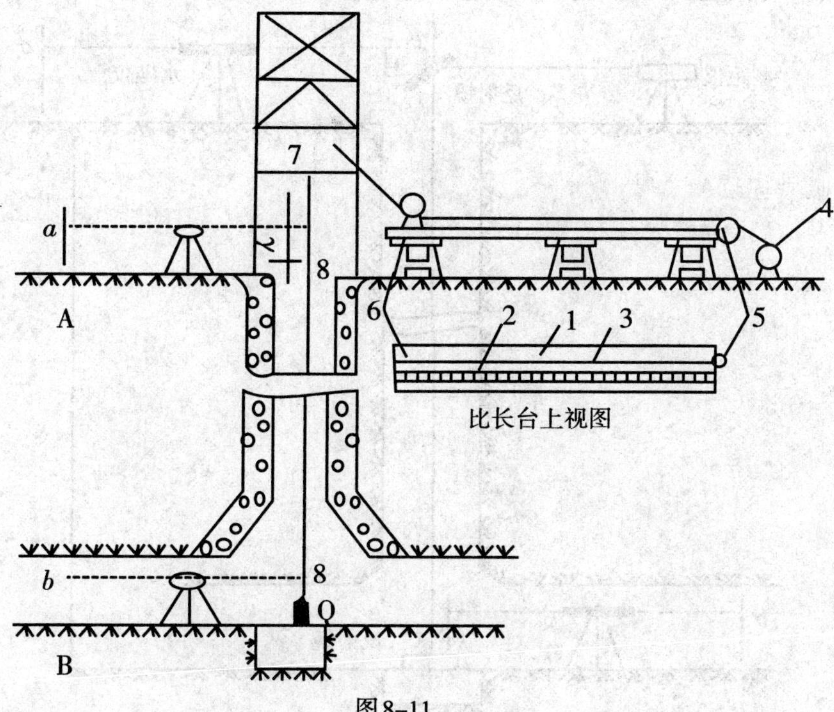


图8-11

1——比长台；2——检验过的钢尺；3——钢丝；4——手摇绞车；5、6——小滑轮；7——导向滑轮；8——标线夹

### 8.3.3 光电测距仪导入标高

如下图8-12所示，光电测距仪导入标高的基本方法：在井口附近的地面上安置光电测距仪，在井口和井底的中部，分别安置反射镜；井上的反射镜与水平面成45°夹角，井下的反射镜处于水平状态；通过光电测距仪分别测量出仪器中心至井上和井下反射镜的距离$I$、$S$，从而计算出井上与井下反射镜中心间的铅垂线$H$：

$$H = S - I + \triangle I \tag{8-18}$$

式中　　$\triangle I$为光电测距仪的总改正数。

然后，分别在井上、井下安置水准仪。测量出井上反射镜中心与地面水准基点间的高差$h_{AE}$和井下反射镜中心与井下水准基点间的高差$h_{FB}$，则可按下式计算出井下水准基点B的高程$H_B$：

$$H_B = H_A + h_{AE} - H + h_{FB} \quad (8\text{-}19)$$

$$h_{AE} = a - e \quad (8\text{-}20)$$

$$h_{FB} = f - b \quad (8\text{-}21)$$

式中，$a$、$b$、$e$、$f$分别为井上、井下水准基点和井上、井下反射镜处水准尺的读数。运用光电测距仪导入标高也要测量两次，其互差不应超过1／8000。

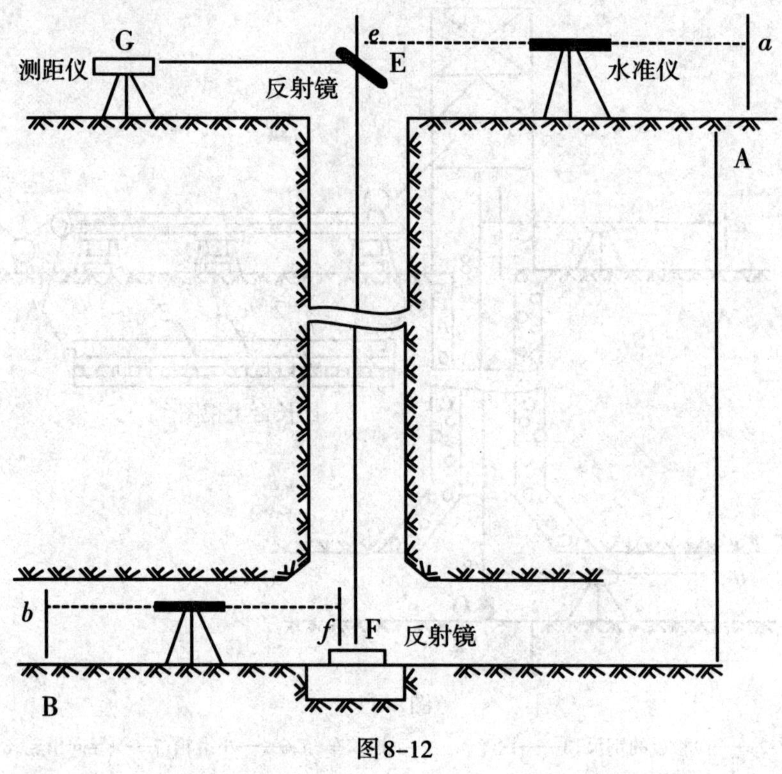


图8-12

# 第二部分　专业核心知识点

1. 矿井联系测量及其任务；
2. 一井定向和两井定向方法；
3. 矿用陀螺经纬仪定向方法；
4. 钢尺导入标高和钢丝导入标高的方法。

**复习题**

1.什么是联系测量？联系测量的任务是什么？为什么要进行联系测量？

2.高程联系测量有哪几种方法？

3.如图8-13所示，若已知DE边的方位角为$\alpha_{DE}$=15°20′30″，测量得$\delta$=110°10′25″，$\varphi$=195°10′45″，$\varphi'$=175°49′01″，$\delta'$=164°20′10″，$\gamma'$=1°12′30″；计算得$\alpha$=1°35′46″，$\beta$=1°25′20″。试计算井下D′E′的方位角。

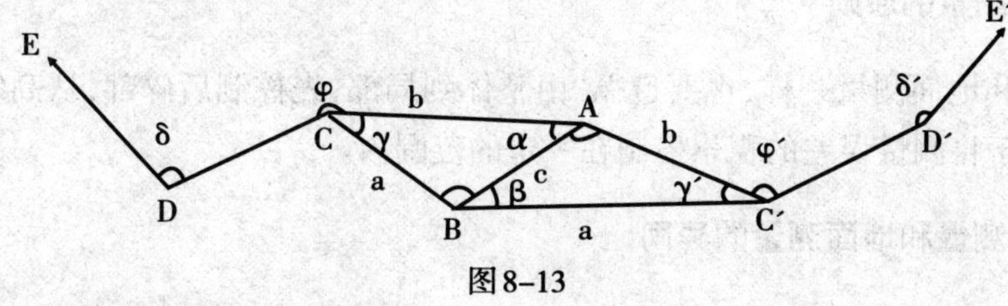


图8-13

4.在地面上要求测设一个直角，先用一般方法测设出∠AOB，再测量该角若干测回取平均值为∠AOB=90°00′20″，又知OB的长度为150m，问在垂直于OB的方向上，B点应该移动多少距离才能得到90°的角？(注：$\rho''$=206265″)

**讨论题**

1.矿井联系测量的实质是什么？为什么说精确地传递井下导线起始边的方位角比较重要？

2.平面联系为什么又称定向？

3.矿井联系测量在采矿工作中的作用是什么？

4.一井定向、两井定向和陀螺定向各有什么优缺点？

5.为什么说陀螺经纬仪是定向测量的先进仪器？详述陀螺经纬仪定向的作业过程？

6.为什么要进行竖井联系测量？有哪几种方法？

**思考题**

两井定向时为什么要采用假定坐标系进行计算？

# 第九章　巷道测量

## 第一部分　系统理论知识

### 第一节　概述

#### 9.1.1 井下测量任务与程序

井下测量的任务，主要是确定巷道、硐室及回采工作面的平面位置与高程，为煤矿建设提供数据和图纸。

井下测量通常有如下顺序：

矿区地面控制测量→矿井定向和导入标高→井下控制测量→井下各种碎部测量。

#### 9.1.2 井下测量的原则

井下测量和地面测量一样，也要遵循“由整体到局部，先控制后碎部，从高级到低级”的原则。这样便于将测量误差的积累控制在一定的范围内。

#### 9.1.3 井下测量和地面测量的异同

井下测量是一种几何学的实际应用，其内容可以概括为确定且描绘出所测对象在空间内的形状、大小和界限，这一点和地形测量是一致的。因此在地形测量中所应用的仪器、操作方法，以及测量的基本理论，均适用于井下的矿山测量中。

但井下测量也区别于地形测量，其差别如下：

1.工作条件不同。一般来说，井下的测量条件较差，测量时需要照明，且井下巷道比较狭窄，来往的行人和车辆等都给测量工作造成一定的困难，因此需要采用一些特殊的测量仪器和特殊的测量工作方法。

2.测量的对象不同。一般情况下，地形测量的对象是固定不变的，因此某一地区测绘成图后测量工作便可结束。但井下的矿山测量在时间和空间上都是不断地变化着的，其施测时间与矿山企业存在的时间相同。

3.测量精度要求不同。在地形测量中，测量的精度因比例尺的不同而不同，但用同一比例尺时，其测量精度在整个图纸上是大致相同的。但矿山测量的精度主要考虑能否满足解决各种日常采矿工程的要求，而且井下巷道转折点较多，这就使得经纬仪导线边长较短，其误差由井筒中央向边界迅速增加，因此，一张图纸各处的精度也不一致。井下测量为了解决某些重要的采掘工程施工（如贯通），还必须进行专门的精度较高的测量工作。

## 第二节　井下平面测量

井下平面测量主要包括井下平面控制测量和碎部测量。

### 9.2.1 井下平面控制测量

井下平面控制测量，由于受到井下客观条件的制约，一般都不可能像地面控制测量那样布设成三角网，它只能以矿井联系测量测得的井底车场内的已知点和已知边作为导线的起始点和起始边，逐步敷设导线来完成标定巷道掘进方向和测绘矿图等任务。

由于井下巷道是分期逐步掘进的，因此井下导线在矿井建设的初期都只能布设成支导线，只有随着井下巷道的增多才可能形成附合导线和闭合导线的形式。根据井下导线的用途和精度的不同，可将井下导线分为基本控制导线和采区控制导线两类。

基本控制导线是井下的首级平面控制，精度较高，分为7″和15″两级。它主要敷设在斜井、平硐、井底车场、水平(阶段)运输巷道、总回风巷、集中上下山和集中运输石门等矿井主要巷道中。各矿可根据井田范围大小，选择其中一种作为本矿井的基本控制导线。

采区控制导线是矿井的加密控制，精度较低，分为15″和30″两级。它是以基本控制导线点为基础，沿采区上下山、中间巷道或片盘运输巷道以及其他次要巷道敷设。各矿可根据采掘工程的实际需要以及其他基本情况，选用其中一种作为本矿井的采区控制导线。

两类控制导线的主要技术指标见表9-1。

**表9-1**

| 导线类别 | 测角中误差(") | 一般边长(m) | 最大角度闭合差 | | 最大相对闭合差 | |
|---|---|---|---|---|---|---|
| | | | 闭(附)合导线(") | 复测支导线(") | 闭(附)合导线 | 复测支导线 |
| 基本控制 | ±7<br>±15 | 40～140<br>30～90 | $\pm 14\sqrt{n}$<br>$\pm 30\sqrt{n}$ | $\pm 14\sqrt{n_1+n_2}$<br>$\pm 30\sqrt{n_1+n_2}$ | 1/8000<br>1/6000 | 1/6000<br>1/4000 |
| 采区控制 | ±15<br>±30 | —<br>— | $\pm 30\sqrt{n}$<br>$\pm 60\sqrt{n}$ | $\pm 30\sqrt{n_1+n_2}$<br>$\pm 60\sqrt{n_1+n_2}$ | 1/6000<br>1/3000 | 1/4000<br>1/2000 |

煤矿建设中，当井田范围较大，一翼长度超过3公里时，应布设7秒级或15秒级导线作为基本控制，布设30秒级或45秒级导线作为采区控制；当井田范围较小，一翼长小于3公里，应布设15秒级导线作为基本控制，布设30秒级或45秒级导线作为采区控制；如果井田一翼小于500米的小矿井，则可布设30秒级或45秒级导线作为基本控制；相应的采区控制可以更低些。可见，井下巷道平面控制测量的等级是根据井田范围大小来决定，且井下巷道测量的精度也必须与工程要求相适应，以保证井下巷道的正常施工。

在主要巷道中,为了配合巷道施工,一般应先布设精度较低的导线(如15"或30"级),用以指示巷道的掘进方向。当巷道掘进到一定长度后,再布设基本控制。这样做,不仅可以起到检核作用,而且能够保证矿图的精度,使施工符合设计要求。

例如,巷道每掘进30～200m时,测量人员应按该等级的导线要求进行导线测量。完成外业工作后即进行内业计算,将计算结果展绘在采掘工程平面图上,供有关部门了解巷道掘进进度、方向、坡度等,以便作出正确的决策。若测量人员填绘矿图之后,发现掘进工作面接近各种采矿安全边界(积水区、发火区、瓦斯突出区、采空区、巷道贯通相遇点以及重要采矿技术边界等),应立即以书面形式向矿领导和负责人报告,同时书面通知安全检查、施工区队等有关部门,避免发生事故。巷道每掘进300～800m时,应布设基本控制导线,并根据基本控制导线成果展绘基本矿图。

### 9.2.2 碎部测量

碎部测量的目的在于测得井巷的细部轮廓形状,作为填绘矿图的依据。为此,在进行井下导线测量的同时,完成测角量边之后,还应进行碎部测量,丈量仪器中心到巷道顶板、底板和两帮的距离(简称上量、下量、左量、右量)。此外,还要测量巷道、硐室或工作面的轮廓,通常采用支距法和极坐标法进行。

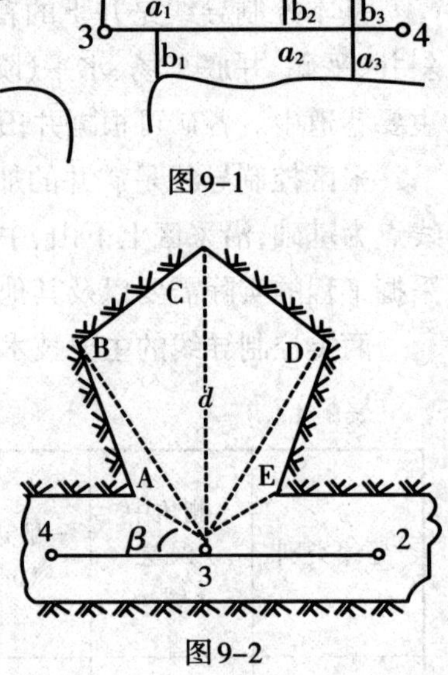

图9-1

图9-2

支距法多用在巷道及采场碎部测量中。如图9-1所示,以导线边为基准线,量取巷道或工作面的特征点至导线边的垂距,并量出其垂足至测点的距离,然后绘制草图。

极坐标法多用在硐室碎部测量中,如图9-2所示,导线测至硐室,在导线点上用仪器测出测点至各特征点方向线与导线边之间的夹角,并丈量出仪器至特征点的水平距离,同时绘出草图,根据所测数据展绘矿图。

## 第三节 井下经纬仪导线测量

确定井下各种巷道的平面位置,是通过经纬仪导线测量来实现的。井下导线的布设形式和地面一样,有闭合导线(交叉闭合导线)、附合导线和支导线三种。当布设支导线时,应进行往、返测量,自行闭合,亦称复测支导线。

### 9.3.1 井下经纬仪导线测量外业

井下导线测量的外业步骤与地面导线一样,包括选点、埋点、测角、量边,其基本原理与地面经纬仪导线相同。

1.踏勘、选点

即对需要测量的巷道进行踏勘、选点。选点的原则:点与点之间必须通视,选在巷道拐弯或巷道交点处,且应在不妨碍巷道运输之处,并为减少测角误差,应尽可能使导线边长一些。选点时,由三人进行,以矿灯表示点位,互见矿灯时,即固定中间一点。

根据巷道存在时间的长短,井下导线点分为永久点和临时点两种,如图9-3。永久点因其要在巷道存在的整个时期内,保持其位置不变,一般设在碹顶上或巷道顶(底)板的稳定岩石中。一般在矿井的主要巷道中,至少每隔300m~500m应设置一组,每组至少应有3个相邻点。临时点因在短时间内要保持不变,可选设在顶板岩石中或牢固的棚梁上。

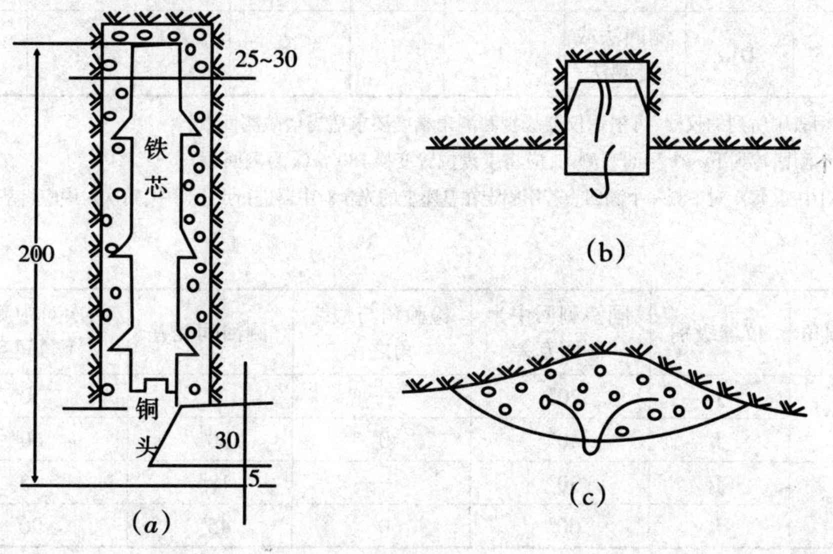


图9-3

所有导线点均应做明显标志并统一编号,用红漆或白漆将点位圈出来,并将编号醒目地涂写在设点处的巷道帮上,以便于寻找。

2.水平角观测

井下水平角的测量方法与地面类似,常用的方法主要是测回法,这在第三章做过介绍,这里不再赘述。

井下使用的经纬仪与地面使用的也基本类似。不同的是由于井下导线点设在顶板上,仪器安置在导线点之下,因此要求仪器有镜上中心,以便进行点下对中。对中时,要求望远镜处于水平位置,风流较大时,要采取挡风措施。如果边长较短(如小于30m),为了提高测角精度,应按规程要求增加对中次数和测回数。观测时,在前后视点上悬挂锤球线作为觇标,并在锤球线的适当处别一大头针,作为瞄准和测倾角的标志。用矿灯斜照锤球线,或在矿灯上蒙上透明纸,以便观测。

不同级别的导线选用的测量仪器和限差要求如表9-2和9-3所示。

表9–2

| 导线级别 | 使用仪器 | 观测方法 | 按导线(水平)边长分 | | | | | |
|---|---|---|---|---|---|---|---|---|
| | | | 15m以下 | | 15～30m | | 30m以上 | |
| | | | 对中次数 | 测回数 | 对中次数 | 测回数 | 对中次数 | 测回数 |
| 7″ | $DJ_2$ | 测回法 | 3 | 3 | 2 | 2 | 1 | 2 |
| 15″ | $DJ_6$ | 测回法或复测法 | 2 | 2 | 1 | 2 | 1 | 2 |
| 30″ | $DJ_{15}$ | 测回法或复测法 | 1 | 1 | 1 | 1 | 1 | 1 |

注：1.如不用表中所列的仪器，可根据仪器级别和测角精度要求适当增减测回数；

2.由一个测回转到下一个测回观测前，应将度盘位置变换180°/$n$($n$为测回数)；

3.多次对中时，每次对中测一个测回。若用固定在基座上的光学对中器进行点上对中，每次对中应将基座旋转360°/$n$。

表9–3

| 巷道倾角 | 仪器级别 | 同一测回中半测回互差 | 检验角与最终角之差 | 测回间互差 | 两次对中测回(复测)间互差 |
|---|---|---|---|---|---|
| ≤30° | $J_2$ | 20″ | — | 12″ | 30″ |
| | $J_6$ | 40″ | 40″ | 30″ | 60″ |
| >30° | $J_2$ | 30″ | — | 18″ | 45″ |
| | $J_6$ | 60″ | 60″ | 45″ | 90″ |

3.边长丈量

井下导线测量中，通常在测角之后进行边长丈量。量边工具有钢尺、皮尺、拉力计和温度计等。

量边的方法一般采用悬空丈量。其方法是用经纬仪的水平视线瞄准前后视点所挂锤球线，用大头针在绳上标出十字丝交点，然后用钢尺丈量仪器镜上中心或横轴右端中心与大头针之间的距离，如图9–4所示。

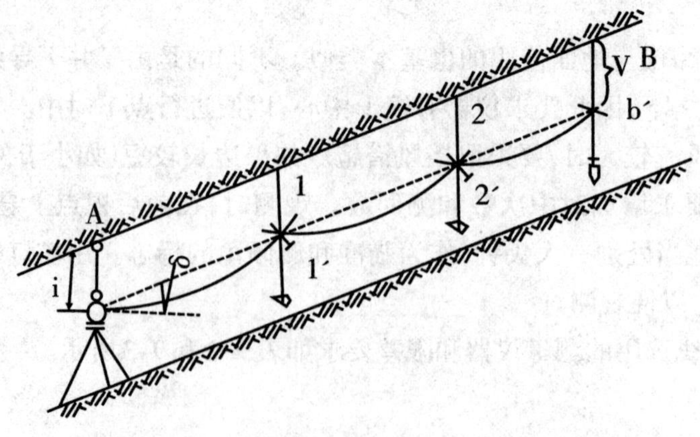


图9–4

基本控制导线的边长必须用经过比长的钢尺丈量，同时用拉力计对钢尺施以比长时的拉力，并测定温度。丈量时，每尺段应于不同的位置读数三次，读至毫米，三次测得长度互差不得超过3mm。计算一条边的正确长度应加入比长、温度、垂曲及倾斜改正数，当加入各种改正数之后的往返水平边长互差不大于平均长度的1/6000时，取其平均值作为最后结果。

采区控制导线的边长丈量，可凭经验施拉力，不测温度，但必须往返丈量或错动钢尺位置1m以上丈量两次，其互差不大于边长的1/2000时，取其平均值作为最后结果，否则重新丈量。

当边长超过一尺段时，可用经纬仪进行定线，分段进行丈量。如图9-4中，经纬仪设置在A点，望远镜的横丝与B点锤球线上的标志$b'$重合，将望远镜制动，在略小于钢尺一整尺段的距离处设置临时点1、2，挂上锤球线，使A、1、2、B在一条直线上。然后，在1、2锤球上设置标志1′、2′，使1′、2′、$b'$与望远镜里的十字丝交点重合，定线便完成了。此后即逐段丈量，最后累加得到总的倾斜长度。测出倾角δ后，按下式计算边长水平长度，即

$$S=S'\cos\delta \tag{9-1}$$

式中　$S$——水平长度

$S'$——倾斜长度

$\delta$——倾斜角

在测量采区导线时，需要4人一组，一人观测，一人记录，前后视司仪各一人，测量基本控制导线时，需要增加一人帮助量距、定线等工作，全组应合理分工，密切配合，共同完成外业工作。

需要注意的是在巷道测量中，工作环境黑暗、潮湿、狭窄，来往行人、车辆较多，巷道内又有各种管线障碍，所以，无论测角或量边，都必须注意安全，爱护仪器工具。

### 9.3.2 井下经纬仪导线测量内业计算

前面介绍了井下导线的形式有闭合导线、附合导线和复测支导线三种。其中闭合导线和附合导线的计算方法与地面相同，只是限差要求不一致(表9-4)。因此，下面主要介绍复测支导线的内业计算。

复测支导线的计算步骤如下：

1.分别按往返成果计算导线最末边的方位角$\alpha_1$和$\alpha_2$；

2.计算角度闭合差$f_\beta$；

$$f_\beta=\alpha_1-\alpha_2 \tag{9-2}$$

将$f_\beta$与表9-2中的计算值$f_{\beta允}$进行比较，若$f_\beta<f_{\beta允}$，说明测量符合要求，否则应重新进行外业观测，直至满足要求为止。

3.分配角度闭合差。若往测和返测的中间导线点不完全重合，则角度闭合差应分别分配，即往测和返测各分配$f_\beta/2$，其每个角度改正数分别为

$$V_{1\beta i}=\frac{-f_\beta}{2n_1}\qquad V_{2\beta i}=\frac{+f_\beta}{2n_2} \tag{9-3}$$

4.按改正后的水平角推算往测、返测各边的方位角；

5.计算坐标增量和往测、返测坐标增量闭合差

$$f_x=\Sigma\Delta x_1-\Sigma\Delta x_2$$

$$f_y=\Sigma\Delta y_1-\Sigma\Delta y_2 \tag{9-4}$$

6.计算导线全长的相对闭合差$K$

$$K=\frac{f_s}{\Sigma S}=\frac{\sqrt{f_x^2+f_y^2}}{(\Sigma S_1+\Sigma S_2)/2} \tag{9-5}$$

式中，$\Sigma S_1$和$\Sigma S_2$分别表示往测和返测各边边长之和。若$K$满足表9-2中的规定，则可进行下面的计算。否则应检查成果，进行部分甚至全部外业成果重测。

7.分配坐标增量闭合差

$$V_{1xi}=\frac{-f_x/2}{\Sigma S_{1i}}S_{1i} \qquad V_{1yi}=\frac{-f_y/2}{\Sigma S_{1i}}S_{1i}$$

$$V_{2xi}=\frac{f_x/2}{\Sigma S_{2i}}S_{2i} \qquad V_{2yi}=\frac{f_y/2}{\Sigma S_{2i}}S_{2i} \tag{9-6}$$

8.计算导线点的坐标；根据已知点的坐标和改正后的坐标增量分别计算往测和返测各导线点的坐标，即

$$x_i=x_{i-1}+\Delta x_{i-1,i}+V_{x_i}$$

$$y_i=y_{i-1}+\Delta y_{i-1,i}+V_{y_i} \tag{9-7}$$

表9-4

| 导线级别 | 最大闭合差 | | |
|---|---|---|---|
| | 闭合导线 | 复测支导线 | 附合导线 |
| 7″ 级 | $\pm 14''\sqrt{n}$ | $\pm 14''\sqrt{n_1+n_2}$ | $\pm 2\sqrt{m^2_{\alpha1}+m^2_{\alpha2}+nm_\beta^2}$ |
| 15″ 级 | $\pm 30''\sqrt{n}$ | $\pm 30''\sqrt{n_1+n_2}$ | |
| 30″ 级 | $\pm 60''\sqrt{n}$ | $\pm 60''\sqrt{n_1+n_2}$ | |

注：表中$n$为闭（附）合导线的总站数；$n_1$、$n_2$分别为复测支导线往、返测量的总站数；$m_{\alpha1}$、$m_{\alpha2}$分别为附合导线起始边和附合边的坐标方位角中误差；$m_\beta$为附合导线测角中误差。

## 第四节　井下高程测量

### 9.4.1 井下高程测量的目的和任务

井下高程测量是测定井下各种测点高程的测量工作。其目的是为了建立与地面统一的高程系统，确定各种采掘巷道、硐室在竖直方向上的位置及相互关系，以解决各种采掘工程在竖直方向上的几何问题。其任务大体包括以下几个方面：

1.在井下主要巷道内精确测定高程点和永久导线点的高程，建立井下高程控制；

2.给定巷道在竖直面内的方向；

3.确定巷道底板的高程；

4.检查主要巷道及其运输路线的坡度和测绘主要运输巷道纵剖面图。

### 9.4.2 井下高程测量的分类和高程点的选设

巷道高程测量通常分为井下水准测量和井下三角高程测量两种。在主要水平运输巷道中，应采用水准测量；在其他巷道中可根据具体情况选用水准测量或三角高程测量。即一般巷道的坡度小于8°时，采用水准测量，坡度大于8°时，采用三角高程测量。

井下高程点应布设在巷道顶、底板或两帮的稳定岩石中、碹体上或井下永久固定设备的基础上，也可选用井下永久导线点作为高程点，且井下高程点一般应每隔300～500m设置一组，每组至少由3个高程点组成，两高程点间的距离以30～80m为宜。

### 9.4.3 井下水准测量

井下水准测量路线的布设形式、施测方法、内业计算以及仪器、工具等，均与地面水准测量基本相同。一般采用精度不低于$S_{10}$级的水准仪（因井下条件限制，采用的水准尺较短，通常是2m长的水准尺），采用变更仪器高（两次仪器高互差应大于10cm）的方法进行观测。两次测得的相邻点间的高差互差不大于5mm时，取其平均值作为观测成果。

由于井下水准点大多数埋设在顶板上，观测时要倒立水准尺，所以计算立尺点之间的高差可能出现下面四种情况，如图9-5所示：

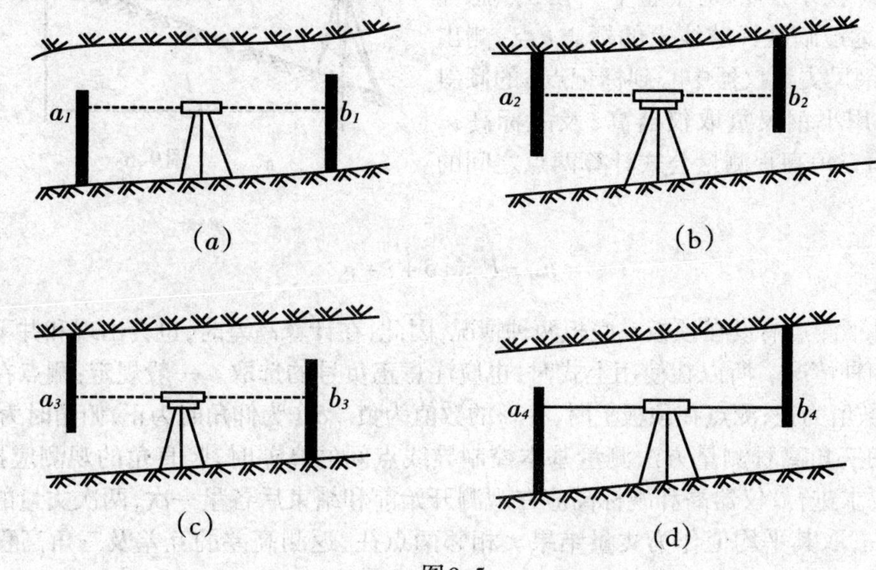


图9-5

1.前后视立尺点都在底板上，如图9-5($a$)，则

$$h_1=a_1-b_1 \tag{9-8}$$

2.前后视立尺点都在顶板上，如图9-5(b)，则

$$h_2=-a_2-(-b_2)=b_2-a_2 \tag{9-9}$$

3.后视立尺点在顶板上，前视立尺点在底板上，如图9-5(c)，则

$$h_3=-a_3-b_3 \tag{9-10}$$

4.后视立尺点在底板上，前视立尺点在顶板上，如图9-5(d)，则

$$h_4=a_4-(-b_4)=a_4+b_4 \tag{9-11}$$

由以上四种情况可知，两点间的高差计算公式和地面一样，它在任何时候都等于后视读数减去前视读数，即$h=a-b$。当立尺点在顶板上，计算时只需在读数前面加上一个负号即可。因此，立尺员应将立尺点在顶板的情况告知记录员，便于在记录簿上注记清楚。一般用符号“┬”表示立尺点在顶板，符号“┴”表示立尺点在底板。

### 9.4.4 井下三角高程测量

井下三角高程测量一般用于倾角大于8°的倾斜巷道。它的作用是把矿井各水平的高程联系起来，即通过倾斜或急倾斜巷道传递高程，测出巷道中导线点或水准点的高程。井下三角高程测量通常与导线测量同时进行。如图9-6所示：安置经纬仪于A点，对中整平。在B点悬挂锤球，用望远镜瞄准锤球线上的标志$b$点，测出倾角$\delta$。用钢尺丈量仪器中心到标记点$b$的倾斜距离$l'$，并用小钢尺量取仪器高$i$及觇标高$v$。然后按地面三角高程测量公式计算两点之间的高差$h_{AB}$，即

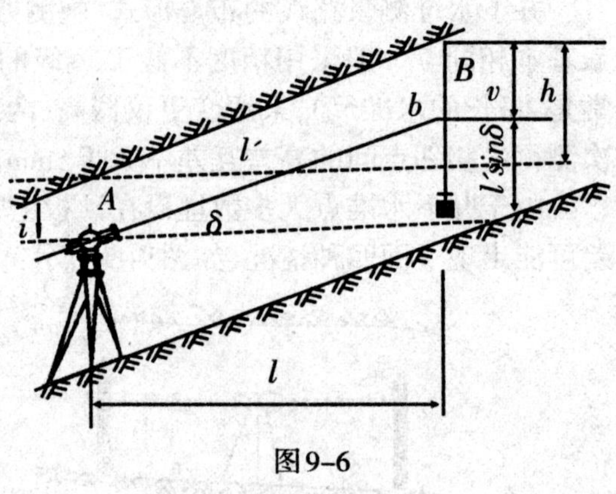

图9-6

$$h_{AB}=l'\sin\delta+i-v \tag{9-12}$$

由于井下测点有设在顶板或底板两种情况，因此，在计算高差时，也会出现和井下水准测量相同的四种情况。所以在使用上式时，也应注意正负号的选取。一般规定：测点在底板上时，$i$和$v$的数值为正；测点在顶板上时，$i$和$v$的数值为负。$\delta$作为仰角时为正，俯角时为负。

在运用三角高程测量方法测量基本控制导线点间的高差时，竖直角的观测应按表9-5中规定的要求进行；仪器高和觇标高应在观测开始前和结束后各量一次，两次丈量的互差不得大于4mm，取其平均值作为丈量结果。相邻两点往、返测高差的互差及三角高程闭合差不得超过表9-6中规定。当测量结果满足上述要求后，高程闭合差可按与边长成比例进行分配，并计算出各点高程。

表9–5

| 观测方法 | $J_2$经纬仪 | | | $J_6$经纬仪 | | |
|---|---|---|---|---|---|---|
| | 测回数 | 竖直角互差 | 指标差互差 | 测回数 | 竖直角互差 | 指标差互差 |
| 对向观测(中丝法) | 1 | — | — | 2 | 25″ | 25″ |
| 单向观测(中丝法) | 2 | 15″ | 15″ | 3 | 25″ | 25″ |

表9–6

| 导线类别 | 相邻两点往、返测高差的允许互差 | 三角高程允许闭合差 |
|---|---|---|
| 基本控制 | $10+0.3l$mm | mm |
| 采取控制 | — | mm |

注：$l$为两点间的水平距离，以米为单位。

## 第五节　罗盘仪测量

罗盘仪是一种低精度测量仪器，它具有结构简单、使用和携带方便、工作迅速等特点。现代矿山测量中，多用于测量次要巷道和回采工作面以及初步给定施工巷道的掘进方向等。在小煤矿中，它的使用更为广泛一些。

挂罗盘测量应用的工具有挂罗盘、半圆仪、皮尺和线绳。

### 9.5.1 挂罗盘仪的构造

#### 1.挂罗盘仪的构造及用途

罗盘仪是利用磁针受地磁吸引而指向南北的特点测定磁方位角的仪器。井下罗盘仪一般制成悬挂式，故称为挂罗盘仪。它由罗盘盒和悬架两部分组成，如图9–7所示。罗盘盒利用螺丝与圆环相连，当挂钩挂在测绳上时，不论测绳的倾角如何，罗盘盒由于自重作用，保持水平。

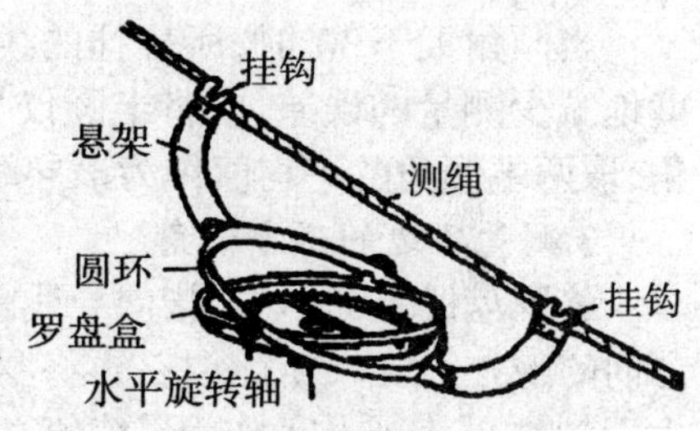


图9–7

罗盘盒的度盘刻划按逆时针方向由0°到360°，最小分划值为30′。在0°和180°的位置，注有北(N)和南(S)字样。罗盘盒的背面有一制动磁针的螺丝，不用时将其旋紧，使用时须旋松。罗盘盒内的磁针静止时，绕有铜丝端指向南，另一端指向北。

挂罗盘仪主要用于测量直线的磁方位角，为了方便使用，每个罗盘在使用之前，应当在井下(或采区)的不同地点，选择若干条已知坐标方位角的边，用该罗盘分别测出各边的磁方位角。根据不同地点测得的磁方位角，按公式计算出矿井(或采区)的平均坐标磁偏角，它不仅用于罗盘仪导线测量，而且用于直线巷道的初步给向，以及次要巷道开门子(或开口子)测量等。

根据磁方位角与真方位角、坐标方位角的相互关系，挂罗盘仪又可用于测量直线的真方位角和坐标方位角。相邻两条直线的磁方位角之差为水平角，所以它又可以测量水平角。使用挂罗盘仪时，特别要注意避开磁性物质，否则，将测量不出正确的成果。

#### 2.半圆仪

半圆仪为铝制的半圆环，如图9–8所示，其直径一般为20cm左右。半圆弧的中点的刻划为零度(0°),分别向两侧增至90°,其度盘分划值一般为1°或30′。半圆仪的圆心有小孔,可穿挂小锤球吊线,锤球线可用细绳或马尾丝。半圆仪两端各有一挂钩,可将它挂在测绳上。因为它与90°—90°直径线平行,所以当线绳水平时,锤球线与半圆仪零刻划重合,倾角为0°。当挂在倾角为δ的绳上时,则锤球线所示的读数即为该线绳的倾角 。

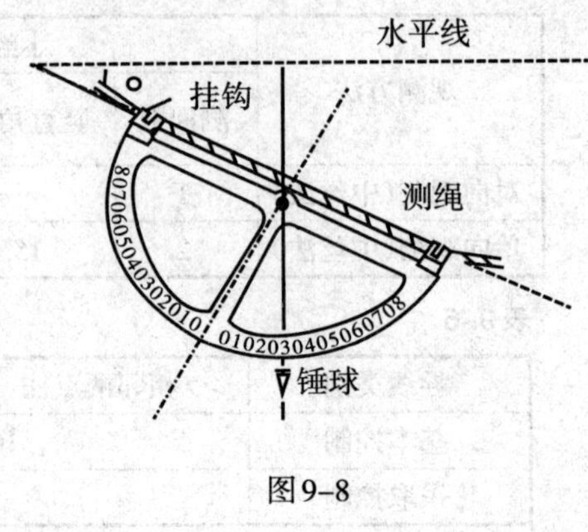

图9-8

### 9.5.2 罗盘仪导线测量

罗盘仪导线布设须在采区导线控制之下,根据巷道和采煤工作面的不同情况,也可以布设成闭合导线、附合导线和支导线三种形式。

1.选点

罗盘仪导线应从经纬仪导线点开始,附合到另一经纬仪导线点上,或形成闭合导线沿着次要巷道敷设。点位一般用钉子固定在巷道支架上,距离应小于20m,且导线全长不宜超过200m。测量时,在相邻小钉间拉紧线绳,作为导线边,注意所拉线绳不能与任何物体接触。

2.测量各边的倾角

用半圆仪挂在罗盘仪导线边两端,测出该边倾角,读数精确到30′。具体量测方法:当倾角小于30°时,用力拉紧线绳,将半圆仪挂于中央,以正反两个位置测其倾角,取其平均值作为该导线边的倾角。

当倾角大于30°时,所悬挂的线绳由于自重的影响,不是一条直线。为了消除和最大限度地减少测量的误差,应将半圆仪分别挂在离开线绳两端各1/3处,以正反两个位置测其倾角,取两端倾角的平均值作为该导线边倾角值。

3.测量各边的磁方位角

将罗盘仪的0°(N端)指向导线前进方向,挂在绳的一端,磁针北端的读数即为导线边前进方向的磁方位角。为了检核,再将罗盘仪挂在绳的另一端,读出磁方位角。当两次读数之差不大于2°时,取其平均值作为最终值。若大于2°,说明附近有磁性物质影响,应改变测量方法。

局部磁吸引会使位于导线边两端的磁针产生不同的偏差$\gamma_B$和$\gamma_C$,如图9-9所示。因而引起同一边磁方位角$\alpha_{BC}'$和$\alpha_{BC}''$相差很大。

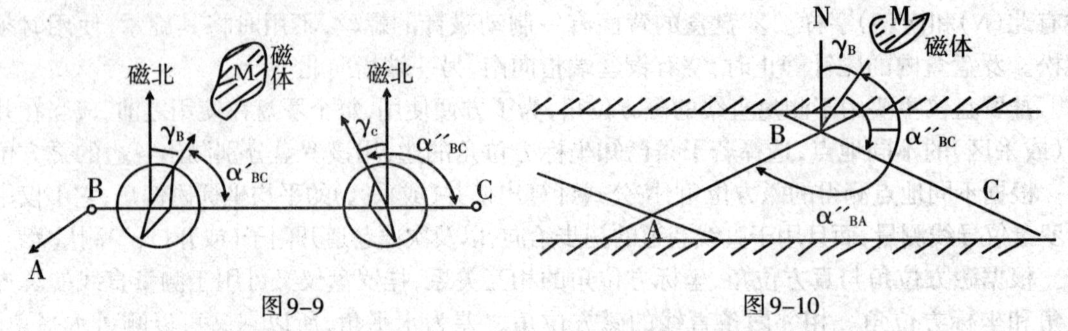

图9-9　　图9-10

这时,为了消除磁性物质对测量结果的影响,可采用测导线边夹角的方法,如图9-10所示,使线绳交叉,其交点A、B、C为导线点。在B点下先后用挂罗盘测出两边磁方位角$\alpha_{BA}''$和$\alpha_{BC}''$。由于挂罗盘与磁体相对位置未变,因此两边磁方位角偏差相同,由下式计算的水平角

$\beta$,将不受局部磁性的影响:

$$\beta=\alpha_{BA}'' - \alpha_{BC}''=\angle ABC \tag{9-13}$$

则,∠ABC($\beta$)即为导线AB和BC边的夹角。

4.量边

导线的边长,应用检定过的皮尺沿两测点往返丈量,读数取至厘米。同一边长往返丈量之互差不大于边长的1/200时,取其平均值作为最后结果。在罗盘仪导线施测的同时,要用支距法测量导线两侧的碎部点(如巷道特征点、硐室等),量取各点的"上""下""左""右",并在草图上记下测量结果。

5.绘图

罗盘仪导线外业工作结束后,在检查所测数据及草图正确的情况下,可用图解法或解析法确定巷道或工作面位置。

图解法用量角器和比例尺进行,将外业资料直接展绘在图纸上,并根据碎部测量草图展绘次要巷道或工作面的轮廓。

解析法如同井下经纬仪导线一样,先计算各点的坐标,然后展绘成图。其内业计算方法与经纬仪导线相同,不同点在于,计算前应将导线边的磁方位角换算为坐标方位角,然后进行坐标计算,即

$$\alpha = \alpha_{磁} + \Delta \tag{9-14}$$

式中 $\alpha$——导线边坐标方位角;

$\alpha_{磁}$——导线边磁方位角;

$\Delta$——磁偏角(有正负之分)。

对于采用独立坐标系的小煤矿,如果标准方向为磁北方向时,坐标方位角就是磁方位角,计算坐标时不需要换算。

# 第二部分　专业核心知识点

1. 井下平面控制和碎部测量的方法；
2. 井下经纬仪导线测量的方法；
3. 井下水准测量与井上水准测量方法的异同；
4. 挂罗盘仪的构造及其测量方法。

# 第三部分 专业技能训练

## 技能一 井下经纬仪导线测量

1. 选点和设点

井下导线点一般设在巷道的顶板上。选点时至少两人，在选定的点位上用矿灯或电筒目测，确认通视良好后即可做出标志并用油漆或粉笔写出编号。在巷道交叉口和转弯处必须设点，如图9-11所示。导线边长一般为30～70m为宜。导线点设置在便于安置仪器的地方，点位设置应牢固。

2. 测角

采用$J_6$级光学经纬仪用测回法按30"导线的规格即一个测回进行施测。

(1)将经纬仪安置在起始点(如B点)进行点下对中和整平，然后对好水平度盘的零位置。

(2)分别在A号、1号点上挂上锤球线，并在1号点的锤球线上用大头针作一标志。

(3)分别用盘左和盘右位置测出方向读数，记入手簿。盘左和盘右角值之差应小于60"，取其平均值作为结果。

(4)瞄准1点上的锤球线上用大头针作的标志，测出倾角(用正倒镜观测，取其中数)。

(5)量取仪器高(从顶板测点往下量至仪器横轴中心)和觇标高(从顶板测点往下量至大头针标志处)。

3. 量边

用经过检验的钢尺从仪器横轴中心悬空丈量至前视点大头针标志处，移动钢尺连续三次读数，往返丈量。

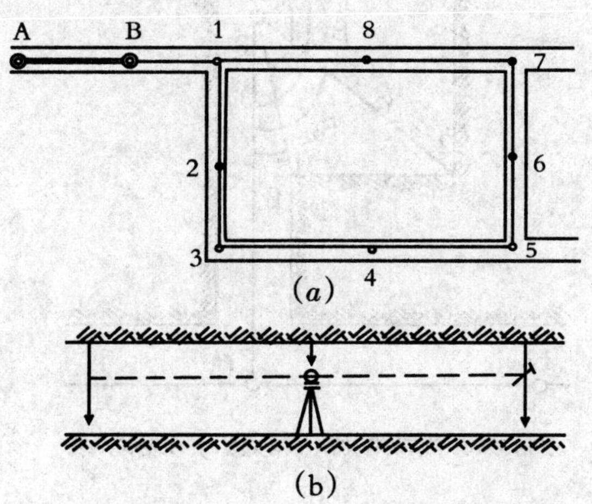


图9-11 井下导线测量

以上完成一个测站上的施测工作。同样方法，依次测出全部角度和边长。井下观测数据经检查无误后，便可进行内业计算。

**技能二　井下碎部测量**

1. 用支距法进行巷道碎部测量

巷道碎部测量一般与导线测量同时进行。当量边结束后，钢尺暂时拉着不动，如图9-12中，丈量14—A点的边长时，零端对准14点，沿钢尺方向于巷道两帮的特征点处，用皮尺量出特征点距钢尺的距离（支距），并读出垂点处的钢尺刻划数，然后绘出草图。对于测站点、导线点还应量出仪器中心距顶板、底板和左右两帮的距离（俗称量上、量下、量左、量右）。

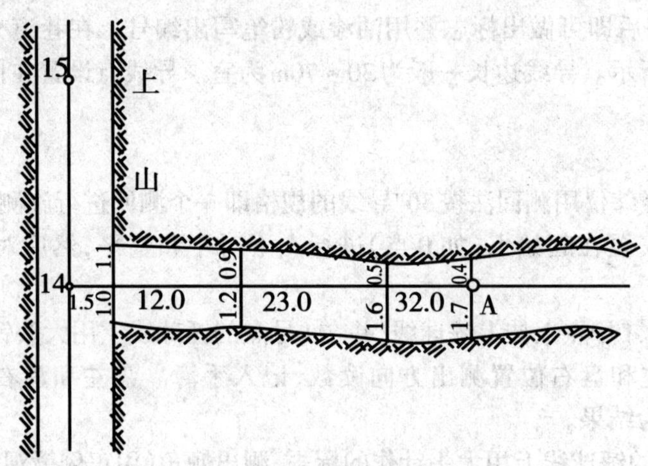


图9-12　碎部测量

2. 用极坐标法测量硐室

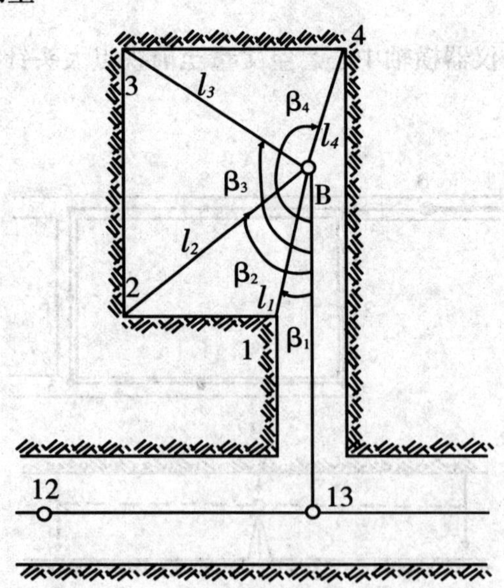


图9-13　硐室测量

如图9-13所示，在硐室的顶板上凿一小孔，再打进木桩，并在桩面钉一铁钉作为导线点

B,然后挂上锤球线。将经纬仪安置在导线点13上,后视12点测出角,量出平距$l_{13-B}$。然后在B点安置经纬仪,以零方向对准13点,转动照准部逐一瞄准硐室各轮廓点,读出水平角值$\beta_i$,用钢尺(或皮尺)量出水平距离$l_i$,并绘出草图。

**技能三 挂罗盘测量**

1. 选点

如图9–14所示,从下平巷的经纬仪导线点C开始沿着次要巷道一号上山选定临时点1、2、3、4点并附合在上平巷的D点上,在各点打上铁钉,用红漆编号并作出标志。

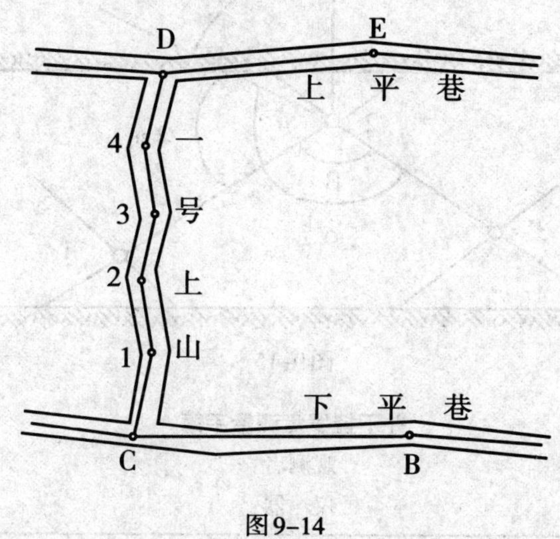


图9–14

2. 挂测绳

从C点开始,依次在相邻两个铁钉上挂测绳,形成C1、12、23、34、4D等边。

3. 测倾角

将两点间的测绳拉紧,拉直,在测绳两端的1/3和2/3处挂半圆仪,分别测出两端倾角,取其平均值为该边的倾角。

4. 测磁方位角

在测绳C1的两端先后悬挂上罗盘,罗盘零刻划指向前进方向,即向着1点。松开磁针,待其稳定后,根据磁针北端读数,即为测线C1的磁方位角,记入手簿。如果在测绳两端所测该边的磁方位角的较差未超限,则取其平均值作为该边的磁方位角。

5. 量边

量边用皮尺往、返丈量边长,当较差不超过规定时,取其平均数作为该边长度。

6. 碎部测量

在进行挂罗盘测量时,同时完成巷道的碎部测量,其方法与前面碎部测量相同。外业完成后,可用图解法或解析法确定巷道或工作面的位置。

7. 绘图

首先将控制点(经纬仪导线点)展于图纸上,然后用极坐标法展绘罗盘点。按所需比例尺,沿导线边将支距法测量成果展绘在图上便得巷道两帮的实测图。硐室展绘可以极坐标法进行。以导线边为起始边,以量角器绘出各观测角,用比例尺量取导线点到各碎部点的距离便得出硐室的实测图形。

注意：进行挂罗盘测量时，要特别注意避开磁性物质，以免影响观测成果质量。当无法避开时，则需将测磁方位角改为测量测线间夹角，如图9-15所示。

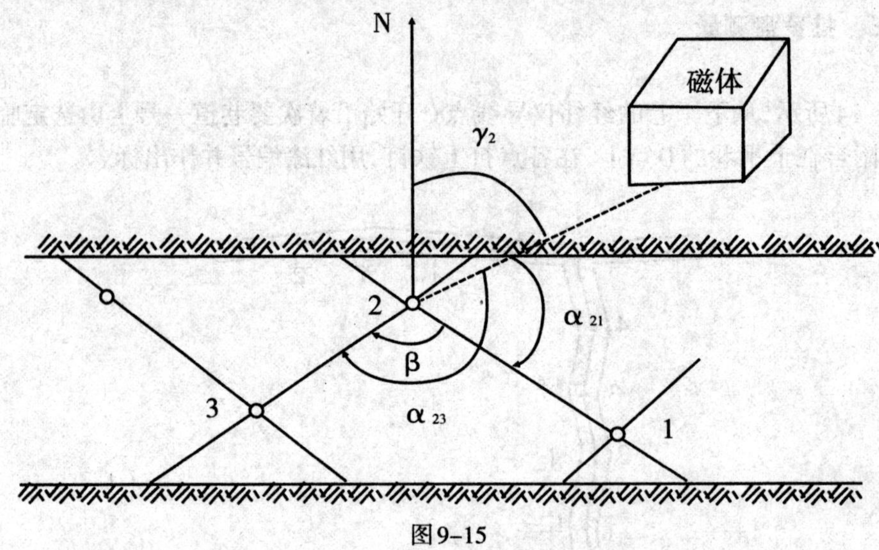


图9-15

**井下挂罗盘测量手簿**

工作地点：　　　　观测者：　　　　记录者：

日　　期：　　　　仪　器：　　　　磁偏角：

| 起至点 | 斜长 m | 倾角 | 平均倾角 | 磁方位角 | 平均磁方位角 | 水平边长 | 高差 | 高程 | 备注和草图 |
|---|---|---|---|---|---|---|---|---|---|
| | | | | | | | | | |
| | | | | | | | | | |
| | | | | | | | | | |
| | | | | | | | | | |
| | | | | | | | | | |
| | | | | | | | | | |

### 技能四　井下水准测量

1. 选点

水准点可设在巷道顶板、底板或两帮上，如图9-16，也可用导线点代替水准点。

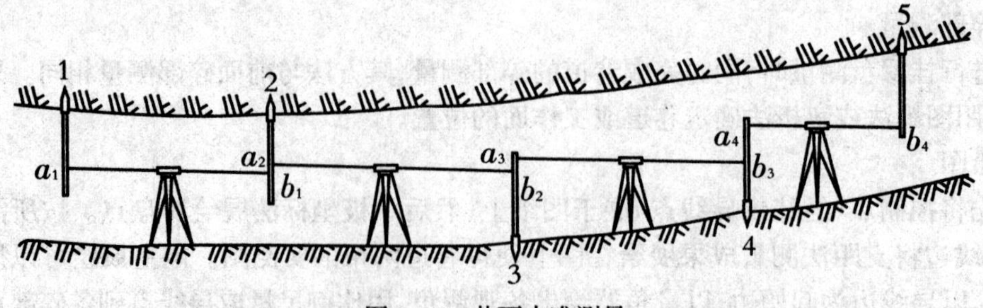


图9-16　井下水准测量

2. 观测

井下水准测量与地面水准测量相比，其原理、实测方法和计算公式均完全相同，但井下水准测量时，因点设在顶板上，出现水准尺倒立现象，所以记录时应用符号注明，计算时在其读数前冠以“—”号。

**井下水准测量手簿**

工作地点　　　　　　　　　　观测　　　　　　　　　　仪器

日　　期　　　　　　　　　　记录　　　　　　　　　　扶尺

| 测站 | 测点 | 水准尺读数 | | 高差 m | 平均高差 m | 高程 m | 测点位置 | 备注与草图 |
|---|---|---|---|---|---|---|---|---|
| | | 后视 mm | 前视 mm | | | | | |
| | | | | | | | | |
| | | | | | | | | |
| | | | | | | | | |

**技能五　井下三角高程测量**

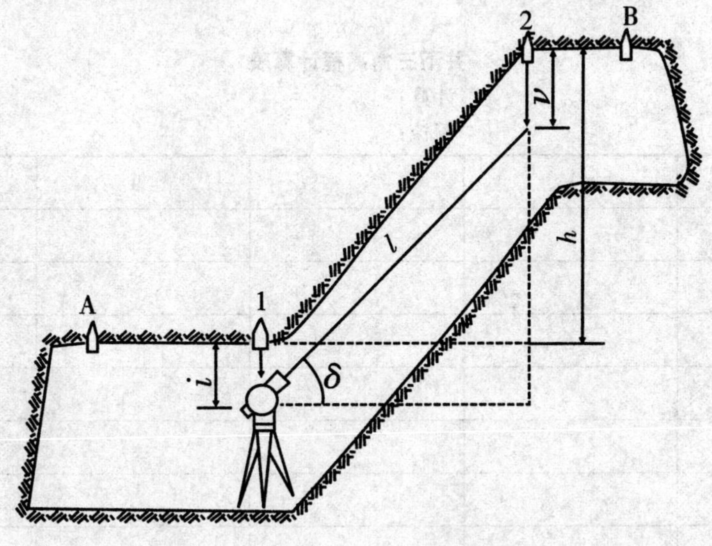


图9-17　井下三角高程测量

井下三角高程测量一般是与经纬仪导线测量同时进行。

1. 先由A点求出1点高程，然后将经纬仪安置于1点，量出1点桩面至仪器横轴的距离(仪器高$i$)。在2点挂锤球线上适当位置作一标志，量出2点桩面至标志的距离(觇标高$v$)。

2. 用正镜瞄准2点锤球线上标志，转动竖盘水准管微动螺旋，当气泡居中后读出竖盘读数L。

3. 倒镜再瞄准2点锤球线上标志，当气泡居中后，转动竖盘水准管微动螺旋，在竖盘上读取读数$R$。取正、倒镜测出的倾角之平均值。

4. 用钢尺从锤球线标志量至仪器中心的斜距$l$，一般$l$即是导线边斜长。

5. 计算出B点高程。

**井下竖直角观测记录**

工作地点　　　　　　　　　　　　观测　　　　　　　　　　　　记录

| 测站 | 仪器高 | 觇标 | 觇标高 | 竖盘位置 | 竖盘读数<br>° ′ ″ | 半测回竖直角<br>° ′ ″ | 指标差<br>″ | 一测回角值<br>° ′ ″ | 照准目标位置 |
|---|---|---|---|---|---|---|---|---|---|
| | | | | | | | | | |
| | | | | | | | | | |
| | | | | | | | | | |
| | | | | | | | | | |
| | | | | | | | | | |
| | | | | | | | | | |
| | | | | | | | | | |
| | | | | | | | | | |

**井下三角高程计算表**

日期：　　　　　　　　　　　　计算：

观测：　　　　　　　　　　　　校核：

| 测站 | | | | |
|---|---|---|---|---|
| 目标 | | | | |
| 竖直角 δ | | | | |
| 倾斜距L | | | | |
| Lsin δ | | | | |
| 仪器高 | | | | |
| 觇标高 | | | | |
| 高差h | | | | |
| 平均高差 | | | | |
| 起算点高程$H_0$ | | | | |
| 待定点高程H | | | | |
| 备注与草图 | | | | |

## 复习题

1.井下经纬仪导线分几类？导线布设形式有哪几种？

2.已知A点到B点的真方位角为68°3′14″，而用罗盘仪测得磁方位角为68.5°，试求A

点的磁方位角。

3.试述挂罗盘仪导线测量的方法步骤。

4.在井下A点安置经纬仪，欲测B点的三角高程。A、B均设在顶板上，已知仪器高为$i$=0.54米，$H_A$=455.013米，AB斜距为163米，觇标高为$V$=1.23米，$\delta_{AB}$=−30°，试计算B点高程。

**讨论题**

1.什么是井下测量？试述井下测量和地面测量的异同点？

2.阐述井下平面、高程控制测量的目的？

3.试分析井下导线测量中各种误差来源以及对导线终点位置误差的影响程度？

4.井下碎部测量与地面的地形测绘有何异同？

5.井下量边误差来源主要包括哪些？偶然误差和系统误差对边长中误差的作用地位是如何变化的？

6.用罗盘仪和半圆仪测绘次要巷道时应注意什么？当测点附近有磁性物质时，怎样才能避免磁性对导线精度的影响？

**思考题**

井下水准测量分几级？其计算方法与地面是否相同？应注意什么？

# 第十章 巷道施工测量

## 第一部分 系统理论知识

巷道施工测量工作，就是根据设计图纸上的几何要素，按设计要求标定在实地上，以便施工，这时的测量工作就是给出巷道的中线和腰线。

因为巷道施工测量直接与生产发生关系，一旦出现错误，不仅影响矿井生产计划的完成，给国家造成重大损失，而且还可能造成透水等重大安全事故。所以在施工测量之前，测量人员必须认真、仔细审阅设计图纸，了解巷道的性质、用途以及新老巷道的几何关系等，必要时，应该用解析法或图解法检查设计要素，然后到现场进行标定。在巷道掘进过程中，应及时进行检查测量，正确给出中、腰线，并填绘矿图，只有这样，才能按照设计要求施工，避免发生不必要的工程事故。

### 第一节 直线巷道中线的标定

中线是指示巷道在水平面内的方向线，它标设在巷道顶板上。在主要巷道中，中线应采用经纬仪标定，在采区次要巷道中可采用罗盘仪等精度较低的仪器标定中线。中线点应成组设置，每组不得少于3个点，相邻两点间的距离一般不应小于2m。在巷道掘进过程中，中线点应随掘随给，最前面的一组中线点距掘进头的距离一般不应超过30～40m。

标定巷道中线的步骤大致如下：

1.检查设计图纸。设计的巷道要和已有的巷道保持一定的几何关系，或本身要符合一定的几何条件。

2.确定标设的必要数据。经检查确认设计资料无误后，便可利用所要标设的巷道附近的可靠已知点来计算标设数据。

3.标定巷道开切点和掘进方向，并检查其正确性。

4.随着巷道的不断向前掘进，标定和延长巷道中线。

5.测绘已掘的巷道，并经常检查和纠正标定的方向。

#### 10.1.1 直线巷道中线的初步标定

如图10–1所示，虚线表示将要开拓的直线巷道，AB为设计中线，4、5为原有巷道的导线点，A为中线上一点，并位于导线边$S_{45}$上。标定前，应先从图上量出（或算出）4点到A点的距离$l_1$和5点到A点的距离$l_2$，$l_1+l_2$要等于4—5导线边长，再量出（或算出）4—5边与AB间的夹角$\beta$，习惯上称$\beta$为指向角。则$l_1$、$l_2$和$\beta$即为所需的标定要素。然后再去实地标设开切点A

和开切方向AB。一般采用挂罗盘仪、皮尺、测绳等工具进行，只有大断面的主要巷道才用经纬仪标设，下面分别介绍：

1.罗盘仪法

标设之前先求出设计巷道AB的坐标方位角，并进行磁偏角改正，化为磁方位角$A_{AB}=\alpha_{AB}-\Delta$。标设时，用卷尺沿4→5方向量$l_1$得到点A，如图10–2，同时量$l_2$作为检核。在顶板固定点A后，在开切点A系一线绳，挂上罗盘，使0°(N)对着掘进方向，线绳的另一端在巷道的开切帮上左右移动，当线绳此端移至点$a$、磁针北端读数等于磁方位角$\beta$时，线绳方向即为开切方向。用红油漆标出点$a$，同时沿线绳的反方向延长线依次在顶板上标出点$b'$、$a'$，则$a'$、$b'$、A三点的连线方向即为巷道开切方向。

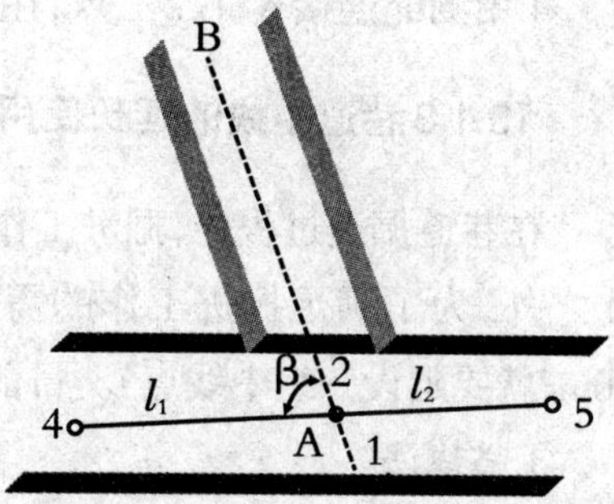

图10–1

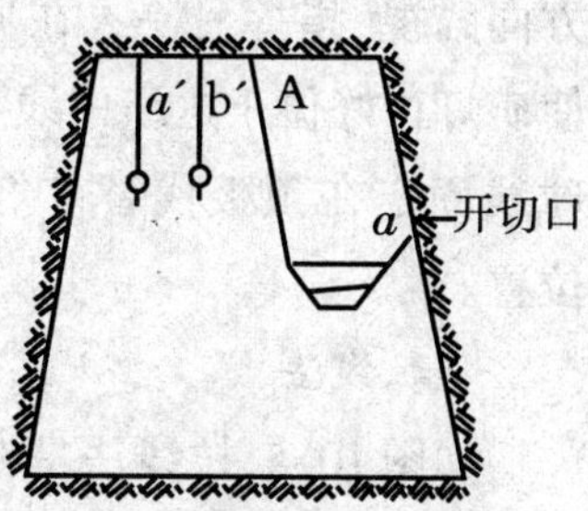

图10–2

2.经纬仪法

标定时，在点4安置经纬仪照准点5，沿此方向由点4量取距离$l_1$即得开切点A。将点A在顶板固定后，再量点A到点5的距离$l_2$加以检核；然后，将经纬仪安置在开切点A上，后视点4，对零后，用正镜观测角$\beta$，在视线方向的顶板固定一点2。倒镜在其延长线上再固定一点1，由1、A、2三点组成一组中线点，即可指示巷道开切方向，标定完成后应实测$\beta$角，作为检核。

### 10.1.2直线巷道中线的准确标定

巷道开掘后，最初标设的临时中线点常被放炮所破坏或移位，当巷道开掘5～8m后，应当用经纬仪重新标定一组中线点。这时，应先检查开切点A是否移位，若发现A点移位，则应重新标定A点。经检查确认A点未移位或重新设置后，便可进行中线的标定，其步骤如下：

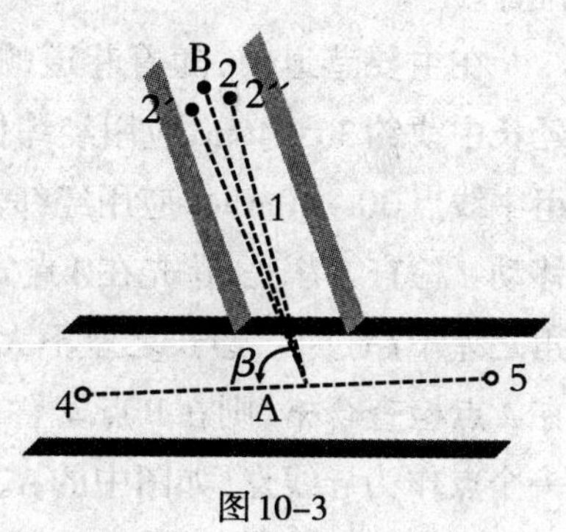

图10–3

1.在$A$点安置经纬仪，用正、倒镜分别给出角$\beta$。这时，由于测量误差影响，正镜时给出的点2´和倒镜时给出的点2"往往不会重合。取2´、2"连线的中点2作为中线点(图10–3)。

2.为了避免差错，应重新用一个测回(或复测)测$\beta$角，作为检查。所测角值与标定角值之差应在1´以内，若超限则应重新标定2点。

3.瞄准2点，在A2方向上再设一点1，得到A、1、2三点，即一组中线点，以此作为巷道掘进方向。若三点不在一直线时，则应重新标定，否则巷道方向将会出错，且各中线点的间距以不小于2m为宜。

4.用测绳连接A、1、2三点，用油漆或灰浆在顶板上划出中线。

### 10.1.3 巷道中线的延长使用

在巷道掘进过程中，掘进工作面炮眼的布置和支架的位置都是以巷道中线为依据的。除此之外，为了满足掘进工作的需要，必须不断地把中线延长到掘进工作面（巷道每掘30～40m，就要延设一组中线点）。目前，在巷道掘进过程中，通常采用瞄线法和拉线法延长中线。

1.瞄线法

如图10-4，瞄线法是在中线点1、2、3上分别悬挂锤球，一个人站在中线点1后，沿中线方向瞄视，指挥另一人在掘进头移动矿灯的位置，使矿灯正好位于这组中线点的延长线上，用另一锤球线固定在顶板代替矿灯位置，即为巷道中线的位置。

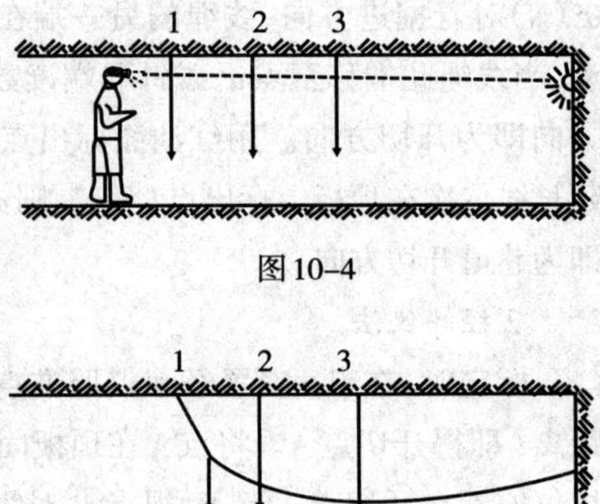

图10-4

图10-5

2.拉线法

如图10-5，拉线法是在一组中线点1、2、3上分别悬挂锤球后，将细绳的一端系在中线点1的锤球线上，另一端拉向掘进头，使细绳与点2、3处的锤球线相切，这时绳另一端点的位置即为巷道中线的位置。

在主要巷道内，随着巷道的掘进，用上述方法延长中线约30～40m，应用经纬仪检查校正，并重新延设一组中线点。如图10-6所示，距B组中线点30～40m时，应用经纬仪延设一组中线点C。延设时，应首先检查B组中线点是否移动。检查方法是，首先在A点安置仪器，检查测量水平角β和丈量边长AB，如新测β与原测角之差不超过1′，边长之差不大于1/2000（45″导线），即可接测，否则应重新标定B点。如在A点检查合格，则在B点安置仪器，后视A点，用正倒镜测设C组中线点。在每组中选择一个点作为导线点，如图中的A、B、C点。标定后要测出两导线点间的距离和导线转角。如果导线不改变方向，则每次向前标定中心点时，指向角β为180°。测量导线的精度满足《规程》规定的30″或45″导线的要求。上述导线除标设中线外，还应将巷道及时测绘到采掘工程平面图上。

在用经纬仪标设中线点后，一般与拉线法给定中线不重合。如果精度在允许范围内，则以经纬仪标设的中线为准向前延伸。否则应找出原因，并对已掘进的巷道进行妥善处理。主要巷道每掘进300～800m，应测设基本控制导线，同时建立井下基本控制点。

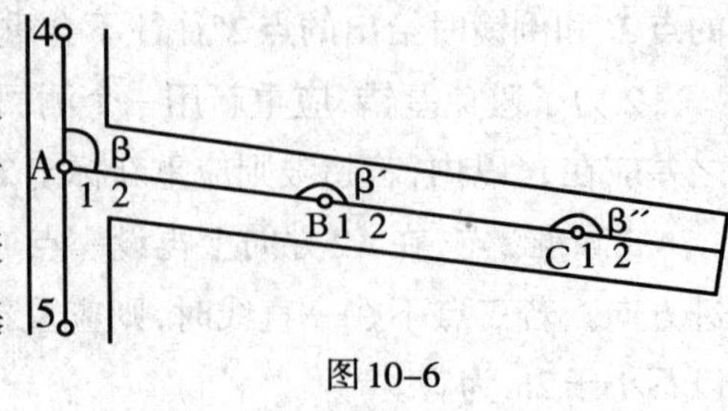

图10-6

## 第二节 曲线巷道中线的标定

井下巷道的转弯部分，一般都用圆曲线连接。曲线巷道的起点、终点、曲线半径R和圆心角α的大小，在设计图上都有规定。因为曲线巷道的中心线是弯曲的，不能像直线巷道那样直接标定出来，只能用折线来代替圆曲线指示巷道的掘进方向。所以，曲线巷道中线的标定应先计算标定数据，然后到井下进行标定。

### 10.2.1 弦线法

弦线法是一种常用的方法，用弦线来代替圆弧，首先要确定合理的弦长。弦长太短，则中线转折点太多，因而会增加测量工作，并将更多地占用掘进时间，影响掘进速度。反之，弦太少，弦线就越长，弦过长又会影响曲线巷道的圆滑程度，弦距帮太近造成施工困难，甚至弦线的两端点互不通视。除此之外，弦线长短还与曲线半径、圆心角及巷道宽度等有关。实践经验证明，曲线巷道的圆心角α为45°～90°时，分2～3段弦线；当曲线巷道圆心角在90°～180°时，分4～6段弦线。

1.计算标定数据

如图10–7所示，A为曲线巷道的起点，B为终点，半径为$R$，圆心角为α。现用$n$段相等的弦线来代替圆弧中心线。则由图可知：

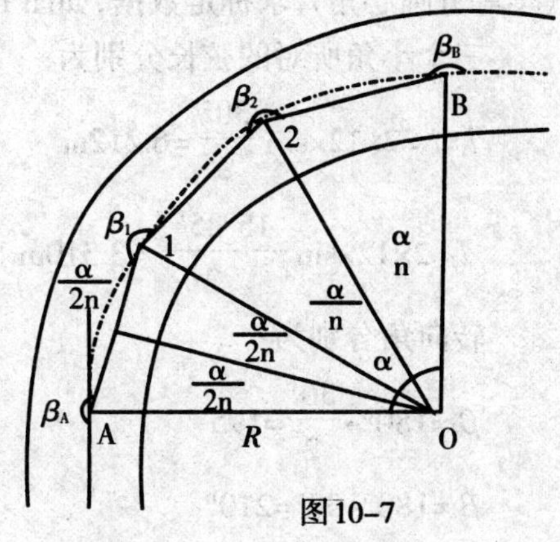

图10–7

弦长$l$为：

$$l=2R\sin\frac{\alpha}{2n} \tag{10–1}$$

起点和终点的转角为：

$$\beta_A=\beta_B=180°+\frac{\alpha}{2n} \tag{10–2}$$

中间各转折点处的转角为

$$\beta_1=\beta_2=180°+\frac{\alpha}{n} \tag{10–3}$$

上述$\beta$角是转向角大于180°的情况。如果转向角小于180°，即从B向A标定左转折角时，那么式中的加号应变成减号。

例：设中心角$\theta$=120°，$R$=12m，若四等分中心角，即$n$=4。如图10–8所示，则每段弦所对中心角为

$$\frac{\theta}{n}=\frac{120°}{4}=30°$$

弦长为

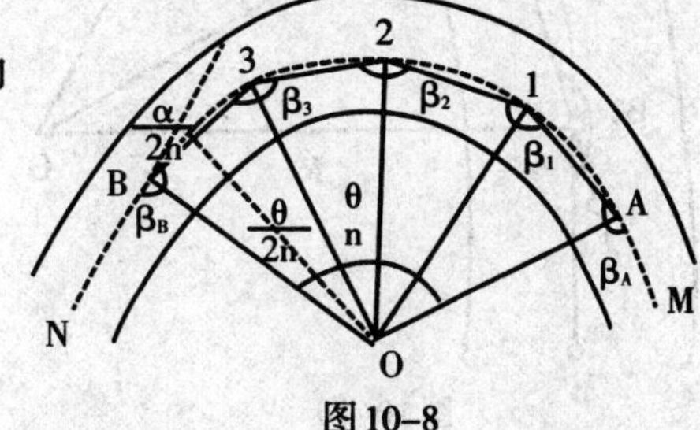

图10–8

$$l=2R\sin\frac{\theta}{2n}=2\times12\times\sin15°=6.213\text{m}$$

转角为

$$\beta_A=\beta_B=180°-\frac{\theta}{2n}=180°-15°=165°$$

$$\beta_1=\beta_2=180°-\frac{\theta}{n}=180°-30°=150°$$

上述方法是等分圆心角的情况，但在标定曲线巷道的中线时，会遇到圆心角不便于等分的情况，例如巷道转弯时，设计图上圆心角为75°45′就不便于等分。这时，可按下面方法计算标定数据。

设圆曲线巷道的圆心角$\alpha$=75°45′，$R$=12m，可将圆心角分为30°、30°、15°45′三个小角（不等分圆心角），求标定数据，如图10–9所示。则

三个小角所对的弦长分别为

$$l_1=l_2=2\times12\times\sin\frac{30°}{2}=6.212\text{m}$$

$$l_3=2\times12\times\sin\frac{15°45'}{2}=3.310\text{m}$$

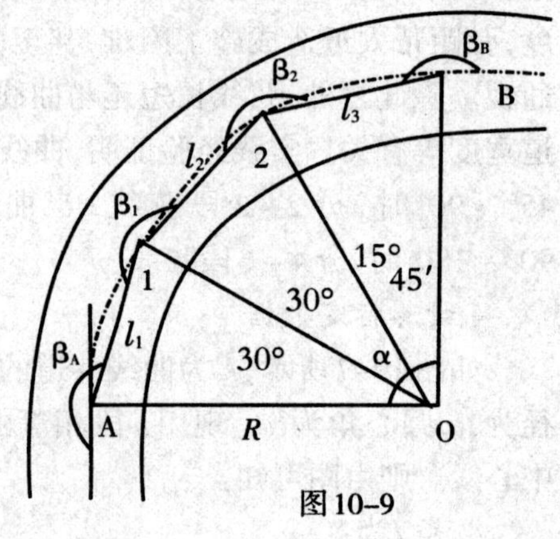

图10–9

转向角分别为

$$\beta_A=180°+\frac{30°}{2}=195°$$

$$\beta_1=180°+30°=210°$$

$$\beta_2=180°+(\frac{30°}{2}+\frac{15°45'}{2})=202°52'30''$$

$$\beta_B=180°+\frac{15°45'}{2}=187°52'30''$$

**2.现场标定**

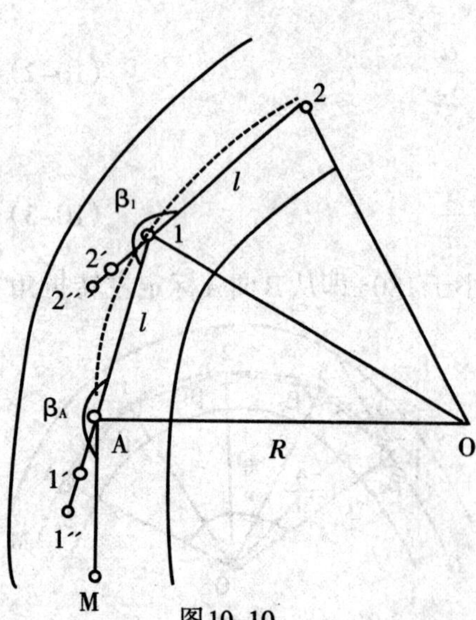

图10–10

如图10–10所示，当巷道从直线巷道掘进到曲线起点位置A后，先标定出该点，在A点安置经纬仪，后视中线点M，转动望远镜给出$\beta_A$角，即得出A1方向；因为此时曲线巷道尚未掘出，只能倒转望远镜，在A1的反方向线上于巷道顶板标出中线点1′和1″，则1′、1″、A三点组成一组中线点，指示A1段巷道掘进的方向。继续掘进到1点位置后，再置经纬仪于A点，再次给出A—1方向，用钢尺量取弦，并标出1点，然后将仪器安置于1点，后视A点转角$\beta_1$给出1—2方向，再倒镜于顶板上标出2′点，用2′1方向指示1—2段的掘进。依次类推，直至B点。然后在B点安置经纬仪，转$\beta_B$角，给

出直线巷道方向。

### 10.2.2 短弦法

短弦法的特点是弦比较短，故可用线交会法标设，如图10–11所示。已知圆心角$\alpha$，曲线半径为$R$，设弦的个数为$n$，则弦长$l$和$d$为：

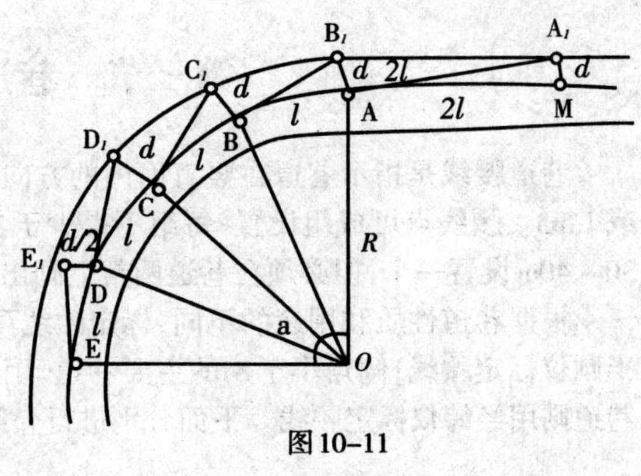

图10–11

$$l=2R\sin\frac{\alpha}{2n} \qquad (10\text{–}4)$$

$$d=\frac{l^2}{R} \qquad (10\text{–}5)$$

实地标设时，先标出A点，再由A点沿中线方向，向后丈量距离$2l$标出M点。以点A、M为圆心，分别以$2l$和$d$为半径，用线交会法定出$A_1$点，$A_1A$指示第一弦的掘进方向。当巷道掘到B点后，沿$A_1A$的方向由A点丈量弦长$l$标出B点。然后再以A、B为圆心，分别以$d$和$l$为半径，用线交会法定出$B_1$点，$B_1B$指示第二弦的掘进方向。依次类推，可依次标$C_1$、$D_1$、$E_1$点。

这种标定方法，所取弦长不宜太长，一般不得大于半径的五分之一，否则因起始边误差太大，影响掘进质量，多用于次要巷道的标定。

### 10.2.3 用图解法确定边距

曲线巷道是根据弦线方向掘进的，弦线到巷道两帮的距离是变化的。为了指导掘进施工，测量人员应作出曲线巷道1:50或1:100的放大样图，交给施工人员，然后在图上量出弦线到巷道两帮的边距。

确定边距的方法有半径法与垂线法两种。

1.半径法

当弯道部分采用金属、水泥或木支架支护时，需要沿半径方向绘制边距放大样图。如图10–12所示，边距可沿半径方向量取，并计算出内、外帮棚腿间距$d_{内}$和$d_{外}$，使棚子按设计架在半径方向上。则内外棚腿间距可由下式计算：

$$d_{内}=d-\frac{dD}{2R}$$

$$d_{外}=d+\frac{dD}{2R} \qquad (10\text{–}6)$$

式中　$d$——设计的棚间距；$D$——巷道净宽。

2.垂线法

当弯道部分砌碹时，采用垂线法绘制边距放大样图，如图10–13所示。绘制方法是沿弦线每隔1米作垂线，然后从图上量取弦线到巷道两帮的边距，并将数值注在图上，以便施工。

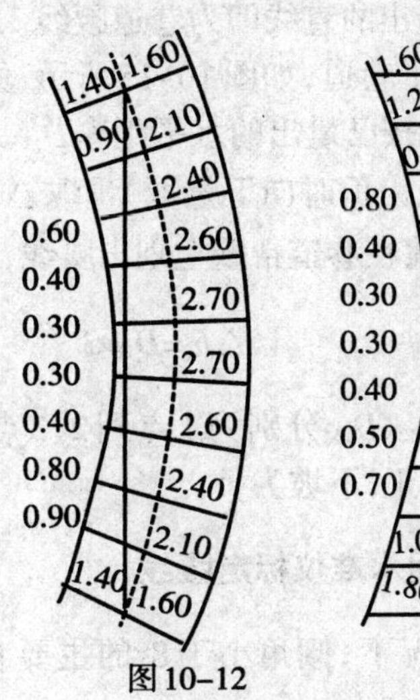

图10–12

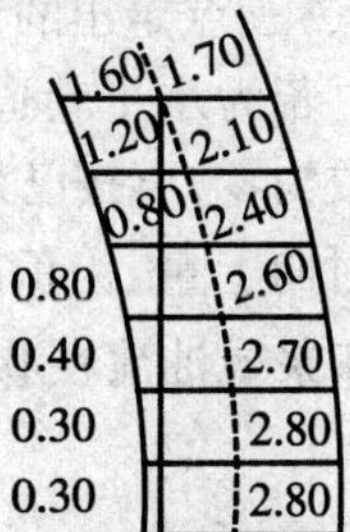

图10–13

## 第三节　巷道腰线的标定

巷道腰线是指示巷道在竖直面内的方向线，它标设在巷道帮上，高于轨面设计高程1m或1.5m。腰线点可成组设置（每组不得少于3个点，各相邻点的间距应大于2m），也可每隔30～40m设置一个，但必须在巷道两帮上画出腰线。

根据巷道性质和用途的不同，标定腰线可以采用不同的仪器和方法。次要巷道一般用半圆仪标定腰线；倾角小于8°的主要巷道，用水准仪或连通管标定腰线；倾角大于8°的主要巷道则用经纬仪标定腰线。下面分别进行介绍：

### 10.3.1 用半圆仪标定腰线

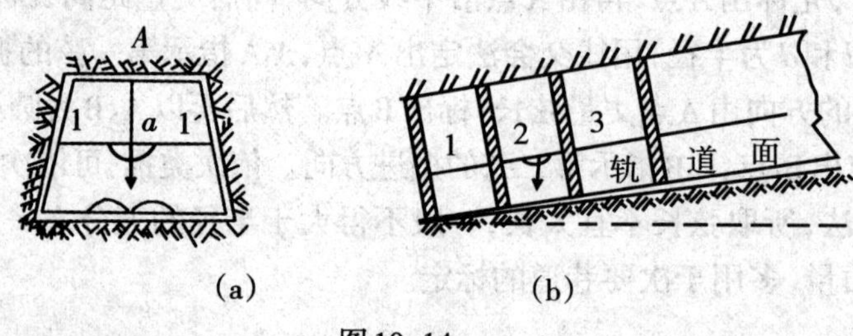


图10–14

如图10–14中，1点位于新开斜巷的腰线点，称为坡点，其高程由设计给出。A点为已知的高程点，则由图可以求得腰线点1与A点的高差$h$，即

$$H_A-H_1=h_{Aa}（因 H_1=H_a） \tag{10-7}$$

实地标定时，在A点悬挂锤球，自A点向下量$h_{Aa}$，得到$a$点，过$a$点拉一条水平线11′，使1点位于新开巷道的一帮上。此时，半圆仪上读数为0°。将1点固定在巷道帮上，在1点系上测绳，另一端拉向巷道掘进方向，如图中的2点，2点与1点位于巷道同侧，拉直测线，悬挂半圆仪，上下移动测绳，当其上的半圆仪读数等于设计倾角时，沿此绳定出2点和3点。则由1、2、3三点定出的直线即为巷道腰线。

若为水平巷道，如图10–15所示，则从1点拉一线绳，挂上半圆仪，上下移动，使半圆仪读数为零，再按已量出的水平距离$D_{12}$、$D_{13}$测设出2′、3′等。然后从2′、3′点向上或向下（为正时向上量，为负时向下量取）量取$\triangle h_2$、$\triangle h_3$便得到腰线点2、3点的位置，连接1、2、3点，用灰浆或油漆在巷道帮壁上划出腰线，其中$\triangle h_2$、$\triangle h_3$可用下式计算：

$$\triangle h_2=D_{12}\times i \qquad \triangle h_3=D_{13}\times i \tag{10-8}$$

式中，$D_{12}$、$D_{13}$分别为1点到2、3点间的平距；为巷道坡度，上坡为正，下坡为负。

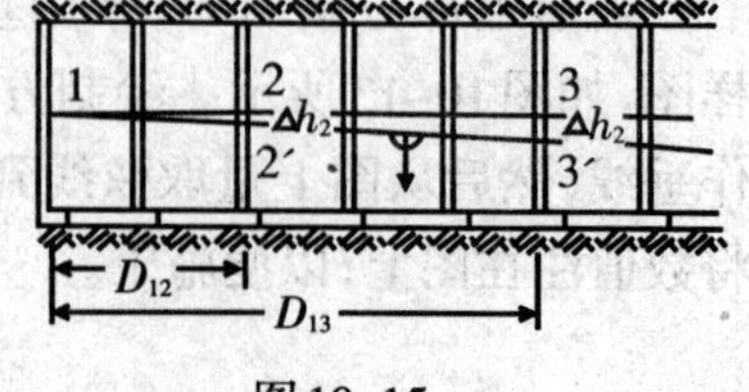


图10–15

### 10.3.2 用水准仪标定腰线

一般情况下，倾角小于8°的主要巷道，用水准仪标定

巷道的腰线。其原理是利用水准仪给出的一条水平视线来标定。其方法：

如图10–16所示，首先根据已知腰线点和设计坡度，计算下一个腰线点B与已知腰线点A间的高差：

$$h_{AB}=L\times i \tag{10–9}$$

式中　$L$——A、B间的水平距离；$i$——巷道设计坡度。

注意：$h_{AB}$有正负之分，其正负号与$i$的正负号相同，巷道上坡时为正，下坡时为负。

标定时，首先在A、B中间安置水准仪，用皮尺丈量A、B间的水平距离，按上式计算出$h_{AB}$；然后，先后视A点，得读数$a$，再前视B点，得读数$b$，并用小钢尺自读数$b$的零点处向上量取$\Delta$（$\Delta$为负时，向下量取 $|\Delta|$），即得B处腰线点的位置。其中，$\Delta=h_{AB}-(a-b)$。

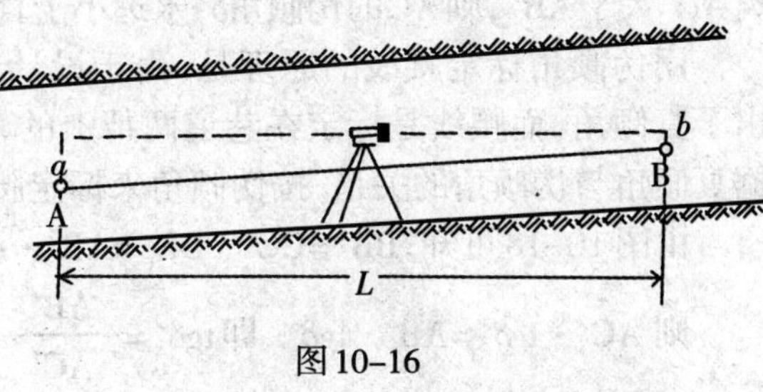

图10–16

式中，$a$、$b$的正负号按下述原则确定：A、B处的小钢尺（或水准尺）的零点在水准仪视线之下时取正号，反之取负号。

### 10.3.3用经纬仪标定腰线

在主要巷道中，通常采用经纬仪标定腰线，其方法较多，下面介绍两种方法：

1.利用中线标定腰线

该方法的特点是在中线点的锤球线上作出腰线的标志，同时量取腰线标志到中线点的距离，以便随时根据中线点恢复腰线的位置。

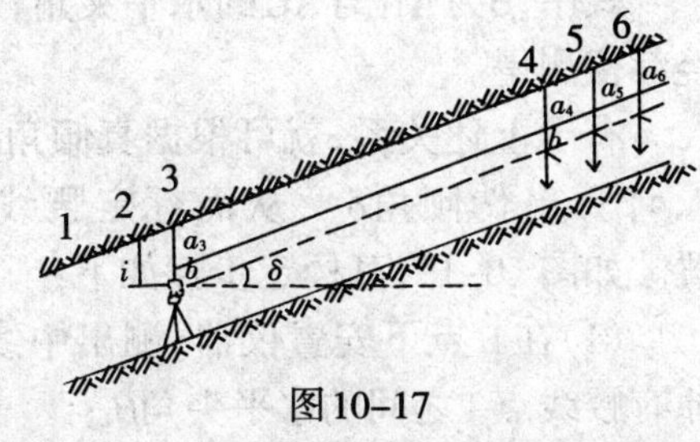

图10–17

如图10–17所示，1、2、3点为一组已标设腰线点位置的中线点，4、5、6点为待设腰线点标志的一组中线点。标设时经纬仪安置于3点，量仪器高$i$，用正镜瞄准中线，使竖盘读数对准巷道设计的倾角$\delta$，此时望远镜视线与巷道腰线平行。在中线点4、5、6的锤球线上用大头针标出视线位置，用倒镜测其倾角作为检查。已知中线点3到腰线位置的垂距$a_3$，则仪器视线到腰线点的垂距$b$为：

$$b=i-a_3 \tag{10–10}$$

式中，$i$和$a_3$均从中线点向下量取（$i$和$a_3$值均取正号）。求出的$b$值为正时，腰线在视线之上，$b$值为负时则在视线之下。从三个锤球线上标出的视线记号起，根据$b$的符号用小钢尺向上或向下量取长度$b$，即可得到腰线点的位置。在中线上找出腰线位置后，拉水平线将腰线点标设在巷道帮上，以便掘进人员掌握施工。

2.用伪倾角标定腰线

上述用经纬仪安置在巷道中线上，利用中线标定腰线会出现一个伪倾角问题。下面我们先介绍真倾角和伪倾角。

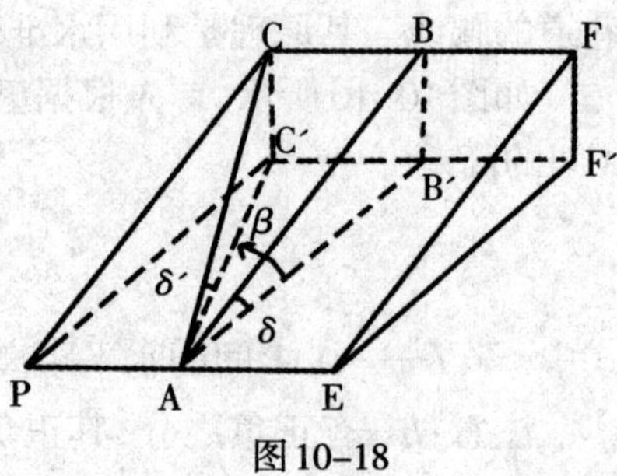

图10-18

我们知道,空间一个倾斜面的真倾角(即它与水平面间所夹二面角)是指在垂直于其与水平面的交线的竖直面内的投影与水平线的夹角。若在与其交线斜交的竖直面内的投影与水平线间的夹角则称为伪倾角。如图10-18所示,若AB为倾斜巷道中线方向,巷道真倾角为$\delta$,则伪倾角为$\delta'$。因BC垂直于AB,C点在巷道帮上,与B点同高,那么水平距离AC´大于AB´,则AC的伪倾角$\delta'$永远小于真倾角$\delta$。

用伪倾角标定腰线的原理是:由于设计巷道时,仅给出了真倾角,而腰线是标定在巷道两帮上的,经纬仪又只能安置在巷道中部。因此,只能根据真倾角与伪倾角的关系,按伪倾角来标定腰线。

由图10-18可知,$BB'=CC'$　$BB'=AB'\cdot tg\delta$　$CC'=AC'\cdot tg\delta'$

则 $AC'\cdot tg\delta'=AB'\cdot tg\delta$　即$tg\delta'=\frac{AB'}{AC'}tg\delta$

又因 $\cos\beta=\frac{AB'}{AC'}$,代入上式可得

$$tg\delta'=\cos\beta\, tg\delta \tag{10-11}$$

式中,$\beta$为AB与AC的水平夹角,即巷道中线方向和巷道帮C方向间的水平角,该角可用经纬仪测得。

有了上述关系,就可根据真倾角$\delta$和夹角$\beta$,计算出伪倾角$\delta'$,从而标定腰线点的位置。如图10-19,其标定步骤如下:

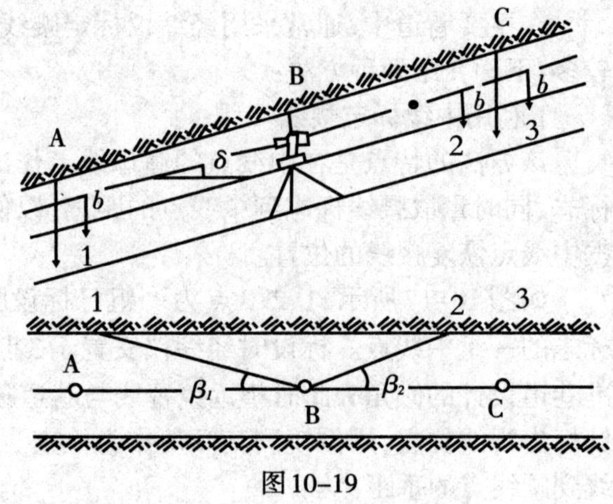

图10-19

(1)在B点下安置仪器,测出中线点A及原有腰线点1之间的水平夹角$\beta_1$;

(2)根据水平角$\beta_1$和真倾角$\delta_1$,计算出伪倾角$\delta_1'$;

(3)瞄准1点,固定望远镜照准部,上下移动望远镜,使竖直角度盘读数为望远镜视线的俯角,等于$\delta_1'$,在巷道帮上作记号1´,用小钢尺量出1´到原腰线点1的铅垂距离$b$;

(4)转动照准部,瞄准要设的新腰线点2处,然后松开照准部瞄准新设的中线点C,测出$\beta_2$角;

(5)根据水平角$\beta_2$和真倾角$\delta_2$,计算出伪倾角$\delta_2'$;

(6)转动照准部重新瞄准腰线点2处,上下移动望远镜,使竖直角度盘读数为望远镜视线上仰$\delta_2'$,在巷道帮上作记号2´,用小钢尺量从2´向上或向下量出铅垂距离$b$,即得到新标定的腰线点2;

(7)用测绳连接1、2点,用石灰浆或油漆沿测绳画出腰线。

值得注意的是,$b$值的向上还是向下量,是由望远镜的视线与原腰线点高低的关系来定;$\delta_1'$和$\delta_2'$的正负由经纬仪的安置位置和巷道倾角$\delta$而定。

# 第四节　竖井井筒中心与井筒十字中线的标定

## 10.4.1 井筒中心与井筒十字中线

圆形竖井的井筒中心就是井筒水平圆截面的圆心。井筒十字中线是指通过井筒中心，并相互垂直的两条方向线，其中一条与井筒提升中线相互平行或重合，称为井筒主要中线，如图10–20所示。

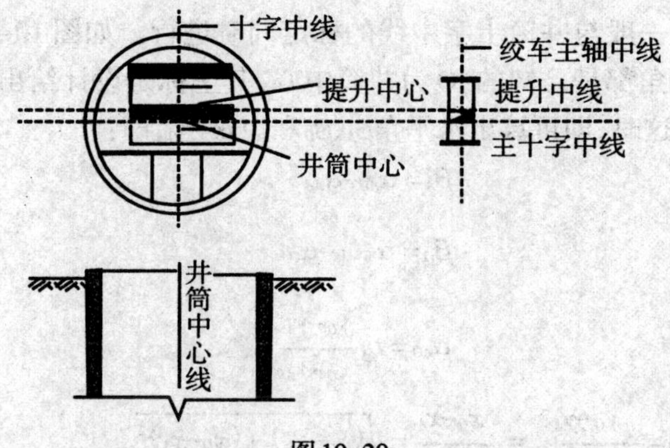


图10–20

斜井井筒中心（井口位置）是斜井主要中线与底板设计坡度起始线的交点。如图10–21所示，斜井井筒的主十字中线就是斜井的巷道中心线。

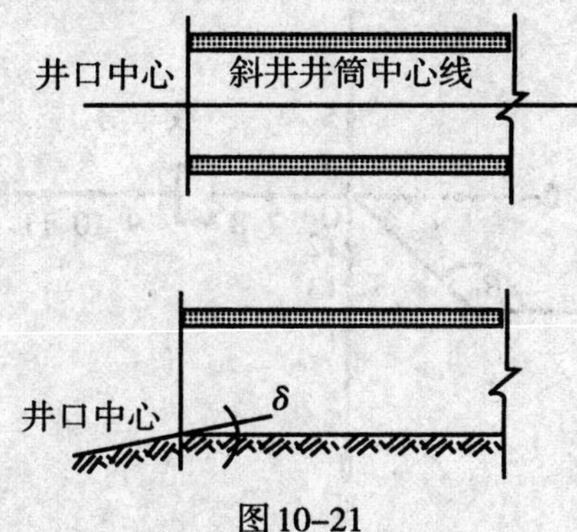


图10–21

井筒十字中线是整个矿井建设时期各项测量与标定工作的主要依据，在矿井生产时期也起着非常重要的作用。新建矿井地面各类建（构）筑物及机械设备的位置，在井筒中罐梁及其他装备的位置，井底车场巷道、主要硐室的位置，等等，都是以它们与井筒中心和井筒十字中线之间的相对位置关系为依据设计和标注各种尺寸的。因此，只有把井筒中心和井筒十字中线精确地测设到实地上去，才能顺利地进行各种标定工作。

## 10.4.2 井筒中心与十字中线的标定

1.准备图纸资料

（1）矿井附近控制网资料；

(2)设计给出的井筒中心坐标及十字中线的坐标方位角；

(3)工业广场平面图和地面平整图；

(4)井筒施工期间的临时设备平面布置图；

(5)本地区冻土深度等。

测量人员应根据上述资料，到现场踏勘，合理选择埋设十字中线标桩的位置，且要保证其在施工过程中不受破坏、互相通视及便于长期保存。若发现测量控制点离井筒较远，可在井筒附近按《规程》要求建立平面和高程控制点，称为近井点。

**2.计算标定数据**

井筒中心的标定一般与井筒十字中线的标定同时进行。如图10-22所示，A、B为近井点，它们的坐标、方位角都是已知的，O为井筒中心，其坐标是设计给出的，十字中线的坐标方位角由设计给出。这时，即可算出水平角$\beta_A$、$\beta_O$和边长$S_{AO}$，即：

$$\beta_A=\alpha_{AO}-\alpha_{AB} \tag{10-12}$$

$$\beta_O=\alpha_{\text{Ⅱ}-\text{Ⅰ}}-\alpha_{OA} \tag{10-13}$$

$$\alpha_{AO}=tg\frac{y_O-y_A}{x_O-x_A} \tag{10-14}$$

$$S_{AO}=\frac{y_O-y_A}{sin\alpha_{AO}}=\frac{x_O-x_A}{cos\alpha_{AO}}=\sqrt{(y_O-y_A)^2+(x_O-x_A)^2} \tag{10-15}$$

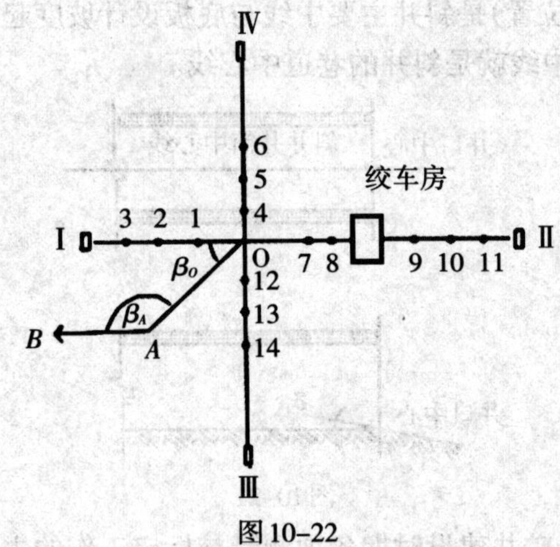


图10-22

**3.实地标定**

计算完标定数据后，在O点安置经纬仪，后视点A，分别按角度$\beta_O$、$90°+\beta_O$、$180°+\beta_O$、$270°+\beta_O$，以正、倒镜标定出OⅠ、OⅣ、OⅡ、OⅢ的方向，并在距井筒中心约100米处打入木桩作上标记。同时，应在十字中线上按设计距离标定出1、2、3、…各点，打入木桩，用小钉子作上标记。对于设计为十字中线基点的，应按设计规格挖坑，浇灌混凝土，待凝固后，再精确标设十字中线。

标设十字中线时应按地面一级导线的精度要求测设。两条十字中线垂直度的允许误差，按《规程》规定为±10″。

# 第五节　激光指向仪及其应用

采矿机械化的发展和巷道掘进速度的加快，使传统的标定中腰线方法越来越不能适应快速掘进的要求。20世纪70年代以来，我国先后研制成多种型号的矿用防爆激光指向仪，并已广泛应用于矿山指示直线巷道的掘进方向。

激光指向仪是利用激光器产生的光源进行指向的仪器。由于激光具有方向性、单色性好和亮度高等许多优点，因此成为理想的光学仪器光源。运用激光指向仪指示巷道的掘进方向，具有占用巷道时间短、效率高、中线和腰线一次给定等许多优点，目前已被各类矿山广为应用。

## 10.5.1 激光指向仪的结构

激光指向仪的型号很多，但构造比较相似，下面以20世纪90年代研制生产的半导体激光指向仪为例进行介绍。该仪器和氦氖激光指向仪相比，具有体积小、重量轻、寿命长、便于安装等优点。如图10-23，为我国生产的JZY-1型半导体激光指向仪。

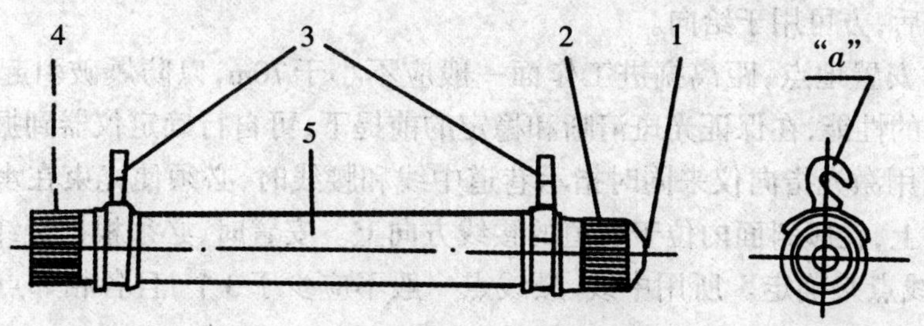


1——半导体激光发射器；2——电源开关；3——悬挂装置；4——后盖；5——电池腔。

图10-23

其主要特点是采用半导体激光器为光源，两节5号电池为电源，故体积大大减小。仪器又设计了悬挂钩，成为便携式，在巷道拐弯较多时使用极为方便。

拧开后盖，装入2节5号干电池后将后盖拧紧，按开关接通电源，则激光发射器即发出红色光束。悬挂装置的两个挂钩挂于巷道内连接两中线点之间的线绳上，激光束穿过前面的中线锤球线给出巷道掘进方向，激光束在掘进迎头形成一个圆形光斑(在40m内，光斑直径≤40mm)。依光斑中心即可布置炮眼、扶棚或检查工程质量。

仪器用后即可取下装入盒内带走，为确保挂钩位置的正确性，挂钩上设有调节螺旋，以便对挂钩进行检校。检校时，在40～50m内拉线绳或钢丝，在线绳前端挂一锤球线，在其背后衬以白纸，在线绳后端悬挂仪器，按动电源开关，则激光束照在前端的线绳上，并在白纸上映出光斑，当垂线平分光斑时，则仪器悬挂轴线与激光束处于同一铅垂面内，不必校正。反之，则松开指向仪前端挂钩的螺钉，微调该挂钩，使光斑中心与垂线重合，然后固定挂钩螺钉即可。

仪器的主要技术指标如下：

激光波长(670±10)nm

光功率≥3.0mW

工作电压DC3V(2节Re型5号电池)

功耗≤300mW

半导体激光器使用寿命50000h

防爆型式本质安全型ibI

工作环境温度-10～+40℃

工作环境相对湿度95°

储存温度-40～+60℃

工作距离50m(光斑Φ≤40mm)

外形尺寸164mm×40mm×20mm

重量0.26kg

### 10.5.2 激光指向仪的安置及使用

每次使用激光指向仪前,首先应对激光指向仪的电源、发光情况以及各调节机构进行检查。检查合格后,方可用于给向。

指向仪的安置地点,距离掘进工作面一般应不小于70m,以防爆破引起仪器振动或损坏。根据仪器的性能,在保证光斑清晰和稳定的前提下,可自行确定仪器到掘进工作面的最大距离。若利用激光指向仪来同时指示巷道中线和腰线时,必须使光束在水平面内位于巷道的中线方向上,在倾斜面内位于巷道的腰线方向上。安置时,必须根据经纬仪和水准仪标定的中线、腰线点来确定。所用中线、腰线点一般不应少于3个,且各相邻点间的距离以大于30m为宜。

实地安置步骤如下:

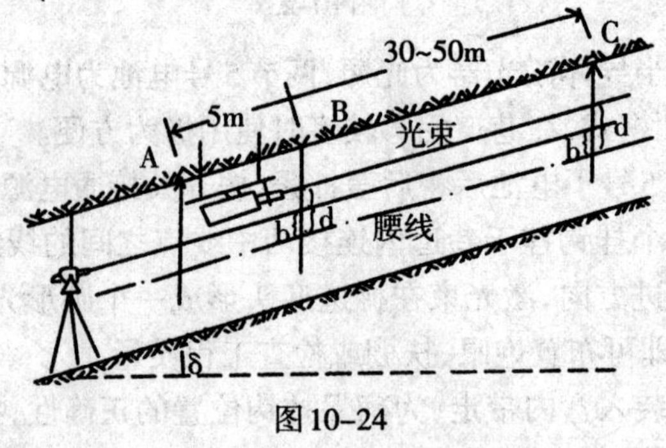


图10-24

1.如图10-24,用经纬仪在巷道中标设三个以上中线点,如A、B、C三点,并在中线锤球线上标出腰线位置。B、C两点间距为30～50m。

2.在安置指向仪的中线点处顶板上按一定的尺寸固定四根锚杆,再将有长孔的两根角钢安在锚杆上。

3.将仪器的托板用螺栓与角钢相连,根据仪器前后的中线锤球移动仪器,使之处于中线方向上,然后把螺栓固紧。

4.将电缆从电源经防爆开关引入仪器接线箱内，接通电源，光束即由聚焦镜筒内打出。

5.调整仪器，正确标定光束方向。微调水平微动螺旋，使光斑中心对准前方B、C两个中线，再上下调整光束，使光斑中心至两垂球线的腰线标志的垂距$d$相同为止。这时红橙色激光束即是与腰线平行的一条巷道中线。安置完毕后，应锁紧调节机构，并套上外罩保护，以免受碰或被他人随意操作。

### 10.5.3使用激光指向仪的注意事项

1.指向仪在现场安装须由测量人员会同施工单位进行。安装完毕后，测量人员应将光束与巷道中腰线的关系向施工人员交代清楚。

2.施工人员在使用前应检查光束是否偏离正确位置，发现问题应及时通知测量人员进行检查调整。

3.巷道每掘进100m，要进行一次检查测量，并根据测量结果调整中腰线。

4.指向仪的电源承受电压与外界电压要一致，外壳要接地，开关要符合防爆规定。

5.仪器若是矿用防爆性，可在各级瓦斯矿井使用；若是矿用安全型，只能在二级以下瓦斯矿井使用，且在使用前要与有关单位共同制订安全使用指向仪的措施。

# 第二部分　专业核心知识点

1. 直线巷道、曲线巷道中线的标定方法；
2. 巷道腰线的标定方法；
3. 激光指向仪的构造及其应用。

# 第三部分　专业技能训练

## 技能一　巷道开切位置、方向的标定

首先熟悉图纸，了解设计巷道与其他巷道的几何关系，检查图上给定数据，见图10-25。

1. 计算标定数据

$$\beta=\alpha_{AB}-\alpha_{A4}$$

$$S_{4A}=\frac{y_A-y_4}{\sin\alpha_{4A}}=\frac{x_A-x_4}{\cos\alpha_{4A}}$$

$$S_{A5}=\frac{y_5-y_A}{\sin\alpha_{A5}}=\frac{x_5-x_A}{\cos\alpha_{A5}}$$

式中　$\alpha_{AB}$——设计巷道中线的坐标方位角；

$x_A$、$y_A$——设计巷道的起点坐标；

$x_4$、$y_4$、$x_5$、$y_5$——导线点坐标。

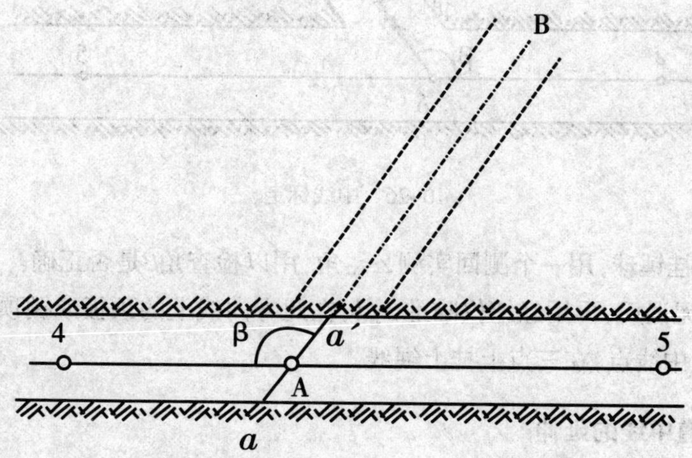


图10-25

2. 标定巷道的开切地点和掘进方向

(1)将经纬仪安置于4点，瞄准5点锤球线，在此方向上量取$S_{4A}$定出A点并标设在顶板上，再量取$S_{A5}$检查A点的正确性。

(2)在A点安置经纬仪，后视4点转β角值，此时望远镜视准轴所指的方向即为设计巷道掘进方向。

(3)一人手执电筒(或矿灯)在司仪者指导下沿巷道一帮移动，当电筒移到视准轴方向线上时，即在帮上打一标记，过此标记画一铅垂线，即为巷道中线。

(4)根据仪器视准轴方向,在A点之前或后方顶板上再标定两个中线点,即由三点组成一组中线点,表示巷道掘进的方向。

**技能二　巷道中线的标定**

新开掘的巷道掘进6~9m后,应用经纬仪正式标出一组中线点,每组中线点不得少于三个点,点间距离不得小于2m。

1. 检查A点是否有位移或遭破坏。

2. 经检查认为A点无位移后,将经纬仪安置在A点,用盘左后视4点,在水平度盘上转出$\beta$角值,在巷道顶板上距工作面5m左右给出2′点,用盘右再给出2″点,取其2′、2″两点中间点为2点,则2点即为巷道中线点。如图10-26所示。

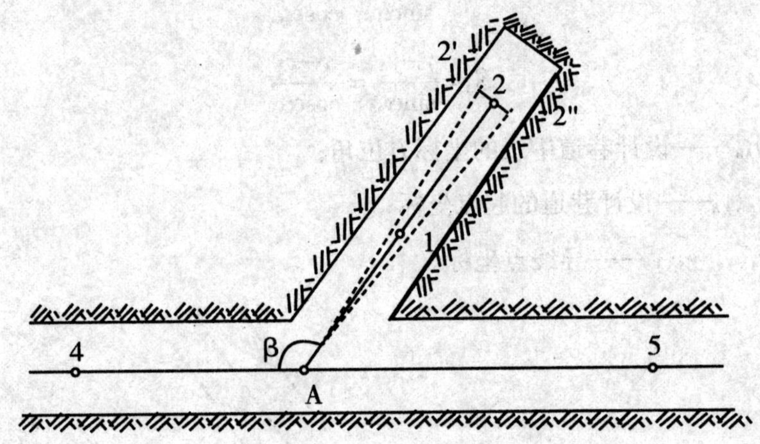


10-26　中线标定

3.然后在2点挂锤球,用一个测回实测$\angle_{4A2}$角,用以检查角$\beta$是否正确。

4.经检查角$\beta$无误后,再用经纬仪瞄准2点,在此方向线上的顶板或棚顶上标出1点。A、1、2三点即为一组中线点,在三点上挂上绳线。

**技能三　巷道中线的延伸**

一组中线点,可以指示巷道掘进30~40米。随着巷道的掘进,巷道中线要向前延伸才能指导巷道的掘进。

1.首先检查原中线点是否有移动,如B组中线点B、1、2、3是否在一条直线上。如图10-27所示。若其中有三点在一条直线上,便使用这三个点延伸。

2.经检查认为无误后将经纬仪安置在B点,用盘左后视A点,转180°沿视准轴方向定

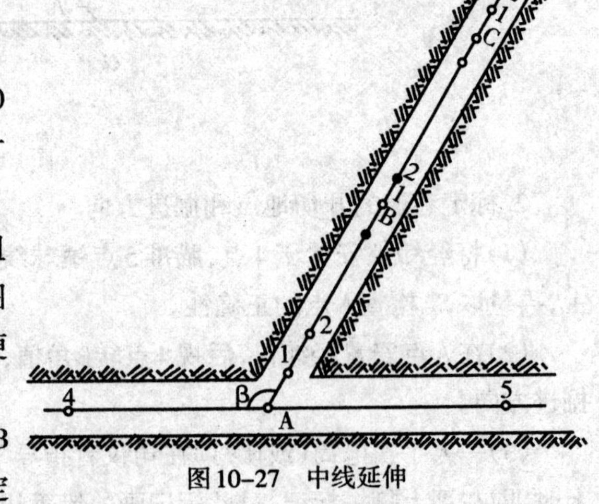


图10-27　中线延伸

出一点，取其中间点C为新中线点，也可用瞄直法或拉线法。

3.用经纬仪瞄准C点，再于此方向上定出1、2点。则C、1、2三点即为延伸的一组巷道中线。

4.在各组中线点中选出一点作为导线点，如A、B、C等点，以备进行采区导线测量时检查中线的正确性。

### 技能四　在倾斜巷道中标定腰线

如图10-28(*a*)所示，1点为设计巷道的腰线点，其设计标高为$H_1$，A点为已知导线点，其标高为$H_A$。根据两点的标高可以计算出两点的高差为：

$$h_{Aa}=H_A-H_1$$

在导线点A上挂锤球线，并从A点向下量取$h_{Aa}$值在锤球线上得到$a$点，然后过$a$点向待设腰线巷道两帮拉线，线之终端应位于待测腰线起点位置。于线之中间部位挂半圆仪，当其读数为0°时，于线之终端处作上标记，此即为新设腰线点之位置，然后设法将此点位予以固定(钉钉或用水泥筑点)。同法在另一帮与该点相对应的位置再设一点，这两点即为一对腰线点，即图10-28(*a*)中的1、1′。

将测绳一端挂在1点铁钉上，在测绳上挂半圆仪，然后将另一端在斜巷的同一帮上做上下移动，使半圆仪上倾角为设计巷道的倾角$\delta$，此时于绳端做上标记，然后在该标记处固定腰线点，此点即为第二对腰线点中的一个，打上铁钉编为2点，此点也为腰线点。

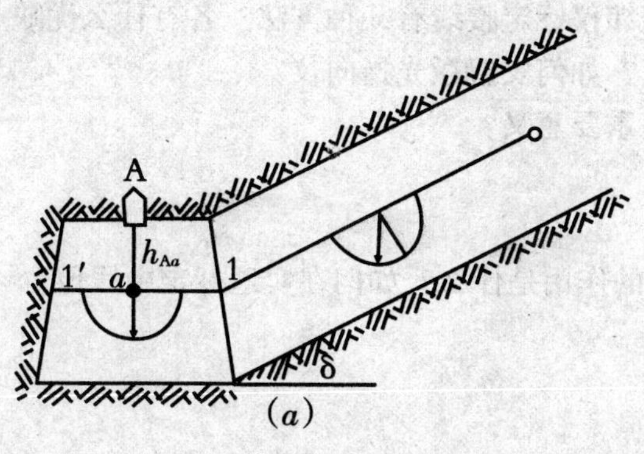

(*a*)

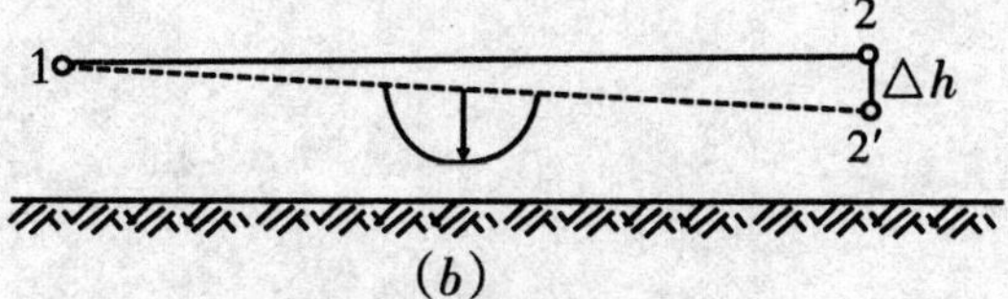

(*b*)

图10-28　标定腰线

在巷道另一帮，自1′点，以同样方法，于2点相对应部位，再测设一腰线点2′，与2点成一对。在1、2两点间拉线，沿线用油漆在帮上画线，以利于施工应用。

### 技能五　在水平巷道标定腰线

如图10-28(b)所示，1点为平巷的腰线点，在1点上挂测绳，绳上再挂半圆仪，将另一端拉紧并上下移动,使用半圆仪上倾角为0°于绳之终端处做上标记2′。然后用皮尺量出1和2′点间的水平距离,根据巷道的设计坡度$i$,计算出2′点和1点的高差$\triangle h$为:

$$\triangle h=i\cdot l$$

然后过2′点垂直向上量取值便得2点,在2点处将腰线点固定。在1、2点间拉线,沿线以油漆画出腰线。巷道另一帮可用同样的方法,给出腰线。

**复习题**

1.什么是巷道中线、腰线?它们分别设在巷道的什么位置?

2.在平巷中给定腰线有哪几种方法?

3.曲线巷道标定中线有几种方法?具体是什么?

4.有一段曲线巷道,其掘进方向由右向左,其圆心角θ=90°,曲线半径$R$=20m,巷道净宽$D$=3.75m,棚子间距$d$=1m。试设计标定中线的方法,计算$d_{内}$、$d_{外}$,并作1:100的放大样图来确定边距(半径法)。

**讨论题**

1.标定巷道中、腰线前,应做哪些准备工作?

2.试述巷道中线的标定步骤和标定方法?

3.在倾斜巷道中用经纬仪标定腰线有几种方法?各有什么优缺点?

4.激光给向有何优点?如何安置激光指向仪?

5.井筒十字中线有何重要意义?

**思考题**

在巷道掘进中,中线的作用是什么?如何在实地标定中线位置?

# 第十一章 贯通测量

## 第一部分 系统理论知识

## 第一节 概述

### 11.1.1 贯通与贯通测量

一条巷道按设计要求掘进到指定地点与另一条巷道相通，称为巷道贯通，简称贯通。巷道贯通往往是一条巷道在不同的地点以两个或两个以上的工作面分段掘进，而后彼此相通的。如果两个工作面掘进方向相对，叫相向贯通（图 11–1*a*）；如果两个工作面掘进方向相同，叫同向贯通（图 11–1*b*）；如果从巷道的一端向另一端指定处掘进，叫单向贯通（图 11–1*c*）。

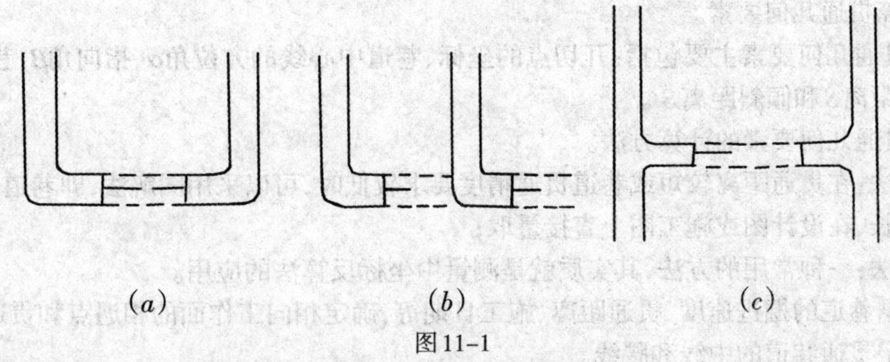

图 11–1

在巷道开拓时，一般将贯通分为沿导向层（煤、岩层等标志层）的贯通和不沿导向层的贯通。按巷道的性质又可分为水平巷道的贯通、倾斜巷道的贯通和竖直巷道的贯通。

同一巷道用多个工作面掘进，可以大大加快施工速度，改善通风状况和工人的劳动条件，有利于安排生产，它是矿山、交通、水利等工程中普遍采用的一种施工方法。

为了保证正确贯通而进行的测量和计算等工作就称之为贯通测量。贯通测量是一项十分重要的测量工作，在煤矿企业建设和采矿过程中应用比较普遍。如果因贯通测量过程中发生差错而未能贯通，或者贯通后接合处的偏差超过限值，都将严重影响巷道质量，甚至使巷道报废，在经济上和时间上造成很大损失，甚至会威胁到工人的安全。因此，要求矿山测量技术人员必须一丝不苟、严肃认真地对待贯通测量工作，保证各掘进工作面沿着设计的方向掘进，使贯通后接合处的偏差不超过工程规定的限度，以保证贯通工程的顺利完成。

根据《煤矿测量试行规程》的规定，各种巷道贯通测量的容许偏差值，不应超过表 11–1 的规定。

表11-1

| 贯通种类 | 贯通巷道名称 | 在贯通面上的容许偏差(m) | |
|---|---|---|---|
| | | 两中线之间 | 两腰线之间 |
| 第一种 | 沿导向层开凿的水平巷道 | — | 0.2 |
| 第二种 | 沿导向层开凿的倾斜巷道 | 0.3 | — |
| 第三种 | 在同一矿井中开凿的倾斜或水平巷道 | 0.3 | 0.2 |
| 第四种 | 在两矿井中开凿的倾斜或水平巷道 | 0.5 | 0.2 |
| 第五种 | 用小断面开凿的立井井筒 | 0.5 | — |

### 11.1.2 贯通测量的步骤

贯通测量工作一般按下列步骤进行：

1.为贯通而进行的测量准备工作。

(1)展绘井下经纬仪导线点；

(2)确定巷道贯通中心线；

(3)确定巷道开切地点；

(4)确定贯通测量方案；

(5)对于贯通距离较长的重要井巷,还应进行必要的贯通测量精度的估算工作。

2.计算贯通几何要素。

(1)贯通几何要素主要包括:开切点的坐标、巷道中心线的方位角$\alpha$、指向角$\beta$、巷道的倾角$\delta$、水平距离$S$和倾斜距离$S'$。

(2)贯通几何要素的计算方法。

图解法:在贯通距离较短或巷道贯通精度要求较低时,可以采用图解法,即巷道的方向、坡度和斜长,在设计图或施工图上直接量取；

解析法:一种常用的方法,其实质就是测量中坐标反算法的应用。

3.根据巷道的掘进速度、贯通距离、施工日期等,确定相向工作面的相遇点和贯通时间。

4.标定贯通巷道的中线和腰线。

在实地根据贯通巷道的方位角或指向角、倾角或坡度标定贯通巷道的中线和腰线。

5.贯通巷道中线和腰线的延长与检查。

根据工程进度,应及时延长巷道的中线和腰线。巷道每掘进100m,必须用导线测量和高程测量的方法,对中线和腰线进行检查,及时填图,并根据测量结果及时调整中线和腰线的位置。最后一次标定贯通方向时,两个工作面间的距离,不得小于50m。各种测量和计算都必须有可靠的检验。当两个工作面间的距离在岩巷中剩下15~20m、煤巷中剩下20~30m时(快速掘进应于贯通前两天),测量负责人应以书面方式报告矿井总工程师,并通知安全检查部门及施工区队,要停止一头掘进及准备好透巷措施,以免发生安全事故。

6.贯通巷道实际偏差的测定。

巷道贯通后,应立即测量贯通的实际偏差值,同时将两边的导线连接起来,测量与计算各项闭合差,填绘平面图和断面图,并对最后一段巷道的中、腰线进行调整。

7.技术总结。

重要巷道贯通完成后,应对测量工作进行精度分析,作出技术总结。

## 第二节　水平巷道的贯通

如图11–2所示，欲在A、B两个石门之间用相向贯通的方法开凿一条运输平巷(图中用虚线表示)。其测量工作大致可分为以下几个阶段：

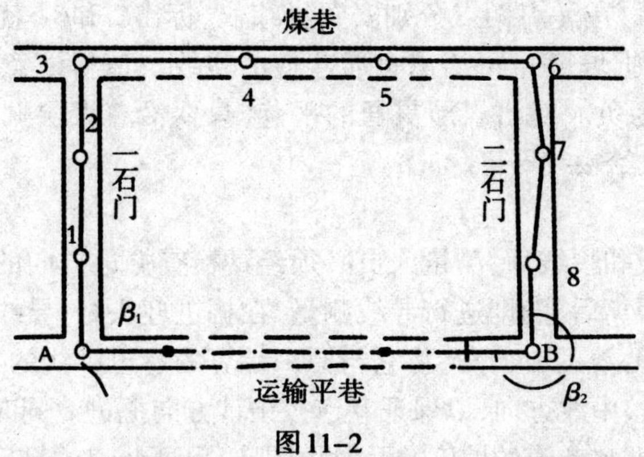


图11–2

1.为求得贯通几何要素而进行的测量工作

首先，在$A$、$B$两点敷设一条经纬仪导线A–1–2–…7–8–B，计算出A、B两点的平面坐标$x_A$、$y_A$和$x_B$、$y_B$，再在A、B点间进行高程测量，求出A、B两点的高程$H_A$和$H_B$ 。

由于在A、B之间的导线是不闭合的，这就使得测量和计算缺少必要的检核条件，因此在进行重要巷道贯通时，测量工作应不少于两次。如果在掘进好的巷道里已建立了平面控制点和高程控制点，则可在控制点上进行引测。

2.计算贯通几何要素

(1)根据A、B两点坐标计算贯通巷道中心线的方位角$\alpha_{AB}$和$S_{AB}$水平距离 。

$$\tan\alpha_{AB}=\frac{y_B-y_A}{x_B-x_A} \tag{11–1}$$

$$S_{AB}=\frac{y_B-y_A}{\sin\alpha_{AB}}=\frac{x_B-x_A}{\cos\alpha_{AB}}=\sqrt{(\Delta x_{AB})^2+(\Delta y_{AB})^2} \tag{11–2}$$

(2)求指向角$\beta$。

因$\alpha_{A1}$、$\alpha_{B8}$和$\alpha_{AB}$已知，故A、B两点的指向角$\beta_1$、$\beta_2$为

$$\beta_1=\alpha_{AB}-\alpha_{A1};\quad \beta_2=\alpha_{BA}-\alpha_{B8} \tag{11–3}$$

(3)计算贯通巷道的坡度。

设$H_A$和$H_B$是A、B两点处巷道底板面或轨道面的设计高程，则巷道坡度为

$$i_{AB}=\tan\delta_{AB}=\frac{H_B-H_A}{S_{AB}} \tag{11–4}$$

(4)贯通巷道实际长度$L_{AB}$的计算。

巷道实际长度可根据水平距离、高差或坡度计算，即

$$L_{AB}=\frac{H_B-H_A}{\sin\delta_{AB}}=\frac{S_{AB}}{\cos\delta_{AB}}=\sqrt{(H_B-H_A)^2+(S_{AB})^2} \tag{11-5}$$

对于平巷，如果贯通距离较短，斜长与水平长度大致相等，也可不计算。

3.标定工作

求得上述数据后，在A、B两点分别安置经纬仪，标出$\beta_1$和$\beta_2$，就给出了贯通巷道掘进的中线方向，同时再根据坡度$i_{AB}$可给出贯通巷道的腰线。值得注意的是，如A→B的坡度为正，则B→A的坡度为负。对沿煤层贯通的平巷，只要沿着煤层掘进，在煤层倾角大于30°时，可以不给中线，只给腰线即可。

4.检查测量

给出巷道的中线和腰线后，测量人员必须经常检查掘进方向的正确性。检查的方法是当巷道掘进到一定距离后，随即进行导线测量，在掘进迎头处，导线点应为中线点。根据测量结果，反算巷道中心线的方位角，将它与原来计算的巷道中线的方位角相比较，根据差值的具体情况，适当调整中线方向，以保证巷道按预计方向掘进。同时用水准测量的方法检查腰线点的高程，不断调整巷道的坡度并及时填图，以保证巷道的最后贯通。当巷道两端相距一定距离时，应书面通知有关部门，以便及时采取安全措施。

如果整个测量和计算没有错误，且两端给出的方向都很正确，将会实现最后巷道的中线和腰线在水平面和竖直面内相遇。但由于测量工作的误差，会使两个方向产生一些偏差。因此，巷道贯通后，应立即测量巷道贯通的偏差值(即把巷道的中、腰线引向另一端)，以检验所选择测量方案的正确性和评定测量精度，为以后的贯通工程提供必要的技术依据。

## 第三节　倾斜巷道的贯通

如图11-3所示，将在上平巷与下平巷之间贯通二号下山，该下山在下平巷中的开切地点A以及二号下山中心线的坐标方位角$\alpha_{AP}$均已给出。要求在上平巷中确定开切点P的位置，以便在P点标定出二号下山的中腰线，向下掘进，进行贯通，其测量工作按下述步骤进行。

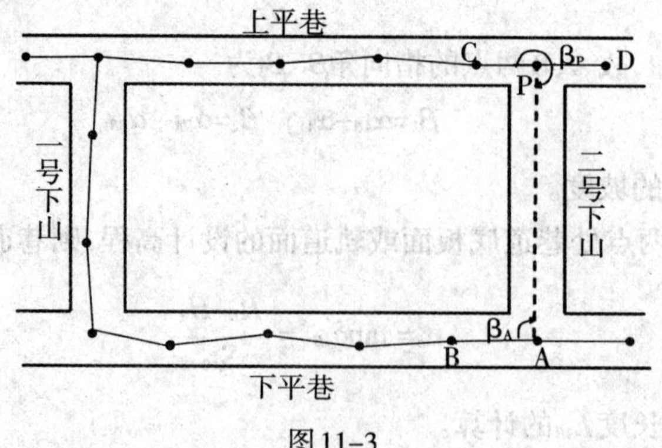


图11-3

1.为求贯通几何要素进行的测量工作

需在上、下平巷之间经一号下山敷设经纬仪导线，并进行高程测量，以求得A、B、C、D各点的平面坐标和高程。注意，设点时，A点应设在二号下山的中心线上，设置C、D点时，应使CD边与二号下山的中心线相交，其交点P即为欲确定的二号下山上端的开切点。

2.贯通几何要素的计算

(1)AP的平距

欲求AP的平距，有两种方法。

①根据A和C、B和D的坐标，列出直线方程

$$y_P-y_A=\mathrm{tg}\alpha_{AP}(x_P-x_A)$$

$$y_P-y_C=\mathrm{tg}\alpha_{CP}(x_P-x_C) \qquad (11-6)$$

解联立方程求出P点坐标 $x_p$、$y_p$，即

$$x_P=\frac{x_A\mathrm{tg}\alpha_{AP}-x_C\mathrm{tg}\alpha_{CP}-y_A+y_C}{\mathrm{tg}\alpha_{AP}-\mathrm{tg}\alpha_{CP}}$$

$$y_P=\mathrm{tg}\alpha_{AP}(x_P-x_A)+y_A=\mathrm{tg}\alpha_{CP}(x_p-x_C)+y_C$$

则

$$S_{AP}=\frac{x_P-x_A}{\cos\alpha_{AP}}=\frac{y_P-y_A}{\sin\alpha_{AP}}$$

为了检核，还要计算CP和DP的平距$S_{CP}$和$S_{DP}$，使$S_{CP}+S_{DP}=S_{CD}$。在实地标设出下山开切点P的位置，并测出P点的高程$H_P$。

②根据三角学的基本知识，解算△APB。如图11-4所示，可先根据A、C两点的坐标，反算出AC的长度$S_{AC}$和方位角$\alpha_{AC}$。在三角形APC中，三条边的方位角都已知，则可算出三内角$\beta_A'$、$\beta_C'$和$\beta_P'$。三角形中三内角和已知，AC边已知，则$S_{AP}$和$S_{CP}$的边长可按正弦定理求出，其计算公式如下：

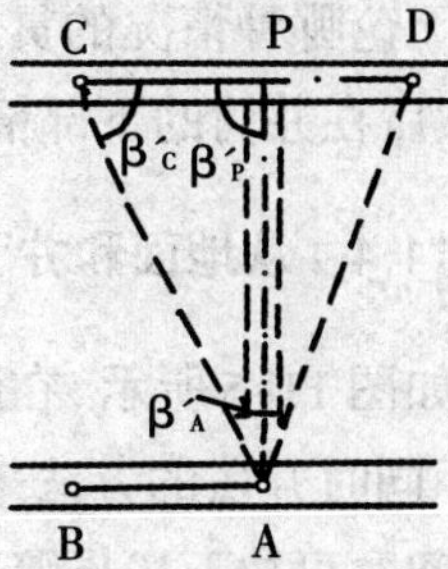

图11-4

$$S_{AP}=S_{AC}\frac{\sin\beta_C'}{\sin\beta_P'}$$

$$S_{CP}=S_{AC}\frac{\sin\beta_A'}{\sin\beta_P'} \qquad (11-9)$$

同理可求出三角形APD中的$S_{AP}$和$S_{DP}$，作为检核。

在实际工作中，第一种方法需要代入大量的数据来解算联立方程式，比较繁琐，因此，一般采用第二种方法即三角形法来解算。

(2)倾斜角$\delta_{AP}$

$$\mathrm{tg}\delta_{AP}=\frac{H_P-H_A}{S_{AP}} \qquad (11-10)$$

(3)贯通中线的斜距$S_{AP}'$

$$S_{AP}'=\frac{H_P-H_A}{\sin\delta_{AP}} \tag{11-11}$$

(4)指向角$\beta_A$、$\beta_P$

$$\beta_A=\alpha_{AP}-\alpha_{AB}$$
$$\beta_P=\alpha_{PA}-\alpha_{PC} \tag{11-12}$$

3.标定工作

求得上述数据后，即可在P点安置经纬仪，瞄准C点为零方向，测设指向角$\beta_P$，便可给出斜巷中线的方向，再用$\delta_{AP}$角给出坡度。对于沿煤层掘进的斜巷，只要根据中线沿煤层掘进即可，而不需要测设腰线。

每当巷道掘进一段距离，应进行中腰线的检查与调整，直至巷道安全贯通。

上述此种情况的巷道贯通，也可用图解法在设计图上求得开切点P，并标定于实地，然后按第一种情况的步骤进行贯通测量。

## 第四节 竖直巷道的贯通

竖直巷道的贯通可以分为两种情况：一种是地面和井下相向开凿的立井贯通；另一种是井下不同水平开凿的暗立井相向贯通和立井延伸的贯通。

无论哪种情况的贯通，其工作内容的核心都是在井筒的上部精确地测定出井筒中心坐标，然后在井筒的下部精确地测定出这个坐标。下面分别举例说明。

### 11.4.1 从地面和井下相向开凿的立井贯通

如图11-5所示，在距离主、副井较远处的井田边界附近，要新开凿3号立井。拟采用上、下同时开凿的方法来贯通该井。由于立井的井上与井下中心坐标相同，因此，解决这类贯通问题可按下述步骤进行。

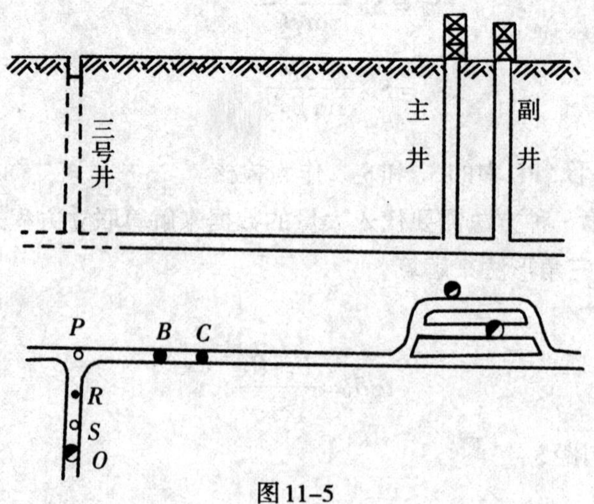

图11-5

1.进行地面连测，确定三号井地面中心的坐标；

2.通过主、副井进行两井定向，确定井下导线起始点的坐标和坐标方位角；

3.在井下沿运输大巷测设导线，直到三号井井底车场出口P；

4.根据三号井的井底车场设计的巷道布置图，编制井底车场设计导线。由导线点P开始，按井底车场设计导线来标定出中、腰线，指示巷道掘进，并准确地标出三号井井筒中心O的位置，牢固地埋设好井中标桩及井筒十字中线基本标桩；

5.由井下中心向上打反立井进行相向贯通。

### 11.4.2 延伸立井时的贯通

如图11-6所示，一号井已掘到-110水平，井底车场石门$O_1$～P一段已掘好，而二号井只掘进到-60水平。今欲按设计要求，由$O_1'$P掘一联络平巷到二号井底，再向上反掘二号井。因此，必须确定QP石门的掘进方向和长度，测设出二号井井筒中心$O_2'$。

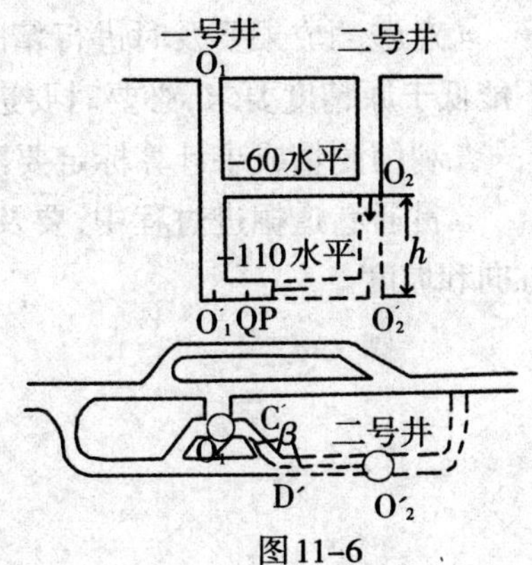

图11-6

通过井上下联系测量，Q、P点的平面坐标、高程及其连线的方位角均为已知，二号井筒中心$O_2'$的平面坐标也已知。通过导入标高，求得了-60水平井底高程$H_{O2}$。其解算步骤和标定方法如下：

1.计算$PO_2'$的方位角和P点处的指向角

$$\tan\alpha_{PO2}'=\frac{y_{O2}'-y_P}{x_{O2}'-x_P}\quad ;\ \beta_p=\alpha_{PO2}'-\alpha_{PQ} \tag{11-13}$$

式中　$x_{O2'}=x_{O2}$；$y_{O2'}=y_{O2}$

2.计算$PO_2'$的水平距离$S_{PO2}'$

$$S_{PO2}'=\frac{y_{O2}'-y_P}{\sin\alpha_{PO2'}}=\frac{x_{O2}'-x_P}{\cos\alpha_{PO2'}} \tag{11-14}$$

3.计算$O_2'$点的高程和贯通的井筒长度h

$$H_{O2}'=H_p+iS_{PO2'} \tag{11-15}$$

式中　$i$——为联络平巷的设计坡度，上坡取正号，下坡取负号。

贯通的井筒长度为

$$h=H_{O2}-H_{O2}' \tag{11-16}$$

4.实地标定

在P点安置经纬仪标定出$\beta_P$角，给出巷道的中线，并按设计坡度i给出腰线。当巷道掘进长度达到$S_{PO2}'$后，便可将$O_2'$点的位置在实地上标定出来，并固定在底板上。此后，便可由此点向上掘进井筒。

贯通测量中，无论是联系测量，还是井上、下导线测量、计算等均需独立地进行两次，以便进行检核。

竖井贯通，要求有很高的精度，它比水平巷道或倾斜巷道的贯通要困难得多。水平或倾斜贯通时，在水平面上中心线偏差20～30cm，甚至50cm，还不致使巷道报废。但竖井贯通时，发生这样大的偏差就会引起非常复杂的问题。因为这种偏差是不能修正的，所以考虑到这一点，竖井贯通时，下部工作面常常是不以全断面掘进，而是在工作面相遇后，将井筒的小断面扩大，并进行最后的支护和安装，这样就可以避免由测量引起井筒的偏斜。

总之，无论是哪一种类型的巷道贯通，都要有一定的精度，且要在施测过程中注意以下问题：

1.注意原始资料的可靠性，起算数据应当准确无误；

2.各项测量工作都要有可靠的独立检核；

3.精度要求很高的重要贯通，要采取提高精度的相应措施；

4.对施测成果要及时进行精度分析，并与原误差预计的精度要求进行对比，各个环节均不能低于原精度要求，必要时要进行返工重测；

5.利用测量成果计算标定要素时，注意不要抄错或用错已知数据资料；

6.贯通巷道掘进过程中，要及时进行测量和填图，并根据测量成果及时调整巷道掘进的方向和坡度。

# 第二部分 专业核心知识点

1. 贯通及贯通测量；
2. 贯通几何要素计算；
3. 水平巷道、倾斜巷道、竖直巷道的贯通方法。

## 复习题

1.什么是贯通？贯通有哪几种类型？
2.贯通几何要素包括什么内容？

## 讨论题

1.贯通分哪几种类型？每种贯通要进行哪些测量工作？
2.贯通巷道接合处偏差值可能发生在哪三个方向上？
3.贯通测量的步骤是什么？
4.贯通测量在实测中应注意哪些问题？应该进行哪些检查和调整？
5.立井贯通时的测量工作有什么特点？应注意什么问题？如何预计误差？
6.试述贯通测量设计书的编制步骤？

## 思考题

贯通后巷道中线发生偏差如何调整？

# 第十二章 山西省煤矿“六个标准”涉及内容

## 地测防治水专业标准

### 一、基本条件

矿井不得存在以下情况：

(1)有冲击地压危险，未采取措施；

(2)有严重水患，未采取措施；

(3)作业现场未执行“有掘必探(钻探)”规定。

### 二、基本要求

1.机构设置要符合以下要求：

(1)水文地质条件复杂或极复杂的矿井设立专门的防治水机构；

(2)冲击地压矿井设立专门的防治冲击地压(以下简称“防冲”)机构；

(3)水文地质条件复杂或极复杂、煤与瓦斯突出、冲击地压等矿井应设地测部门、地测副总工程师，有分管负责人；

(4)地测防治水部门配备矿井地质、水文地质、瓦斯地质(煤与瓦斯突出矿井)、矿井储量管理、矿井测量、井下钻探、物探、制图绘图等方面满足工作需要的专业技术人员。

2.煤矿地质要符合以下要求：

(1)生产地质报告要按期完成修编、提交、审批及采后总结等基础工作；

(2)成果资料、原始记录、地质图纸等基础资料齐全，内容规范；

(3)地质预报内容完整，档案管理规范。

3.煤矿测量要符合以下要求：

(1)建立健全测量控制系统、测量工作执行通知单制度，贯通精度、中腰线标定符合要求，原始记录齐全规范；

(2)基本矿图种类、内容、填绘、存档符合《煤矿测量规程》规定；

(3)沉陷治理手段合理，台账资料齐全；

(4)储量计算图纸、台账、统计管理符合《生产矿井储量管理规挂(试行)》规定。

4.煤矿防治水要符合以下要求：

(1)井上、下和不同观测内容的专用原始记录及防治水基础台账、数据管理规范，水文地质图纸、水害预报内容齐全，符合要求；

(2)建立健全防排水系统，防治水工程设计方案、施工措施、工程质量符合规定；

(3)水文地质条件复杂或极复杂的矿井应建立水文动态观测系统和水害监测预警系统，

对构成威胁的水害进行检测、诊断和预控，并制定相应的安全技术措施。

5.防治冲击地压要符合以下要求：

(1)进行冲击倾向性鉴定，冲击危险采区、工作面有规范的防冲专项设计，防冲措施科学有效；

(2)建立健全合理有效的监测系统。

## 三、评分方法

1.按表12-1，每个表总分为100分。各小项分数扣完为止。

2.煤矿地测防治水安全质量标准化考核得分，采用下列公式计算：

$$P=J\times15\%+D\times25\%+C\times25\%+F1\times25\%+F2\times10\%$$

式中　$P$——煤矿地测防治水安全质量标准化考核得分；

$J$——煤矿地测防治水(含防冲)技术管理安全质量标准化考核得分；

$D$——煤矿地质安全质量标准化考核得分；

$C$——煤矿测量安全质量标准化考核得分；

$F1$——煤矿防治水安全质量标准化考核得分；

$F2$——煤矿防治冲击地压安全质量标准化考核得分(无冲击地压矿井$F2$分值为100)。

**表12-1　　测量安全质量标准化标准和评分表**

| 项目 | 项目内容 | 基本要求 | 标准分值 | 评分方法 |
|---|---|---|---|---|
| 一、基础工作(40分) | 控制系统 | 1.建立健全测量控制系统，精度符合《煤矿测量规程》要求；<br>2.及时延长井下基本控制导线和采区控制导线。 | 8 | 查资料和现场。地面控制点密度不够、控制点被破坏、精度不符规程要求，1处扣1分；井下控制导线延长不及时，1处扣2分；未按规定敷设相应等级导线或导线精度达不到要求，1处扣2分。 |
| | 测量重点 | 1.贯通、开掘、放线变更、停掘停采线，过相邻巷道(空间距离小于巷高或巷宽的4倍)等测量工作，执行通知单制度；<br>2.贯通、停掘、停采线及过相邻巷道通知单应按规定提前发送到分管领导、施工单位及生产技术、安全、调度、通风等单位。 | 10 | 查资料和现场。贯通及过巷通知单未按要求发送，1次扣2分；开掘及停头通知单发放不及时，1次扣2分；巷道掘进到特殊地质时，漏发通知单，1次扣3分；其他通知单，1处错误扣2分，漏发扣3分。 |
| | 贯通精度 | 贯通精度满足设计要求，两井贯通和一井内3000m以上贯通测量工程应有设计书，并按规定审批和总结。 | 10 | 查资料和现场。3000m以上贯通测量工程或两井间贯通，未编制贯通测量设计书或未经审批、没有总结，每缺1项扣3分；贯通后重要方向误差超过允许偏差值，1处扣5分。 |
| | 中腰线标定 | 中腰线标定符合《煤矿测量规程》要求。 | 5 | 查资料和现场。未进行起算数据检查的，1处扣2分；中腰线标定不及时或有误差，造成掘进方向偏差超过限差，1处扣2分。 |

| | | | | |
|---|---|---|---|---|
| | 原始记录 | 外业记录本齐全正规（导线测量、水准测量、联系测量、井巷施工标定、陀螺定向测量等），并分档按时间顺序保存，记录本内容齐全，书写工整无涂改。 | 7 | 查资料。查当年全部记录本，无正规专用记录本扣2分，无目录、索引，查找困难扣1分，记录本不全，每缺1种扣3分，无编号1处扣1分，误差超限1处扣2分，原始记录内容不全1处扣1分。 |
| 二、基本矿图（20分） | 测量矿图 | 有《煤矿测量规程》规定的基本矿图。 | 10 | 查资料。图种不全的每缺1种扣2分。 |
| | 矿图要求 | 1.基本矿图应采用计算机制图，内容、精度符合《煤矿测量规程》要求；<br>2.图上符号、线条、注记等，符合《煤矿地质测量图例》要求；<br>3.图面清洁，层次分明，线条均匀，色泽准确适度，文字清晰美观，并按图例要求的字体注记；<br>4.采掘工程平面图每月填绘1次，井上下对照图每季度填绘1次，图面表达和注记无矛盾；<br>5.数字化底图至少每季度刻录存盘备份1次。 | 10 | 查资料和现场。图幅不全、错漏严重或质量不合格扣3分，未按时备份数据扣2分，其他1项不符合要求扣1分。 |
| 三、沉陷治理（15分） | 地表移动 | 1.各类保护煤柱设计合理，未出现差错，地测部门提供符合本矿区情况的有关参数；<br>2.各种"三下"工程，如建（构）筑物保护、维修，复垦，迁村征地，塌陷区治理等有明显效果。 | 10 | 查资料和现场。保护煤柱位置、大小等未达到安全要求，1处扣2分；无本矿区开采沉陷参数或应建而未建观测站均扣5分；观测站无设计方案、措施或未按规程要求进行观测总结的扣2分；观测站记录、成果未及时整理分析的，1次扣1分。 |
| | 资料台账 | 1.及时填绘采煤沉陷综合治理图；<br>2.有地表塌陷裂缝治理台账、村庄搬迁台账；<br>3.矿井范围内受采动影响土地塌陷情况表。 | 5 | 查资料和现场。1项不符合要求扣1分。 |
| 四、资源回收及储量管理（25分） | 储量计算图 | 有符合《生产矿井储量管理规程（试行）》规定的各种图纸，内容符合储量、损失量计算图要求。 | 8 | 查资料。图种不全每缺1种扣2分，其他1项不符合要求扣1分。 |
| | 储量计算成果台账 | 有符合《生产矿井储量管理规程（试行）》规定的储量计算台账和损失量计算台账，种类齐全，填写及时、准确，全部有电子版。 | 7 | 查资料。每种任意检查1本，有缺项和台账未按规定及时填写，每缺1种扣2分；台账内容不全、数字前后矛盾，1处扣1分。 |
| | 统计管理 | 1.储量动态清楚，损失量、日期、构成原因等正确无误；<br>2.储量变动批文、报告完整，按时间顺序编号、合订；<br>3.定期分析回收率，对不合理丢煤从技术上提出意见和要求，并能如实反映储量损失情况；<br>4.矿井、采区、工作面结束有损失率分析报告，每半年进行1次全矿回收率总结；<br>5.丢煤通知单完整无缺，按时间顺序编号、合订。 | 10 | 查资料。1项不符合要求扣2分。 |

# 附录一 实习须知

职业中专的学习旨在为生产第一线输送技术骨干和基层管理人才。通过学习,学生除了具备必要的专业理论和基础知识外还必须具有较强的生产实践技能。生产部门对毕业生的评价和能否给予重用往往是根据他在实践中所表现出来的能力决定的。纸上谈兵的毕业生绝不会受到欢迎。因此学生在学校学习期间,必须认真上好实训课,不仅学好理论知识,同时练就实际操作的技能。

课堂实训是教学中的重要环节,又是培养实践能力的主要途径,是从学习向实际工作过渡的桥梁,是理论联系实践的重要步骤,必须正确对待。

**1. 测量仪器与工具的借领**

借领时,各组成员依次进入室内,先在登记表上填写班级、组号及日期,借领人签字后将登记表交给管理人员;然后,在指定地点清点、检查仪器和工具。

实习过程中,各组应妥善保护仪器、工具。各组间不得任意调换仪器、工具。若有损坏或遗失,视情节照章处理。

实习完毕后,应将所借用的仪器、工具上的泥土清扫干净再交还实验室,由管理人员检查和验收。

**2. 测量仪器与工具的正确使用和维护**

(1)领取仪器时必须检查

①仪器箱盖是否关妥、锁好。

②背带、提手是否牢固。

③脚架与仪器是否相配,脚架是否完好,脚架腿伸缩连接螺旋是否滑丝。

(2)打开仪器箱时的注意事项

①仪器箱应平放在地面上才能开箱,不要托在手上或抱在怀里开箱,以免将仪器摔坏。

②开箱后未取出仪器前,要注意仪器安放的位置与方向,以免用完仪器再装箱时因安放位置不正确而损伤仪器。

(3)自箱内取出仪器时的注意事项

①不论何种仪器,在取出前一定要先放松制动螺旋,以免取出仪器时因强行扭转而损坏制、微动装置,甚至损坏轴系。

②自箱内取出仪器时,应一手握住照准部支架,另一手扶住基座部分,轻拿轻放,不要用一只手抓仪器。

③自箱内取出仪器后,要随即将仪器箱盖好,以免沙土、杂草等不洁之物进入箱内。还要防止搬动仪器时丢失附件。

④取仪器和使用过程中,要注意避免触摸仪器的目镜、物镜,以免玷污,影响成像质量。不允许用手指或手帕等物去擦仪器的目镜、物镜等光学部分。

(4)架设仪器时的注意事项

①伸缩式脚架三条腿抽出后,要把固定螺旋拧紧,但不可用力过猛而造成螺旋滑丝。要防止因螺旋未拧紧而使脚架自行收缩而摔坏仪器,三条腿拉出的长度要适中。

②架设脚架时,三条腿分开的跨度要适中,并得太靠拢容易被碰倒,分得太开容易滑开,都会造成事故。若在斜坡上架设仪器,应使两条腿在坡下(可稍放长),一条腿在坡上(可稍缩短)。若在光滑地面上架设仪器,要采取安全措施(例如用细绳将脚架三条腿连接起来),防止脚架滑动摔坏仪器。

③在脚架安放稳妥并将仪器放到脚架上后,应一手握住仪器,另一手立即旋紧仪器和脚架间的中心连接螺旋,避免仪器从脚架上掉下摔坏。

④仪器箱多为薄型材料制成,不能承重,因此,严禁蹬仪器箱或坐在仪器箱上。

(5)仪器在使用过程中的注意事项

①在阳光下观测必须撑伞,防止日晒和雨淋(包括仪器箱)。雨天应禁止观测。对于电子测量仪器,在任何情况下均应撑伞防护。

②任何时候仪器旁必须有人守护。禁止无关人员拨弄仪器,注意防止行人、车辆碰撞仪器。

③如遇目镜、物镜外表面蒙上水汽而影响观测(在冬季较常见),应稍等一会或用纸片扇风使水汽散发。如镜头上有灰尘,应用仪器箱中的软毛刷拂去。严禁用手帕或其他纸张擦拭,以免擦伤镜面。观测结束应及时套上物镜盖。

④操作仪器时,用力要均匀,动作要轻捷。制动螺旋不宜拧得过紧,微动螺旋和脚螺旋宜使用中段螺纹,用力过大或动作太猛都会造成对仪器的损伤。

⑤转动仪器时,应先松开制动螺旋,然后平稳转动。使用微动螺旋时,应先旋紧制动螺旋。

(6)仪器迁站时的注意事项

①在远距离迁站或通过行走不便的地区时,必须将仪器装箱后再迁站。

②在近距离且平坦地区迁站时,可将仪器连同三脚架一起搬迁。首先检查连接螺旋是否旋紧,松开各制动螺旋,再将三脚架腿收拢,然后一手托住仪器的支架或基座,一手抱住脚架,稳步行走。搬迁时切勿跑行,防止摔坏仪器。严禁将仪器横扛在肩上搬迁。

③迁站时,要清点所有的仪器和工具,防止丢失。

(7)仪器装箱时的注意事项

①仪器使用完毕,应及时盖上物镜盖,清除仪器表面的灰尘和仪器箱、脚架上的泥土。

②仪器装箱前,要先松开各制动螺旋,将脚螺旋调至中段并使大致等高。然后一手握住仪器支架或基座,另一手将中心连接螺旋旋开,双手将仪器从脚架上取下放入仪器箱内。

③仪器装入箱内要试盖一下,若箱盖不能合上,说明仪器未正确放置,应重新放置,严禁强压箱盖,以免损坏仪器。在确认安放正确后再将各制动螺旋略微旋紧,防止仪器在箱内自由转动而损坏某些部件。

④清点箱内附件,若无缺失则将箱盖盖上,扣好搭扣,上锁。

(8)测量工具的使用

①使用钢尺时,应防止扭曲、打结,防止行人踩踏或车辆碾压,以免折断钢尺。携尺前进

时，不得沿地面拖拽，以免钢尺尺面刻划磨损。使用完毕，应将钢尺擦净并涂油防锈。

②水准尺和花杆，应注意防止受横向压力，不得将水准尺和花杆斜靠在墙上、树上或电线杆上，以防倒下摔断，也不允许在地面上拖拽或用花杆作标枪投掷。

③小件工具如垂球、尺垫等，应用完即收，防止遗失。

(9)全站仪使用的特别强调

①全站仪是结构复杂、价格昂贵的先进测量仪器之一，在使用时必须严格遵守操作规程，要十分爱护仪器，注意仪器的安全。

②架设全站仪时，必须及时将中心螺旋旋紧。

③在阳光下使用全站仪测量时，一定要撑伞遮掩仪器，严禁用望远镜对准太阳。

④在装卸电池时，必须先关掉电源。

⑤迁站时，即使距离很近，也必须取下全站仪装箱搬运，禁止将仪器连同三脚架一起搬迁，并注意防震。

⑥反光镜的镜面要避免触摸和玷污。不允许用手指或手帕等物去擦拭镜面，须使用专门的柔软镜头纸或织品。

### 3. 测量资料的记录要求

(1)观测记录必须直接填写在规定的表格内，不得用其他纸张记录再行转抄。

(2)凡记录表格上规定填写的项目应填写齐全。

(3)所有记录与计算均用铅笔(2H或3H)记载。字体应端正清晰，字高应稍大于格子的一半。一旦记录中出现错误，便可在留出的空隙处对错误的数字进行更正。

(4)观测者读数后，记录者应立即回报读数，经确认后再记录，以防听错、记错。

(5)禁止擦拭、涂改与挖补。发现错误应在错误处用横线划去，将正确数字写在原数上方，不得使原字模糊不清。淘汰某部分时可用斜线划去，保持被淘汰的数字清晰。所有记录的修改和观测成果的淘汰，均应在备注栏内注明原因(如测错、记错或超限等)。

(6)禁止连环更改，若已修改了平均数，则不准再改计算得此平均数之任何一原始数。若已改正一个原始读数，则不准再改其平均数。假如两个读数均错误，则应重测重记。

(7)读数和记录数据的位数应齐全。如在普通测量中，水准尺读数0325，度盘读数4°03′06″，其中的“0”均不能省略。

(8)数据计算时，应根据所取的位数，按“4舍6入，5前单进双不进”的规则进行凑整。如1.3144，1.3136，1.3145，1.3135等数，若取三位小数，则均记为1.314。

(9)每测站观测结束，应在现场完成计算和检核，确认合格后方可迁站。实验结束，应按规定每人或每组提交一份记录手簿或实验报告。

# 附录二　技术设计的一般原则

**1.一般规定**

(1)测图比例尺为1:500,基本等高距为1.0m。

(2)图上地物点相对于邻近图根点的点位中误差应不超过图上±0.5mm;邻近地物点间距中误差应不超过图上±0.4mm。

(3)高程注记点相对于邻近图根点的高程中误差不得大于±0.15m。

**2.地形碎部测量的一般要求**

(1)设站时,仪器对中误差不大于5mm,照准一图根点作为起始方向,观测另一图根点作为检核,算得检核点的平面位置误差不应大于图上0.2mm。仪器高和棱镜高应准确至毫米。

(2)水平角、竖直角仅仪器盘左观测。每站测图过程中,每测50~100个碎部点,应进行一次水平角归零检查,归零差不应大于2′,否则两次归零检查之间所测的全部碎部点成果作废,要重新安置仪器进行碎部点测量。

(3)碎部点的测量要将测区内的地形、地物特征点按一定的密度要求测出。要对各点作详细属性记录,便于内业手工测图或计算机制图。高程注记点应均匀分布,图上间距为3cm,平坦及地形简单地区可放宽至1.5倍,高程注记至厘米。

(4)手动记录数据时,角度读记至秒,光电测距的距离读记至毫米,光电测距最大长度为300m。如采用经纬仪视距测量,经纬仪中丝要尽可能照准水准尺黑面上等同仪器高的位置(可预先在尺面上进行标示),然后再读取上、下丝读数(估读至毫米)。在中丝不能照准水准尺上等仪器高的位置时,要读取上、中、下三丝读数。视距最大长度平地为100m,山地为50m。

**碎部点间距和最大距离**

| 测图比例尺 | 地形点间最大间距m | 最大视距m | |
|---|---|---|---|
| | | 主要地物点 | 次要地物点和地形点 |
| 1:500<br>1:1000 | 15<br>30 | 60<br>100 | 100<br>150 |

**3.地物取舍和测绘方法**

(1)地物的综合取舍原则

地物综合取舍的目的是在保证用图需要的前提下,使地形图更清晰易读。基本指导思想:除少数特殊的有重要意义的地物之外,一般地物的尺寸小到图上难以清晰表示时,就有必要对其进行综合取舍,且综合取舍不会给用图带来重大影响。

测量控制点是测绘地形图的主要依据,在图上应精确表示。

斜坡在图上投影宽度小于2mm用陡坎符号表示。当坡、坎比高小于0.25m或在图上长度小于5mm时,可不表示。

(2)房屋与建筑物的测绘

测量房屋以房屋墙基角为准,外廓为直角形的房屋,至少测量三个基角点,并检查它们是否构成直角。每座建筑物至少有一个高程注记点,并应注记其层数及结构(如框架等)。对大比例尺地形图而言,原则上应独立测绘出每座永久建筑物。居民地有各种各样的名称,如村名、单位名、小区名等,应调查核实后,予以注记。有合理规划的居民区,房屋排列整齐规则,各个房屋外形相同,只需测量少量外轮廓点,配合细部尺寸的丈量,即可绘出整排房屋。建筑物和围墙轮廓凹凸小于图上0.4mm,简单房屋小于0.6mm时,可用直线连接。

(3)路的测绘

道路包括公路、铁路、城镇中的街道、乡间的大路和小路及其附属物,如桥梁、隧道、涵洞、路堤、路堑、排水沟、里程碑、标志牌等。道路及其附属物均需测绘,临时性的便道不测绘,并行的多条小路择其主要的测绘。

道路在图上均以比例尺缩小的真实宽度双线表示。道路的边界线明显的,可以在一侧边界立尺测绘,丈量路宽绘出另一侧的边界线。曲线段及拐弯处应减小立尺点的间距,直线段可适当加大。铁路轨顶(曲线段为内轨)、公路路面中心、道路交叉处、桥面等必须测注高程。边界不明显的道路,测量其中心线,从中心线向两侧丈量至边界距离,然后绘出道路边界线。

沿道路两侧排列的以及其他成行的树木均用“行树”符号表示。符号间距视具体情况可放大或缩小。

(4)水系测绘

水系是另一类特征明显的地物,它们包括江河湖海、溪流沟渠、池塘水库、泉井等,以及与其相关的水工建筑物,如堤、水坝、桥、水闸、码头、渡口等。

河流、湖泊、池塘、水库按实际边界测绘,有堤的按堤岸测绘,并注记水面高程。溪流须测绘测量时的流水线,并适当注记高程和流向。堤坝要测注顶面与坡脚的高程。

测绘水系时,沿水系界线在起点、转折点、弯曲点、交叉点、终点立尺测定。当河流的宽度小于图上0.5mm,沟渠实际宽度小于1m时,以单线表示并注明流向。

井、泉视具体情况测绘,水乡地区除有名的井泉外,一般不予测绘。沙漠干旱地区所有泉眼皆须测绘。泉井必须标注测绘时的水面高程。同样水乡的溪流沟渠可酌情综合取舍。

(5)管线及墙栅的测绘

管线是指露在地面的管道、高压电力线、通讯线等;墙栅是指城墙、围墙、栅栏、铁丝网、篱笆等。测绘管线类时,均测绘支撑物,如高压线的电杆,用符号表示。

电线杆位置应实测,可不连线,但应绘出电线连线方向。

架空的、地面上的管道均应实测,并注记传输物质名称。地下管线检修井、消防栓应测绘表示。

(6)植被区域的测绘

在地形图上应反映各种植物的分布状况。当地类界线与线状地物重合时,可略去地类界线。

在各地类界线圈定的范围内,应填绘相应的植被符号,必要时还可配以文字说明和高程注记。农田要用不同的地类符号区分种植的不同作物的地块和土地的特性，如水稻、旱地、菜地等。田埂在图上的宽度大于1m时用双线表示，各地块内应测注代表性的高程点。

(7)地物测绘时的跑尺方法

分类跑尺法是测绘地形时，针对不同类的地物分类测绘，立尺时专立同一类地物，例如专测道路或专测房屋。它的优点是各类地物混杂碎部点很多时，有利于画板员正确连绘地物，避免连错线。缺点是分类跑尺在对不同类地物分类分批立尺时，会产生所跑路线重复，在同等数量碎部点的条件下，增加立尺员的跑尺路线的长度。

分区跑尺法是将所测绘地区分成若干片，立尺员一次跑一片，将同一片内的各类地物点按顺序一次立完。其优点是立尺员的跑路量最少。缺点是各类地物点混杂，画板员很可能连错地物轮廓线。

兼顾式跑尺法是上述两种方法的综合运用。例如在立尺某线状地物时，可顺便将线路上及其近旁的独立地物立尺测绘，在测绘房屋时顺便将街道测绘。

4.地貌的测绘

(1)选择地貌特征点

地貌特征点应选在山顶、鞍部；山脊、山谷、山脚等地性线上的变坡点；地性线的转折点、方向变化点、交点；平地的变坡线的起点、终点、变向点；特殊地貌的起点、终点等。

立尺员除要正确选择特征点立尺外，还应报告地性线的走向等有关信息，以便绘图员正确连接地性线。原则上地性线的起点、终点、坡度方向变化点都应当立尺测定。绘图员依据已测定的点及时正确地连绘地性线，逐步形成勾绘等高线的骨架。

(2)地貌特征点的测绘

地貌测绘跑尺方法有等高线路法、地性线路法和分片法。

等高线路法是沿着高程接近的线路连续立尺，当某高度的一排点测完时，向上或向下立另一排点，显著地节省跑尺员的体力，降低劳动强度，也能提高跑尺的速度，从而提高测绘地形图的效率。

地性线法是沿同一山脊、山谷等地性线连续立尺，立完一条才立另一条。它的优点为能及时完整地绘出地性线，使地貌的描绘真实准确。反复地沿地性线上下跑动将增大立尺员的劳动强度。

分片法是将每个测站待测地域分成几片，由各立尺员分片包干，其优点是遗漏点的可能性减少。在地貌变化特复杂的地区与第二种方法结合使用最适用。

# 参考文献


1.白裕良.矿山测量.北京:煤炭工业出版社,1989

2.于喜东.矿山测量工.北京:煤炭工业出版社,2005

3.高井祥.付培义等编.数字测图原理与方法.徐州:中国矿业大学出版社,2001

4.侯湘浦.地形测量学.北京:煤炭工业出版社,1996

5.刘俊荷.测量技术.北京:煤炭工业出版社,2001

6.张国良.矿山测量学.徐州:中国矿业大学出版社,2001

7.熊春宝.姬玉华.测量学.天津:天津大学出版社,2001

8.高井祥. 测量学. 徐州:中国矿业大学出版社,2007

9.吴蕴珉.矿山测量与矿图. 北京:地质出版社,1998

10.李玉宝.测量学.成都:西南交大出版社,2006

11.顾孝烈等编.测量学实验.上海:同济大学出版社,2003

12.杨正尧.程曼华等编.测量学实验与习题.武汉:武汉大学出版社,2001

13.陈社杰.测量与矿山测量.北京:冶金工业出版社,1990

14.矿山测量指导书.河南理工大学高等职业学院

15.孙丽军.许梦国. 地理信息系统在矿山的应用研究现状及发展趋势,2006